ZDRADZONA

P.C. CAST + KRISTIN CAST

Tom II cyklu

Przełożyła z angielskiego
Renata Kopczewska

Wydawnictwo „Książnica"

Tytuł oryginału
Betrayed

Koncepcja okładki
© Michael Storrings

Projekt serii
© Cara E. Petrus

Opracowanie graficzne
Mariusz Banachowicz

Ilustracja na okładce
© Ben Heys

W książce wykorzystano fragmenty:
W. Szekspir, Otello, przeł. Józef Paszkowski [w:] William Szekspir, Dzieła dramatyczne, T.V
Tragedie, Warszawa PIW 1980.
W. Szekspir, Kupiec wenecki, przeł. Leon Ulrich [w:] William Szekspir, Dzieła dramatyczne.
T. II, Komedie, Warszawa PIW, 1980.

ISBN 978-83-245-7840-5

Wydawnictwo „Książnica"
40-160 Katowice
Al. W. Korfantego 51/8
oddział Publicat S.A. w Poznaniu
tel. (032) 203-99-05
faks (032) 203-99-06
e-mail: ksiaznica@publicat.pl
www.ksiaznica.com

Wydanie pierwsze
Katowice

PODZIĘKOWANIA

Tę książkę pragniemy zadedykować (Cioci) Sherry Rowland, naszej przyjaciółce i wydawcy. Dzięki Ci, Sher, za to, że się o nas troszczysz, nawet kiedy Cię zanudzamy i męczymy (zwłaszcza gdy nas czymś „częstujesz"). Pozostaniesz na zawsze w naszych sercach.

ROZDZIAŁ PIERWSZY

— Wiecie co? Mamy nową — oświadczyła Shaunee, wślizgując się na siedzisko w ławkach ustawionych przy stole, który zwyczajowo uznałyśmy za nasz w stołówce, czy raczej w pierwszorzędnej szkolnej kafeterii.

— Porażka, Bliźniaczko, totalna porażka — zawtórowała jej Erin dokładnie takim samym tonem. Łączył ją z Shaunee pewien rodzaj duchowego powinowactwa, które sprawiało, że w jakiś sposób były do siebie podobne, przez co nazywałyśmy je Bliźniaczkami, mimo że Shaunee, Amerykanka jamajskiego pochodzenia, o cerze koloru kawy z mlekiem, mieszkająca w Connecticut, zewnętrznie w niczym nie przypominała jasnowłosej, niebieskookiej białej mieszkanki Oklahomy.

— Na szczęście dzieli pokój z Sarą Freebird. — Damien ruchem głowy wskazał drobną dziewczynę ze zdecydowanie czarnymi włosami, która oprowadzała po jadalni inną nastolatkę sprawiającą wrażenie zagubionej. Obrzucił obydwie jednym spojrzeniem, które wystarczyło, by ocenił ich wygląd od stóp do głów, od bucików po kolczyki w uszach. — Ponad wszelką wątpliwość nowa ma lepsze wyczucie mody niż Sara, czego nie zatraciła mimo stresu, jaki musi przechodzić w związku ze zmianą szkoły i Naznaczeniem. Może uda jej się wpłynąć na Sarę, by porzuciła swoje niefortunne preferencje dla brzydkiego obuwia.

— Damien — odezwała się Shaunee — cholernie działasz mi...

— ...na nerwy tym swoim nadętym słownictwem — dokończyła Erin za przyjaciółkę.

Damien pociągnął nosem, przybierając obrażoną i nieco wyniosłą minę, z czym wyglądał jeszcze bardziej gejowsko niż zwykle (a przecież był gejem).

— Gdyby twoje słownictwo nie było takie trywialne, nie potrzebowałabyś leksykonów, by się ze mną porozumieć.

Bliźniaczki przymrużyły oczy, gotowe zaatakować go serią obelg, ale moja współmieszkanka do tego nie dopuściła.

— Niefortunne preferencje — zły gust. Trywialne — prostackie — wyjaśniła zwięźle, jakby tłumaczyła, co autor miał na myśli. — A teraz przestańcie się spierać i posłuchajcie przez chwilę. Wiecie, że zaraz nastąpi pora odwiedzin, więc nie powinniśmy się zachowywać jak półgłówki w obecności naszych staruszków.

— O psiakostka — wyrwało mi się. — Zupełnie wyleciało mi z głowy, że to dzień rodzicielskich odwiedzin.

Damien jęknął i zaczął tłuc głową o blat stołu, i to wcale nie tak znowu delikatnie.

— Ja też na śmierć zapomniałem.

Cała nasza czwórka posłała mu współczujące spojrzenia. Rodzice Damiena niespecjalnie się przejmowali jego Znakiem, przeprowadzką do Domu Nocy i rozpoczęciem procesu Przemiany, która albo przeobrazi go w wampira, albo zabije, jeśli organizm ją odrzuci. Jedyne z czym się nie mogli pogodzić, to z jego gejostwem.

W końcu stanowiło to jakąś pociechę, że chociaż pod tym względem nie było im wszystko jedno. Bo moja mama i jej obecny mąż, czyli mój ojciach, nienawidzili dokładnie wszystkiego, co się ze mną wiązało.

— A moi w ogóle nie przyjdą. Pojawili się w zeszłym miesiącu, więc w tym nie znaleźli już czasu na odwiedziny.

— Bliźniaczko, to jeszcze jeden dowód na naszą identyczność — dodała Erin. — Bo moi starzy właśnie przysłali mi maila. Z okazji zbliżającego się Święta Dziękczynienia postanowili się wybrać w rejs na Alaskę wraz z moją ciocią Alane i wujem lujem Loydem. Zresztą, co tam. — Wzruszyła ramionami najwyraźniej niezbyt przejęta nieobecnością swoich rodziców.

— Nie martw się, Damien, może twoja mama i tata też się nie pojawią — powiedziała Stevie Rae pocieszającym tonem.

— Pojawią się. — Damien ciężko westchnął. — W tym miesiącu przypadają moje urodziny. Przyjdą z prezentami.

— To nie najgorsza nowina — zauważyłam. — Mówiłeś, że przydałby ci się nowy blok rysunkowy.

— Nie dadzą mi bloku — odrzekł. — W zeszłym roku prosiłem o sztalugi, a dostałem sprzęt na wyprawy kempingowe i prenumeratę *Sports Illustrated*.

— Coś takiego! — zgorszyły się jednocześnie Erin i Shaunee, a ja i Stevie Rae zgodnie wydałyśmy okrzyki współczucia.

Damien, najwyraźniej chcąc zmienić temat, zwrócił się do mnie:

— Dla twoich rodziców to pierwsza wizyta. Jak twoim zdaniem będzie wyglądała?

— Koszmarnie — prorokowałam. — Beznadziejnie.

— Zoey? Pomyślałam sobie, że powinnam przedstawić ci swoją nową współmieszkankę. Diano, poznaj Zoey Redbird, nową przewodniczącą Cór Ciemności.

Zadowolona, że nie muszę dalej rozprawiać o swoich beznadziejnych rodzicach, uśmiechnęłam się, słysząc stremowany głos Sary.

— Ojej, to prawda? — zawołała nowa, zanim zdążyłam powiedzieć jej „cześć". I, do czego zdążyłam się już przyzwyczaić, czerwona jak burak zaczęła się gapić na mój Znak.

— No, przepraszam, nie chciałam być nieuprzejma ani nic w tym rodzaju... — tłumaczyła się z nieszczęśliwą miną.

— Nie ma sprawy. Tak, to prawda. A mój Znak jest wypełniony kolorem i ma więcej elementów. — Nadal się uśmiechałam, chcąc poprawić jej samopoczucie, chociaż nie znoszę, kiedy jestem główną atrakcją na pokazie dziwolągów.

Na szczęście Stevie Rae włączyła się do rozmowy, nie pozwalając Dianie, żeby gapiła się na mnie zbyt długo i nieznośnie przedłużała krępujące milczenie.

— Ten spiralny tatuaż pojawił się u Z, kiedy uratowała swojego byłego chłopaka przed krwiożerczymi duchami wampirów — powiedziała lekko.

— Tak mi mówiła Sara — przyznała Diana ostrożnie — ale brzmiało to tak nieprawdopodobnie, że... wiecie...

— Że nie wierzyłaś w to — podpowiedział usłużnie Damien.

— Tak, przepraszam — powtórzyła Diana, wyłamując sobie palce.

— Nie szkodzi — uśmiechnęłam się w miarę szczerze. — Czasem mnie samej trudno uwierzyć, że tam byłam.

— I że dałaś im kopa w dupę — dodała Stevie Rae.

Zgromiłam ją spojrzeniem, ale ona nic sobie z tego nie robiła. Cóż, może i jestem predestynowana na starszą kapłankę, jednakże przyjaciele jeszcze nie bardzo mnie słuchają.

— W każdym razie to miejsce na początku wydaje się dosyć dziwne, ale potem to mija — pocieszyłam nową.

— To dobrze — odpowiedziała z ulgą.

— Chyba już pójdziemy — uznała Sara — bo muszę jeszcze pokazać Dianie, gdzie się odbywa jej piąta lekcja.

— Po czym złożyła formalny ukłon, przykładając do serca zwiniętą dłoń i skłaniając głowę w pełnym szacunku geście, czym mnie kompletnie zaskoczyła, a nawet wprawiła w zakłopotanie.

— Naprawdę nie znoszę, jak to robią — mruknęłam, wbijając widelec w sałatkę.

— Moim zdaniem to miłe — zaoponowała Stevie Rae.

— Zasługujesz na to, by ci okazywać szacunek — dodał Damien mentorskim tonem. — Przechodzisz dopiero trzecie formatowanie, a już zostałaś przewodniczącą Cór Ciemności, w dodatku jesteś jedyną adeptką w historii, która kontaktuje ze wszystkimi pięcioma żywiołami.

— Musisz przyznać... — rezonowała Shaunee, zmagając się ze swoją porcją sałatki i mierząc we mnie widelcem.

— ...że jesteś wyjątkowa — dokończyła za nią Erin (jak zwykle).

Trzecie formatowanie w Domu Nocy to tyle co pierwszy rok w college'u czy na studiach, czwarte odpowiada drugiemu rokowi i tak dalej. Zgadza się, jestem jedyną słuchaczką trzeciego formatowania, która przewodzi Córom Ciemności. Mam szczęście.

— Skoro mówimy o Córach Ciemności — włączyła się znów Shaunee — czy zdecydowałaś już, jakie wymagania należy spełnić, by się zakwalifikować do ich grona?

Ledwie się pohamowałam, żeby nie wrzasnąć: *Nie, jeszcze nie wiem, bo ciągle nie mogę uwierzyć, że pełnię tę funkcję!* Potrząsnęłam głową i wpadłam na genialny pomysł: przerzucę na nich część inicjatywy.

— Nie wiem, jakie wymagania trzeba postawić. Właściwie miałam nadzieję, że mi w tym pomożecie. Macie może już jakiś pomysł?

Tak jak myślałam, cała czwórka zamilkła. Zanim zdążyłam podziękować im za to milczenie, w interkomie rozległ się głos starszej kapłanki. Przez krótką chwilę byłam zadowolona, że niewygodny temat został zarzucony, ale zaraz dotarła do mnie treść komunikatu i ścisnęło mnie w żołądku.

— Uczniowie i nauczyciele proszeni są o przejście do holu przyjęć. Rozpoczął się czas comiesięcznych odwiedzin waszych rodziców.

Holender, nie ma rady.

— Stevie Rae! Stevie Rae! Ojejku, jak ja się za tobą stęskniłam!

— Mama! — zawołała Stevie Rae i rzuciła się w ramiona kobiety, która wyglądała tak samo jak jej córka, tylko starsza o jakieś dwadzieścia kilka lat i grubsza o dwadzieścia kilo.

Damien i ja staliśmy niezdecydowanie w holu, który zaczynał się zapełniać gośćmi wyglądającymi na ludzkich rodziców, czasem na ludzkie rodzeństwo, mieszającymi się z adeptami i grupkami naszych nauczycieli.

— No cóż, widzę tam swoich rodziców — powiedział Damien z ciężkim westchnieniem. — Niech już mam to za sobą. Cześć.

— Cześć — mruknęłam, patrząc, jak podchodzi do dwojga całkiem zwyczajnie wyglądających ludzi z paczuszkami prezentów w rękach. Mama uściskała go raczej powściągliwie, a ojciec potrząsnął jego ręką przesadnie męskim gestem. Damien poddawał się temu z pobladłą twarzą, wyraźnie zestresowany.

Podeszłam do stołu zajmującego całą długość ściany, nakrytego obrusem. Pełno na nim było wyszukanych serów, mięs, deserów, a ponadto kawa herbata, wino. Mieszkałam w Domu Nocy już przeszło miesiąc, a jeszcze szokowało mnie, że tak często serwuje się tu wino. Dało się to częściowo wytłumaczyć tym, że nasz Dom prowadzony był na wzór europejskich Domów Nocy. Widocznie tam wino podaje się równie często jak u nas coca-colę czy herbatę do posiłków. Następny argument za podawaniem wina to ten, że wampir praktycznie nie może się upić, adept najwyżej dostaje lekkiego kopa, przynajmniej jeśli chodzi o alkohol, bo co do krwi to całkiem inna sprawa. Tak więc wino nie przedstawia tu żadnego problemu, ale byłam ciekawa, jak rodzice z Oklahomy zareagują na widok wina podawanego w szkole.

— Mamo, poznaj moją współmieszkankę. Pamiętasz, jak ci o niej opowiadałam? To Zoey Redbird. Zoey, to moja mama.

— Dzień dobry, pani Johnson. Miło mi panią poznać — przywitałam się grzecznie.

— To mnie jest miło poznać ciebie, Zoey. Ojejku, Stevie Rae wcale nie przesadziła, mówiąc, że masz taki ładny Znak.

— Zaskoczyła mnie tym swoim maminym uściskiem, jak też wyszeptanym wyznaniem: — Tak się cieszę, że troszczysz się o moją Stevie Rae. Ja się o nią martwię.

Też ją uścisnęłam i odpowiedziałam szeptem:

— Nie ma sprawy, pani Johnson. Stevie Rae jest moją najlepszą przyjaciółką. — Nagle zapragnęłam, co było zupełnie nierealne, żeby moja mama martwiła się o mnie tak, jak pani Johnson martwi się o swoją córkę.

— Mamo, przyniosłaś mi czekoladowe chrupki? — zapytała Stevie Rae.

— Tak, dziecino, przyniosłam, ale zostawiłam w samochodzie. — Mama Stevie Rae mówiła z tak samo silnym oklahomskim akcentem jak jej córka. — Chodź ze mną do samochodu, to razem je przyniesiemy. Wzięłam trochę więcej, żebyś poczęstowała przyjaciółki. — Uśmiechnęła się do mnie miło. — Chodź z nami, Zoey, będzie nam przyjemniej.

— Zoey!

Usłyszałam własny głos niczym zamrożone echo ciepłej tonacji pani Johnson, gdy za jej plecami zobaczyłam, jak moja mama wchodzi do holu wraz z Johnem. Serce uciekło mi do pięt. Musiała go przyprowadzić. Nie mogła raz dla odmiany zostawić go w domu i przyjść sama, tak byśmy zostały tylko we dwie? Oczywiście znałam odpowiedź. On by się nigdy na to nie zgodził. A skoro on by nie pozwolił, to ona mu się nie sprzeciwi. I tyle. Koniec tematu. Od kiedy wyszła za Johna, nie musiała się martwić o pieniądze. Zamieszkała w przeogromnym domu na przedmieściach w spokojnej okolicy. Zgłosiła się na ochotnika do PTA*. Zaczęła się udzielać w kościele. Od czasu swojego ślubu przed trzema laty przestała być sobą. Zatraciła wszystkie swoje dotychczasowe cechy.

— Przepraszam, pani Johnson, ale widzę, że nadchodzą moi rodzice, więc lepiej już sobie pójdę.

— Ależ kochanie, z przyjemnością poznam twoją mamę i tatę. — I tak jakby to się działo w jakiejś innej zwykłej szkole, zwróciła się z uśmiechem do moich rodziców.

Wymieniłyśmy ze Stevie Rae porozumiewawcze spojrzenia. *Przepraszam*, bezgłośnie wyartykułowałam w jej kierunku. Niby nie miałam całkowitej pewności, że wydarzy się coś złego, ale widząc, jak ojciach, niczym generał dowodzący szwadronem śmierci, pilnuje, by zachować odpowiedni dystans pomiędzy nami, uświadomiłam sobie, że spory pasują do tej koszmarnej nocy.

Ale naraz poczułam się znacznie lepiej, gdy zobaczyłam, jak zza pleców ojciacha wyłania się najmilsza osoba pod słońcem i w powitalnym geście wyciąga do mnie ramiona.

— Babcia!

Zamknęła mnie w mocnym uścisku swoich ramion, poczułam zapach lawendy, który zawsze jej towarzyszył, jakby zabierała ze sobą w drogę kawałek swojej lawendowej farmy.

— Zoey, ptaszyno! Bardzo się za tobą stęskniłam, *u-wetsi a-ge-hu-tsa*.

Uśmiechnęłam się do niej przez łzy, słysząc to czirokeskie słowo „córka", które dla mnie oznaczało miłość, poczucie bezpieczeństwa i bezwarunkową akceptację, czego od trzech

---

* Parents-Teachers Association — organizacja skupiająca rodziców, którzy działają na rzecz szkoły (ten przypis i następne pochodzą od tłumaczki).

lat nie zaznałam we własnym domu, a co przed przybyciem do Domu Nocy mogłam znaleźć jedynie na farmie Babci.

— Ja też tęskniłam za tobą, Babciu. Tak się cieszę, że przyjechałaś!

— Pani na pewno jest babcią Zoey — powiedziała pani Johnson, gdy tylko oderwałyśmy się od siebie. — Miło mi panią poznać. Ma pani świetną dziewczynkę.

Babcia uśmiechnęła się do niej ciepło, gotowa coś odpowiedzieć, ale John jej przerwał tym swoim nieznoszącym sprzeciwu tonem:

— Właściwie dziewczynka, którą pani tak komplementuje, jest nasza.

Mama, niczym podręcznikowa żona, odzyskała głos.

— Tak, to my jesteśmy rodzicami Zoey. Nazywam się Linda Heffer. A to mój mąż, John, i moja matka, Sylvia Red...

— Urwała w pół słowa to swoje eleganckie przedstawianie, kiedy wreszcie raczyła zaszczycić mnie spojrzeniem.

Zmusiłam się do uśmiechu, ale policzki mnie piekły i bolały, jakbym siedziała na słońcu, mając na twarzy twardniejącą maseczką, która popęka i rozpadnie się na kawałki, jeśli nie będę dość ostrożna.

— Cześć, Mamo.

— Na litość boską, coś ty zrobiła z tym Znakiem? — To ostatnie słowo Mama wymówiła, jakby miała powiedzieć „pedofil" albo „rak".

— Uratowała życie pewnemu chłopcu i wykazała zdolność kontaktowania się z żywiołami, co właściwe jest jedynie bogini. Za to Nyks wyróżniła ją Znakami, jakich nie mają adepci — wyjaśniła Neferet swym melodyjnym głosem, dołączając do grona niedobranych osób i wyciągając dłoń w stronę ojciacha. Neferet prezentowała się jak większość dorosłych wampirów — chodząca doskonałość. Wysoka, z masą falujących złotych włosów, z wielkimi oczami o wykroju migdałów w oryginalnym kolorze zielonego mchu.

15

Poruszała się pewnie i z gracją godną bogini, cała jej sylwetka jaśniała nieziemskim blaskiem, jakby była rozświetlona od wewnątrz. Miała na sobie szafirowy kostium ze lśniącego jedwabiu, w uszach srebrne kolczyki w kształcie spirali (co miało oznaczać podążanie ścieżką bogini, z czego chyba większość rodziców nie zdawała sobie sprawy). Nad jej lewą piersią widniała wyhaftowana srebrną nitką sylwetka bogini ze wzniesionymi ramionami, ten sam symbol nosiły także pozostałe wykładowczynie. Zaprezentowała olśniewający uśmiech, gdy zwróciła się do ojciacha. — Panie Heffer, jestem Neferet, starsza kapłanka w Domu Nocy, choć może łatwiej będzie panu przyjąć, że jestem dyrektorką zwyczajnej szkoły średniej. Dziękuję, że przyszli państwo na nasz comiesięczny wieczór spotkań rodzicielskich.

Machinalnie uścisnął jej rękę. Jestem przekonana, że nie zrobiłby tego, gdyby go nie wzięła przez zaskoczenie. Potrząsnęła energicznie jego dłonią i zwróciła się do mojej Mamy:

— Pani Heffer, miło mi poznać matkę Zoey. Bardzo się cieszymy, że przybyła do naszego Domu Nocy.

— A tak, dziękuję — bąkała Mama rozbrojona urokiem i urodą Neferet.

Witając się z moją babcią, Neferet uśmiechnęła się szeroko i widać było, że to nie jest zdawkowa uprzejmość. Zauważyłam też, że uścisnęły sobie ręce w sposób typowy dla wampirów, ujmując przedramiona.

— Sylvio Redbird, zawsze widuję cię z prawdziwą przyjemnością.

— Neferet, moje serce też się raduje na twój widok, poza tym jestem ci wdzięczna za to, że dotrzymując obietnicy, troszczysz się o moją wnuczkę.

— Bez trudu przyszło mi dotrzymać danego słowa. Zoey to wyjątkowa dziewczyna. — Teraz mnie obdarzyła swoim ciepłym uśmiechem. Następnie zwróciła się do Stevie Rae i jej matki: — A oto Stevie Rae Johnson, która dzieli pokój z Zoey, i jej matka. Słyszę, że obie stały się nierozłączne i że nawet kot Zoey przekonał się do Stevie Rae.

— To prawda, wczoraj wieczorem, kiedy oglądałyśmy telewizję, siedziała mi na kolanach przez cały czas — przyznała ze śmiechem Stevie Rae. — A Nala lubi tylko Zoey, nikogo więcej.

— Kot? Nie przypominam sobie, by ktokolwiek z nas zgodził się, aby Zoey trzymała u siebie kota — powiedział John tonem, który przyprawiał mnie o mdłości. Można by pomyśleć, że ktoś poza Babcią odezwał się do mnie choć raz w ciągu ostatniego miesiąca.

— Nie zrozumiał pan, panie Heffer. W Domu Nocy kotom wolno wszędzie chodzić. I to one wybierają swoich właścicieli, nie odwrotnie. Zoey więc nie potrzebuje niczyjego zezwolenia, skoro Nala ją wybrała — zręcznie wyjaśniła Neferet.

John chrząknął lekceważąco, co na szczęście wszyscy zignorowali. Ależ z niego dupek.

— Może napiją się państwo czegoś? — Neferet wdzięcznym ruchem wskazała stół pełen orzeźwiających napoi.

— O kurczę! Miałam przynieść ciasteczka, które zostawiłam w samochodzie. Właśnie szłyśmy po nie ze Stevie Rae. Miło mi było państwa poznać — powiedziała pani Johnson, ściskając mnie na pożegnanie, a reszcie machając ręką. Poszły sobie i zostawiły mnie z moją rodziną, choć wolałabym znaleźć się w innym miejscu.

Idąc do stołu z poczęstunkiem, wzięłyśmy się z Babcią za ręce, a po drodze pomyślałam, o ileż byłoby łatwiej, gdyby tylko ona przyszła mnie odwiedzić. Zerknęłam na Mamę. Wydawało się, że wyraz nachmurzenia już nie opuszcza jej twarzy. Popatrywała na inne dzieci, a na mnie nawet nie spojrzała. *Po coś tu w ogóle przyszła?*, miałam ochotę jej wykrzyczeć. *Po co stwarzać pozory, że ci na mnie zależy,* że tęskniłaś za mną, a jednocześnie okazywać, że jest akurat odwrotnie?

— Może winka, Sylvio? Pani Heffer? Panie Heffer? — zapraszała Neferet.

— Ja chętnie się napiję czerwonego wina — odpowiedziała Babcia.

Zaciśnięte usta Johna wyrażały dezaprobatę.

— Nie. My nie pijemy.

Najwyższym wysiłkiem woli powstrzymałam się, by nie wznieść oczu do nieba. Od kiedy to on nie pije? Gotowa jestem założyć się o ostatnie pięćdziesiąt dolarów swoich oszczędności, że w tej chwili w lodówce czeka na niego sześciopak piwa. A Mama tak samo jak Babcia lubiła wypić trochę czerwonego wina. Pochwyciłam nawet jej pełne zazdrości spojrzenie na widok Neferet nalewającej Babci wino. Ale nie, oni nie piją. W każdym razie nie w miejscach publicznych. Co za hipokryzja.

— Mówiłaś, że Znak Zoey został wzbogacony, ponieważ dokonała czegoś wyjątkowego? — zapytała Babcia, znacząco ściskając mi palce. — Wspomniała, że została przewodniczącą Cór Ciemności, ale nie powiedziała, jak do tego doszło.

Napięcie wróciło. Mogłam sobie wyobrazić, co by to było, gdyby John i Mama dowiedzieli się, że była przewodnicząca Cór Ciemności utworzyła krąg w noc Halloween (obchodzoną w Domu Nocy jako Samhain, święto zbiorów, kiedy to zasłona oddzielająca nasz świat od świata duchów jest najcieńsza), ściągnęła przerażające duchy wampirów, nad którymi przestała panować, a w tym samym czasie pojawił się mój były chłopak, wreszcie mnie tu odnajdując. Poza tym za nic nie chciałam, aby się dowiedzieli tego, o czym wiedziało zaledwie parę osób — dlaczego Heath mnie szukał: otóż spróbowałam jego krwi, co sprawiło, że dostał hopla na moim punkcie, co często się zdarza ludziom, kiedy zadadzą się z wampirami, nawet jeśli to tylko adepci. Tak więc przewodnicząca Cór Ciemności, Afrodyta, przestała panować nad duchami wampirów, które zamierzały pożreć Heatha. Dosłownie. Co gorsza, wyglądało na to, że zamierzały chapsnąć po kawałku każdego z nas, nie wyłączając Erika Nighta, bardzo seksownego wampirskiego młodziana, który nie jest moim eks, co z zadowoleniem stwierdzam, ale moim prawie chłopakiem, ponieważ spotykam się z nim od mniej więcej miesiąca. Tak czy owak musiałam coś zrobić, więc przy wsparciu Stevie Rae, Damiena i Bliźniaczek utworzyłam własne koło, przywołując na pomoc pięć żywiołów: powietrze, ogień, wodę, ziemię i ducha. Dzięki zdolności kontaktowania się z żywiołami udało mi się przepędzić duchy tam, gdzie sobie żyją (albo nie żyją?). Kiedy tego dokonałam, na moim ciele pojawił się nowy tatuaż, delikatne, jakby koronkowe szafirowe ornamenty okalające moją twarz — rzecz niesłychana, która jeszcze nigdy nie przydarzyła się najmłodszym adeptom — podobne elementy wraz z symbolami oznaczyły mi ramiona, czego też nie widziano jeszcze u żadnego adepta. Wtedy wyszło na jaw, jak marną przewodniczącą Cór Ciemności okazała się Afrodyta, wobec czego Neferet wylała ją, a mnie postawiła na jej miejscu. W związku z tym teraz ja przechodzę kurs na starszą kapłankę Nyks, bogini wampirów i uosobienie Nocy.

Żadna z tych rewelacji nie mogłaby zostać pozytywnie przyjęta przez hiperreligijnych i bezkompromisowych rodziców.

— Och, zdarzył się mały wypadek. I tylko zimna krew i refleks Zoey sprawiły, że nikt nie został ranny, przy czym wykazała też podatność na oddziaływanie żywiołów, mogąc czerpać z nich energię. — Neferet uśmiechnęła się z dumą, co mnie napełniło szczęściem, ponieważ poczułam jej całkowitą akceptację. — Ten tatuaż jest po prostu zewnętrzną oznaką łask, jakimi bogini obdarzyła Zoey.

— To czyste bluźnierstwo — orzekł John tonem protekcjonalnym i wyniosłym, choć w jego głosie pobrzmiewała też zwyczajna złość. — W ten sposób wystawia pani jej nieśmiertelną duszę na wielkie niebezpieczeństwo.

Neferet obrzuciła Johna uważnym spojrzeniem swych zielonych oczu. Nie wyrażało ono złości, raczej rozbawienie.

— Musi pan być jednym z diakonów Ludzi Wiary — domyśliła się.

Wypiął swą ptasią pierś.

— Tak, zgadza się, jestem diakonem Ludzi Wiary.

— W takim razie od razu wyjaśnijmy sobie pewne rzeczy, panie Heffer. Nie zamierzam przystępować do pańskiego kościoła ani lekceważyć wyznawanej przez pana wiary, choć zupełnie się z nią nie zgadzam. Z kolei nie spodziewam się, by pan się nawrócił na moją wiarę. Prawdę mówiąc, nawet by mi do głowy nie przyszło, by przekonywać pana do mojej religii, mimo że głęboko wierzę w swoją boginię, którą darzę najwyższą czcią. Ale oczekuję jednego: że okaże mi pan w tym względzie taką samą uprzejmość, jaką ja pana zaszczyciłam. Przebywając w moim domu, musi pan szanować moje przekonania.

Oczy Johna zwęziły się w szparki, zauważyłam, jak zaciska nerwowo szczęki.

— Wstąpiła pani na drogę grzechu i występku — powiedział zapalczywie.

— I to mówi człowiek oddający cześć Bogu, który przyjemnościom odmawia wszelkiej wartości, kobiety sprowadza do roli służących i samic rozpłodowych, mimo że to na nich wspiera się Kościół, i który trzyma w ryzach swoich wyznawców, wzbudzając w nich strach i poczucie winy. — Neferet zaśmiała się cicho, ale nie był to śmiech radosny, brzmiała w nim groźba, która zjeżyła mi włosy na głowie. — Niech pan będzie bardziej powściągliwy w osądzaniu bliźnich, może powinien pan zacząć od oczyszczenia własnego domu.

John poczerwieniał, z sykiem wciągnął do płuc powietrze i już szykował się do riposty, z której by wynikało, że jego przekonania są najsłuszniejsze pod słońcem, a wszystkie inne błędne, ale Neferet nie dopuściła go do głosu. Tonem, w którym brzmiała siła autorytetu starszej kapłanki i który przejął mnie trwogą, mimo że jej gniew nie był przeciwko mnie skierowany, zwróciła się do Johna:

— Ma pan dwa wyjścia. Może pan przychodzić do Domu Nocy na prawach gościa, jak wszyscy pozostali, co oznacza, że będzie pan szanował nasze poglądy, a swoje niezadowolenie i przekonania zachowa dla siebie. Drugie wyjście: może pan opuścić to miejsce i nie wracać tutaj. Nigdy. Proszę zdecydować. I to teraz.

Ostatnie słowa uderzyły mnie jak obuchem, niemal się skuliłam pod ich ciężarem. Zauważyłam, że Mama wpatruje się w Neferet szklanym wzrokiem, blada jak płótno. Twarz Johna nabrała odmiennego koloru. Oczy mu się zrobiły wąskie jak szparki, policzki czerwone jak burak.

— Linda — wycedził przez zęby. — Idziemy. — Spojrzał na mnie z taką nienawiścią i wstrętem, że aż się cofnęłam. Wiedziałam, że mnie nie lubi, ale nie zdawałam sobie sprawy, jak bardzo. — To miejsce jest akurat odpowiednie dla ciebie. Na nic lepszego nie zasługujesz. Nie wrócimy tu, ani ja, ani twoja matka. Zostawiamy cię samej sobie. — Odwrócił się na pięcie i ruszył do wyjścia.

Mama się zawahała, przez chwilę miałam nadzieję, że powie coś miłego, na przykład że przeprasza za jego zachowanie albo że za mną tęskniła czy żebym się nie martwiła, bo bez względu na to co on powiedział, ona i tak tu przyjdzie.

— Zoey, nie mogę uwierzyć, w co się tym razem wpakowałaś. — Potrząsnęła z naganą głową i zrobiła to, co ostatnio zawsze robiła: podążyła za Johnem.

— Och, kochanie, tak mi przykro. — Babcia rzuciła się pocieszać mnie i tulić. — Ja na pewno tu wrócę, obiecuję ci.

Wiedz, że jestem taka dumna z ciebie. — Oparła mi ręce na ramionach i uśmiechnęła się przez łzy. — Nasi czirokescy przodkowie też są z ciebie dumni. Czuję to. Masz na sobie dotknięcie bogini, a na swoich przyjaciół możesz liczyć. — Spojrzała na Neferet i dodała: — Jak też na mądrych nauczycieli. Może kiedyś zdołasz przebaczyć swojej matce. Zanim to nastąpi, pamiętaj, że w sercu jesteś moją córką, *u-we-tsi a-ga-hu-tsa.* — Pocałowała mnie mocno. — A teraz muszę już iść. Przyprowadziłam twój samochodzik, zostawiam ci go, więc będę musiała zabrać się z nimi. — Podała mi kluczyki do mojego sędziwego garbusa. — I nie zapominaj, że zawsze cię będę kochała, ptaszyno.

— I ja ciebie kocham, Babciu — powiedziałam, też ją całując. Przytuliłam się do niej, wciągając głęboko do płuc jej zapach, tak jakbym mogła zatrzymać go w sobie tyle, by mi starczyło na następny miesiąc, kiedy będę za nią tęsknić.

— Pa, kochanie. Zadzwoń do mnie, kiedy będziesz mogła. — Pocałowała mnie raz jeszcze i wyszła.

Patrzyłam, jak znika, i nawet nie czułam, że płaczę, dopóki łzy nie zaczęły spływać mi po szyi. Zapomniałam, że Neferet nadal stoi przy mnie, więc wzdrygnęłam się lekko, kiedy podała mi chusteczkę.

— Tak mi przykro, Zoey — powiedziała łagodnie.

— A mnie nie. — Otarłam łzy, wydmuchałam nos i powiedziałam: — Dziękuję, że mu się postawiłaś.

— Nie zamierzałam wypraszać twojej matki.

— Wiem. Ale ona postanowiła iść za nim. Zawsze tak robi od przeszło trzech lat. — Poczułam, że łzy ponownie napływają mi do oczu, więc aby się znów nie rozpłakać, dodałam szybko: — Kiedyś taka nie była. Wiem, to się może wydać głupie, ale ciągle mam nadzieję, że znów stanie się taka jak przedtem. Ale jakoś to się nie zdarza. Tak jakby on zabił moją matkę i jej ciało napełnił kimś innym.

Neferet otoczyła mnie ramieniem.

— Podobało mi się to, co powiedziała twoja babcia: że może kiedyś znajdziesz w sobie dość siły, by przebaczyć matce.

Popatrzyłam w stronę drzwi, za którymi niedawno zniknęła.

— To „kiedyś" chyba nieprędko nastąpi.

Neferet objęła mnie współczująco.

Podniosłam głowę, popatrzyłam na nią i pomyślałam sobie, chyba setny raz, jak bardzo bym chciała, żeby to ona była moją mamą. I zaraz przypomniałam sobie, co mi opowiedziała przed miesiącem — jej mama umarła, gdy Neferet była małą dziewczynką, a ojciec wykorzystywał ją fizycznie i psychicznie, dopiero bogini ją ocaliła.

— Czy wybaczyłaś swojemu ojcu? — zapytałam ostrożnie.

Neferet popatrzyła na mnie i zamrugała, jakby odrywała się od odległych wspomnień.

— Nie. Nigdy mu nie wybaczyłam, ale kiedy teraz o nim myślę, mam wrażenie, że myślę o kimś innym, o człowieku zupełnie mi obcym, jakbym rozpamiętywała życie kogoś innego. Bo wyrządził krzywdę małemu człowiekowi, a nie starszej kapłance, wampirzycy. A on, tak samo jak inni ludzie, nie ma żadnego znaczenia dla starszej kapłanki ani dla wampirzycy.

Słowa te brzmiały mocno i przekonująco, ale kiedy spojrzałam jej w oczy, zobaczyłam błyski czegoś odległego i z pewnością nie puszczonego w niepamięć, co skłoniło mnie do refleksji, na ile była szczera wobec samej siebie...

ROZDZIAŁ DRUGI

Bardzo mi ulżyło, kiedy Neferet powiedziała, że nie ma sensu, bym dłużej zostawała w sali przyjęć. Po tym jak moi rodzice odegrali scenę, wydawało mi się, że wszyscy się na mnie gapią. Byłam więc nie tylko dziewczyną z dziwnym Znakiem, ale też tą, która ma koszmarną rodzinę. Wybiegłam z holu jak najkrótszą drogą, by znaleźć się zaraz na chodniku wiodącym przez ładne podwóreczko, na które wychodziły okna sali przyjęć.

Minęła właśnie północ, co jak na czas rodzicielskich wizyt było dość dziwną porą, ale lekcje tutaj zaczynały się o ósmej wieczorem, a kończyły o trzeciej nad ranem. Na pierwszy rzut oka mogłoby się wydawać, że byłoby lepiej, gdyby wizyty zaczynały się o ósmej albo godzinę wcześniej, ale Neferet wyjaśniła mi, że chodzi o to, by rodzice przywykli do Przemiany zachodzącej w ich dziecku, dla którego inne pory dnia i nocy wyznaczały nowy rozkład zajęć. Sama też doszłam do wniosku, że dodatkową zaletą wyznaczenia takiej godziny wizyt była jej niedogodność, co dawało rodzicom pretekst do wykręcenia się od przyjścia, kiedy nie musieli mówić wprost: „Słuchaj, dziecko, nie chcę więcej mieć z tobą do czynienia, skoro masz być krwiożerczym potworem".

Szkoda, że moi rodzice tak nie powiedzieli.

Westchnęłam, zwalniając kroku i podążając krętą ścieżką prowadzącą przez mały ogródek. Była chłodna listopadowa noc. Zbliżała się pełnia księżyca, a jego blask stanowił tło kontrastujące ze staromodnymi latarniami gazowymi, które rzucały żółtawą poświatę. Słychać było szum fontanny usytuowanej na środku ogrodu, więc niemal bezwiednie zmieniłam kierunek, zmierzając wprost na nią. Może uspokajający szum wody wpłynie łagodząco na poziom przeżywanego stresu, pozwoli mi zapomnieć...

Skręciłam w tamtą stronę pogrążona w głębokiej zadumie, marząc o chłopaku, który był prawie mój, i już nie prawie, ale całkowicie urokliwy. Erik pojechał na finały konkursu monologów Szekspirowskich. Oczywiście najpierw został laureatem szkolnych eliminacji i bez trudu dostał się do etapu międzynarodowych zmagań. Nie było go od poniedziałku, a chociaż dopiero mijał czwartek, brakowało mi go okropnie, nie mogłam się doczekać niedzieli, kiedy to powinien wrócić. Erik był najbardziej atrakcyjnym chłopakiem w całej szkole. Prawdę mówiąc, Erik Night mógłby być najatrakcyjniejszym chłopakiem w każdej szkole — wysoki, ciemnowłosy, przystojny jak amant filmowy (nie mający przy tym żadnych homoseksualnych skłonności). Był też niesłychanie uzdolniony. Wkrótce dołączy do grona słynnych aktorów wampirów, takich jak Matthew McConaughey, James Franco, Jake Gyllenhaal czy Hugh Jackman (który jak na starszego faceta jest naprawdę świetny). Do tego Erik był rzeczywiście miłym chłopcem, co tylko podnosiło jego atrakcyjność.

Snując wizję nas jako dwojga kochanków, współczesnej Izoldy i Tristana (których historia tym razem miałaby szczęśliwe zakończenie), dopiero w ostatniej chwili zauważyłam, że znajdowali się tu również inni ludzie, gdy usłyszałam głos mężczyzny, który przemawiał bardzo nieprzyjemnym tonem.

— Za każdym razem nas rozczarowujesz, Afrodyto!

Zmartwiałam. *Afrodyto*?

— Jakby nie dość było tego, że zostałaś Naznaczona, co jest równoznaczne z tym, że nie pójdziesz do Chattam Hall, i to po tylu usilnych zabiegach, żeby cię przyjęli! — usłyszałam szorstki kobiecy głos przemawiający lodowatym tonem.

— Wiem, matko, i już mówiłam, że jest mi przykro z tego powodu.

No dobra. Powinnam sobie pójść. Odwrócić się na pięcie i cichutko wynieść się z dziedzińca. Afrodyta była najmniej chętnie widzianą przeze mnie osobą w całej szkole. Właściwie nigdzie bym jej chętnie nie oglądała, ale podsłuchiwanie jej z rodzicami byłoby czymś na pewno bardzo brzydkim.

Wycofałam się więc cichutko stamtąd i ukryłam za rozłożystym krzakiem, skąd jednak mogłam ich widzieć. Afrodyta siedziała na kamiennej ławeczce tuż przy fontannie. Przed nią stali rodzice. Właściwie tylko matka stała, bo ojciec cały czas nerwowo krążył.

O rany, jacy to byli przystojni ludzie! Ojciec wysoki i postawny. Należał do tych mężczyzn, którzy utrzymują formę, nie tyją, nie łysieją i zachowują zdrowe własne zęby. Ubrany w elegancki garnitur, który musiał kosztować krocie. Ponadto wydawał mi się dziwnie znajomy, jakbym go znała z telewizji czy z filmu. Jej matka wyglądała znakomicie. Afrodyta była idealną jasnowłosą pięknością, a matka stanowiła jej dojrzalszą wersję — starszą, świetnie ubraną i doskonale zadbaną. Miała na sobie sweter, bez wątpienia kaszmirowy, do tego długi sznur pereł, na pewno prawdziwych. Kiedy gestykulowała, przy każdym ruchu jej rąk brylant gigantycznych rozmiarów, o gruszkowatym kształcie, rzucał świetlne refleksy — piękne i zimne jak jej głos.

— Czyżbyś zapomniała, że ojciec piastuje stanowisko burmistrza Tulsy? — rzuciła ostro.

— Nie, mamo, oczywiście, że nie zapomniałam.

Matka jakby nie słyszała tych słów.

— To wielka różnica: przebywać na Wschodnim Wybrzeżu i przygotowywać się do egzaminów do Harvardu a osiąść tutaj, mimo to pocieszaliśmy się, że skoro wampiry mogą osiągnąć bogactwo, władzę oraz wiele innych sukcesów, będziesz w tym wiodła prym tutaj, na tym — tu skrzywiła się z niesmakiem — raczej nietypowym polu. Tymczasem dowiadujemy się, że przestałaś przewodniczyć Córom Ciemności i już nie uczęszczasz na kurs przygotowujący do pełnienia funkcji starszej kapłanki, czyli że niczym się nie różnisz od reszty hołoty w tej nędznej szkółce. — Matka Afrodyty przerwała, gdyż musiała się uspokoić. Kiedy odezwała się ponownie, musiałam dobrze wytężać słuch, by zrozumieć, co wycedziła syczącym tonem. — Twoje zachowanie jest nie do przyjęcia.

— Rozczarowałaś nas, i to nie po raz pierwszy — powtórzył ojciec.

— Już to mówiłeś, tatusiu — powiedziała Afrodyta tym swoim tonem wyższości.

Nieoczekiwanie, jak atakujący wąż, matka wymierzyła jej policzek. Klaśnięcie było głośne, bo też mocne było uderzenie, na jego odgłos skurczyłam się i zacisnęłam powieki. Spodziewałam się, że Afrodyta zerwie się z ławki i rzuci matce do gardła (w końcu nie bez powodu nazywałyśmy ją czarownicą z piekła rodem), ale ona się nie ruszyła. Przycisnęła tylko dłoń do policzka i pochyliła głowę.

— Nie płacz. Ile razy mam ci powtarzać, że łzy są dowodem słabości? Przynajmniej to jedno zrób dla nas i przestań się mazać — gderała jej matka.

Afrodyta z ociąganiem odjęła dłoń od policzka i podniosła głowę.

— Nie chciałam sprawić wam zawodu, mamo. Naprawdę przepraszam.

— Przepraszanie niczego tu nie zmieni. Wolelibyśmy się dowiedzieć, co zamierzasz zrobić, by odzyskać straconą pozycję.

Ukryta w cieniu wstrzymałam oddech.

— Nic na to nie poradzę — wyznała Afrodyta, nieoczekiwanie sprawiając wrażenie bezbronnego dziecka. — Wszystko zepsułam. Neferet mnie na tym złapała. Zabrała mi przewodniczenie Córom Ciemności i dała je komuś innemu. Wydaje mi się, że zamierza nawet przenieść mnie do innego Domu Nocy.

— To już wiemy! — przerwała jej matka podniesionym głosem. — Przed spotkaniem z tobą odbyliśmy rozmowę z Neferet. Rzeczywiście miała zamiar przenieść cię do innej szkoły, ale interweniowaliśmy w tej sprawie. Zostaniesz tutaj. Próbowaliśmy też ją przekonać, żeby oddała ci przewodnictwo Cór Ciemności po jakimś okresie odbywania kary czy odosobnienia.

— No nie, mamo. Naprawdę to zrobiliście?

W głosie Afrodyty brzmiało prawdziwe przerażenie, czemu się specjalnie nie dziwiłam. Mogłam sobie wyobrazić, jakie wrażenie wywarli na starszej kapłance ci zimni jak lód ludzie udający chodzące doskonałości. Jeśli Afrodyta miała jeszcze jakieś szanse powrócić do łask Neferet, jej przebiegli rodzice zapewne je zniweczyli.

— Oczywiście, że tak! Myślisz, że będziemy siedzieli z założonymi rękami i patrzyli spokojnie, jak niszczysz swoją przyszłość, stając się przeciętnym wampirem w jakimś nieznanym, bezimiennym Domu Nocy?

— Nie o to chodzi, że otrzymałam swego rodzaju karę w szkole — próbowała argumentować Afrodyta, starając się zapanować nad frustracją. — Ja wszystko pokręciłam, ale co ważniejsze, jest tutaj jedna dziewczyna, która dysponuje większą mocą niż ja. Nawet jeśli Neferet przestanie się na mnie gniewać, nie odda mi przywództwa nad Córami Ciemności. — Następnie powiedziała coś, co mną wstrząsnęło:

— Tamta dziewczyna jest lepszą ode mnie przywódczynią. Zdałam sobie z tego sprawę podczas obchodów Samhain. To ona powinna przewodzić Córom Ciemności, nie ja.

Coś takiego! Czyżby piekło zamarzło?

Na te słowa jej matka postąpiła krok naprzód; widząc to, skuliłam się pewna, że zaraz usłyszę następny policzek. Ale matka nie uderzyła jej. Zbliżyła swoją urodziwą twarz do twarzy córki, patrząc jej prosto w oczy. Były tak do siebie podobne, aż przejęło mnie to strachem.

— Żebyś nigdy więcej nie mówiła, że ktoś bardziej niż ty zasługuje na coś. Jesteś moją córką i zasługujesz zawsze na wszystko co najlepsze. — Wyprostowała się i przeciągnęła dłonią po włosach, choć (tego jestem pewna) nie zrujnowała swojej idealnie ułożonej fryzury. — Nam nie udało się przekonać Neferet, by oddała ci przywództwo Cór Ciemności, więc ty będziesz musiała to zrobić.

— Ależ mamo, już ci mówiłam...

Matka jednak szybko jej przerwała:

— Usuń tę nową dziewczynę ze swojej drogi, a wtedy Neferet będzie bardziej skłonna przywrócić ci to stanowisko.

O cholera. Ta „nowa dziewczyna" to byłam ja.

— Musisz ją zdyskredytować w oczach Neferet. Sprawić, żeby zaczęła popełniać błędy, a wtedy postaraj się, żeby ktoś doniósł o tym Neferet, ktoś inny, nie ty. Tak będzie lepiej wyglądało. — Matka Afrodyty mówiła to wszystko rzeczowym, beznamiętnym tonem, jakby radziła córce, w co ma się ubrać, a nie knuła intrygę przeciwko mnie. O rany, to dopiero wiedźma z piekła rodem!

— Pilnuj się — dodał jej ojciec. — Twoje zachowanie musi być bez zarzutu. Może powinnaś być bardziej otwarta w relacjonowaniu swoich wizji, przynajmniej przez jakiś czas.

— Ale przecież zawsze mi powtarzałeś, żebym zatrzymywała wizje dla siebie, bo to źródło mojej władzy.

Własnym uszom nie wierzyłam. Nie dalej jak przed miesiącem Damien mówił mi, że parę osób uważało, iż Afrodyta próbowała ukryć swoje wizje przed Neferet, ale myślano, że powodem była nienawiść do rodzaju ludzkiego, przy czym wizje przeważnie dotyczyły przyszłych tragedii, które miały pochłonąć wiele ofiar. Kiedy wyjawiała swoje wizje Neferet, starsza kapłanka niemal z reguły potrafiła zapobiec tragicznym wydarzeniom i ocalić wiele istnień ludzkich. Fakt, że Afrodyta celowo ukrywała swoje wizje, ostatecznie mnie przekonał, że powinnam zająć jej miejsce w przewodzeniu Córom Ciemności. Nie jestem spragniona władzy. Nie zabiegałam o to stanowisko. Do licha, jeszcze teraz nie bardzo wiedziałam, co mam z tym wszystkim robić. Wiedziałam tylko, że Afrodyta nie była dobra i że powinnam znaleźć sposób, aby przestała być taka. A teraz się dowiaduję, że jej niecne postępowanie brało się również stąd, że pozwoliła, by apodyktyczni rodzice nadal nią rządzili. W gruncie rzeczy jej tata z mamą uważali, że to jest w porządku trzymać w tajemnicy informacje, których ujawnienie mogłoby ocalić czyjeś życie. Na dobitkę jej ojciec był burmistrzem Tulsy! (To dlatego wydał mi się znajomy!) Fakt ten jeszcze bardziej ranił mi serce.

— Te wizje nie są źródłem władzy! Czy ty nie słuchasz, co się do ciebie mówi? — irytował się jej ojciec. — Powiedziałem, że swoich wizji możesz użyć jako środka do zdobycia władzy, ponieważ informacja znaczy: władza. Źródłem twoich wizji jest Przemiana, jaka się dokonuje w twoim organizmie. Ma to podłoże genetyczne, nic więcej.

— Podobno jest to dar otrzymany od bogini — odpowiedziała spokojnie Afrodyta.

Jej matka zaśmiała się ironicznie.

— Nie bądź głupia. Gdyby istniała taka istota jak bogini, dlaczegóż miałaby obdarzać cię władzą? Jesteś tylko niepoważnym dzieciakiem, w dodatku o niepokojących skłonnościach do popełniania błędów, czego dowodem twoja ostatnia niefortunna eskapada. Wykaż się więc dla odmiany rozsądkiem. Wykorzystaj swoje wizje do odzyskania łask Neferet, ale musisz się ukorzyć. Neferet powinna uwierzyć, że rzeczywiście jest ci przykro.

— Przepraszam — powiedziała Afrodyta ledwo słyszalnie.

— Za miesiąc chcemy usłyszeć lepsze nowiny.

— Tak, mamo.

— Dobrze, a teraz odprowadź nas do holu przyjęć, tak byśmy wmieszali się w tłum.

— Czy mogłabym zostać tu jeszcze przez chwilę? Naprawdę nie czuję się najlepiej.

— W żadnym razie. Co by ludzie powiedzieli? — nie zgodziła się matka. — Weź się w garść. Odprowadź nas i rób dobrą minę. Idziemy.

Afrodyta z ociąganiem podniosła się z ławki. Serce biło mi tak mocno, że wydawało się, że zdradzi moją obecność. Rzuciłam się biegiem ścieżką do skrzyżowania, skąd już było blisko do wyjścia z dziedzińca.

Przez całą drogę do internatu zastanawiałam się nad tym, co usłyszałam. Moi rodzice byli koszmarni, ale przy przepełnionych nienawiścią i opętanych obsesją władzy rodzicach Afrodyty wydawali się jak mama i tata z serialu *Grunt to rodzinka* (widzicie? tak samo jak wszyscy ja też oglądam powtórki na Nickelodeonie). Niechętnie to przyznaję, ale widząc, jakich rodziców ma Afrodyta, zaczynam rozumieć, dlaczego sama tak postępuje. Nie wiem, jaka ja bym się stała, gdyby nie Babcia, która szczególnie podczas ostatnich trzech lat otaczała mnie miłością i podtrzymywała na duchu. Jest jeszcze jedna różnica. Moja mama była przedtem normalna. Owszem, nieraz bywała zestresowana i przepracowana, ale przez pierwsze trzynaście lat mojego prawie siedemnastoletniego życia była normalna. Zmieniła się dopiero, gdy wyszła za mąż za Johna. Tak więc miałam dobrą matkę i wspaniałą babcię. A gdybym tego nie miała? Gdyby całe moje dotychczasowe życie wyglądało tak jak ostatnie trzy lata — kiedy czułam się jak intruz we własnej rodzinie?

Może stałabym się taka jak Afrodyta. Nadal zresztą pozwalam, by rodzice kontrolowali moje życie, bo rozpaczliwie czekam, aż okażę się w ich oczach dostatecznie dobra, by byli ze mnie dumni i mnie kochali.

I choć wcale mnie to nie cieszyło, po tym spotkaniu zobaczyłam Afrodytę w całkiem innym świetle.

ROZDZIAŁ TRZECI

— No dobra, Zoey, ja wszystko rozumiem, te sprawy i tak dalej, ale z tego co podsłuchałaś, wynika, że Afrodyta zamierza podstawić ci nogę, by odzyskać Córy Ciemności i pozbyć się ciebie. Więc tak się znowu nad nią nie użalaj — powiedziała Stevie Rae.

— Ojej, wiem. Nie roztkliwiam się nad nią, tylko mówię, że słysząc jej psychicznych rodziców, zaczynam rozumieć, dlaczego ona jest, jaka jest.

Szłyśmy na pierwszą lekcję, choć należałoby raczej powiedzieć, że biegłyśmy. Jak zwykle byłyśmy prawie spóźnione, a to dlatego, że wzięłam sobie dokładkę płatków śniadaniowych Count Chocula.

Stevie Rae wzniosła oczy ku górze.

— A powiada się, że to ja mam miękkie serce.

— Ja nie mam miękkiego serca. Próbuję tylko być wyrozumiała. Z tym że zrozumienie nie zmienia faktu, że Afrodyta postępuje jak czarownica z piekła rodem.

Stevie Rae parsknęła i energicznie pokręciła głową, potrząsając swoimi jasnymi loczkami jak mała dziewczynka. Jej krótka fryzurka dziwnie się odcinała w Domu Nocy, gdzie wszyscy, nie wyłączając większości chłopców, mieli niezwykle długie włosy. Ja zawsze nosiłam długie włosy, ale i tak kiedy się tu zjawiłam, zaskoczył mnie widok bujnych włosów u każdego. Teraz już się nie dziwiłam. Jednym z przejawów procesu przeistaczania się w wampira był bujny i niebywale szybki porost włosów i paznokci. Po pewnym czasie właśnie na podstawie bujności owłosienia można się zorientować, bez patrzenia na wyhaftowane symbole na kieszonkach, kto jest na którym formatowaniu. Wampiry wyglądały inaczej niż ludzkie istoty (nie gorzej, ale właśnie inaczej), logiczne więc, że w trakcie Przemiany w miarę upływu czasu uwidaczniało się coraz więcej nowych cech.

— Zoey, nie słuchasz, co mówię.

— Co?

— Powiedziałam, żebyś nie składała broni przed Afrodytą. Prawda, że jej rodzice są koszmarni. Manipulują nią i kontrolują. Zresztą nieważne. Ważne, że ona w dalszym ciągu jest złośliwa, mściwa i zieje nienawiścią do wszystkich. Musisz się jej strzec.

— Będę. Nie martw się.

— Dobrze. W takim razie do zobaczenia na trzeciej lekcji.

— Aha, cześć.

O rany, ależ z niej zamartwialska.

Pobiegłam do klasy i ledwo usiadłam w swojej ławce obok Damiena, który uniósł znacząco brew i zapytał domyślnie: *Dokładka chrupek czekoladowych?*, rozległ się dzwonek na lekcję i zaraz weszła Neferet.

Wiem, że to niemal zboczenie tak się zachwycać inną kobietą, ale Neferet jest tak nieziemsko piękna, że odnosi się wrażenie, jakby skupiała na sobie wszystkie światła. Ubrana była w prostą czarną suknię i buty, za które człowiek dałby się pochlastać. W jej uszach chwiały się kolczyki ze srebrną dróżką bogini, a na piersi lśniła wyhaftowana jej srebrna postać. Właściwie nie wyglądała jak bogini Nyks — przysięgam, że to ją widziałam tego dnia, kiedy zostałam Naznaczona — ale wokół Neferet unosiła się aura boskiej siły i autorytetu. Przyznaję, chciałabym być taka jak ona.

Ten dzień był nietypowy. Zamiast jak zawsze zacząć od wykładu, który na ogół zajmował większą część lekcji (a wykłady Neferet nigdy nie były nużące), zadała nam wypracowanie na temat Gorgony, o której uczyliśmy się przez ostatni tydzień. Dowiedzieliśmy się, że właściwie nie była potworem zamieniającym jednym spojrzeniem mężczyzn w kamień, ale słynną starszą kapłanką, którą bogini obdarzyła zdolnością kontaktowania się z żywiołem ziemi, więc prawdopodobnie stąd wziął się ów mit o „obracaniu w kamień". Jestem przekonana, że w sytuacji gdy starsza kapłanka czymś się wnerwiła, to mając dar współdziałania z ziemią (a kamienie przecież pochodzą z ziemi), bez trudu mogłaby przemienić kogoś w granitowy posąg. Mieliśmy więc napisać esej na temat mitologii tworzonej przez ludzi, symboli oraz znaczenia ukrytego w zbeletryzowanej historii Gorgony.

Czułam się jednak zbyt podniecona, by skupić się na pisaniu. Ponadto miałam przed sobą cały weekend na dokończenie wypracowania. Bardziej niepokoiłam się o Córy Ciemności. Pełnia wypadała w niedzielę. Poza tym domyślałam się, że wszyscy oczekiwali ode mnie jakichś komunikatów na temat planowanych zmian. A ja jeszcze nie zdecydowałam ostatecznie, jakie to będą zmiany. Mgliste pojęcie już kiełkowało mi w głowie, ale bez wątpienia potrzebowałam czyjejś pomocy.

Udałam, że nie widzę zaciekawionego spojrzenia Damiena, zebrałam książki i podeszłam do biurka Neferet.

— Masz jakiś problem, Zoey? — zapytała.

— Nie. To znaczy tak. Gdybym mogła się zwolnić i pójść do centrum informacji, i zostać tam do końca lekcji, może problem by się rozwiązał. — Zauważyłam, że jestem zdenerwowana. Zaledwie od miesiąca przebywałam w Domu Nocy i nadal nie byłam pewna, jakie wymogi trzeba spełnić, żeby zwolnić się z lekcji. Dotychczas zdarzyło się tylko dwa razy, że uczeń zachorował. W obu przypadkach zakończyło się to śmiercią. Ich organizmy odrzuciły Przemianę. Jeden z tych dwóch przypadków rozegrał się na moich oczach na lekcji literatury. To było naprawdę okropne. Poza tym nie zdarzyło się, by ktoś opuścił lekcję. Neferet patrzyła na mnie uważnie, przypomniałam sobie o jej wielkiej intuicji i zlękłam się, że zgadnie, jakie myśli chodzą mi po głowie. Westchnęłam.

— Sprawa dotyczy Cór Ciemności. Chciałabym wystąpić z jakimiś nowymi zasadami przewodzenia.

Wyglądała na zadowoloną.

— Czy mogę ci w czymś pomóc?

— Pewnie tak, ale najpierw powinnam trochę postudiować, by mieć jakąś koncepcję.

— Świetnie, zgłoś się do mnie, kiedy będziesz gotowa. W centrum informacji możesz spędzić tyle czasu, ile będziesz chciała.

Zawahałam się.

— A nie muszę mieć przepustki?

Neferet uśmiechnęła się.

— Jestem twoją mentorką i daję ci pozwolenie, niczego więcej nie potrzebujesz.

Podziękowałam i wyszłam pospiesznie z klasy, czując się trochę głupio. Wolałabym być dłużej w tej szkole, by znać wszystkie obowiązujące tu zasady nawet w drobnych sprawach. W końcu nie było czym się martwić. Hol był prawie pusty. Ta szkoła w niczym nie przypominała mojej dawnej szkoły (gimnazjum w Broken Arrow, które było nieciekawą dzielnicą położoną na przedmieściach Tulsy w Oklahomie), gdzie po korytarzach paradowały wicedyrektorki o przesadnej opaleniźnie, nie mające nic lepszego do roboty, jak tylko przeganiać dzieciaki z kąta w kąt. Zwolniłam kroku i postanowiłam się uspokoić. O rany, ależ ostatnio bywałam zestresowana.

Biblioteka znajdowała się w środkowej i głównej części budynku, w interesującym kilkupoziomowym pomieszczeniu, które zapewne miało imitować wieżę zamkową, co nawet pasowało do charakteru dalszych części szkoły. Panował tu nastrój dawnych lat. Przypuszczalnie stanowiło to jedną z przyczyn, dla których budynek ten przed pięcioma laty przykuł uwagę wampirów. Wtedy była tu prywatna szkoła przygotowawcza dla bananowej młodzieży, ale pierwotnie miał tu siedzibę klasztor dla mnichów zakonu świętego Augustyna. Powiedziała mi o tym Neferet, kiedy zapytałam ją, jak to się stało, że włodarze szkoły przygotowawczej zgodzili się sprzedać budynek wampirom. Wówczas Neferet odpowiedziała, że zaproponowano im warunki, jakich nie mogli odrzucić. Pamiętam, że ton, jakim to mówiła, wywołał na mym ciele gęsią skórkę, co się powtarzało za każdym razem, gdy to sobie przypominałam.

— Miii-aaa-uuu!

Skoczyłam na równe nogi.

— Nala! Aleś mnie wystraszyła! Prawie się posikałam ze strachu!

Nic sobie z tego nie robiąc, moja kociczka skoczyła na mnie, miałam więc teraz w rękach zeszyt, torebkę i małego, ale dobrze odżywionego rudego kotka. Przez cały czas Nala mi urągała skrzekliwym tonem starszej pani. Owszem, uwielbiała mnie, w końcu to przecież nie ja ją, ale ona mnie sobie wybrała, co wcale nie znaczy, że miałaby przez cały czas być milutka. Wzięłam ją na ręce i pchnęłam drzwi wiodące do centrum informacji.

Rację miała Neferet, mówiąc mojemu beznadziejnemu ojciachowi, że koty mogą swobodnie buszować po całej szkole. Nieraz szły za „swoimi panami" na lekcje. Nala na przykład odnajdywała mnie kilkakrotnie w ciągu dnia. Chciała, bym ją podrapała po łebku, trochę na mnie ponarzekała, a potem szła sobie gdzieś, jak to koty mają w zwyczaju. (Może z dala od ludzi obmyślają, jak zapanować nad światem?).

— Czy masz jakiś kłopot z kotkiem? — zapytała specjalistka od środków przekazu. Spotkałam ją przelotnie w pierwszym tygodniu mej bytności tutaj, ale pamiętałam, że ma na imię Safona. (Oczywiście nie była to ta prawdziwa Safona, poetka wampirzyca, tamta umarła przed tysiącem lat, właśnie przerabiałyśmy jej wiersze na lekcjach literatury).

— Nie, Safono, dziękuję. W gruncie rzeczy Nala toleruje tylko mnie.

Safona, drobna ciemnowłosa wampirzyca, której tatuaż przedstawiał skomplikowane znaki z greckiego alfabetu, jak objaśnił mi Damien, uśmiechnęła się ciepło do Nali.

— Koty to niesłychanie intrygujące i czarowne stworzenia, nie uważasz?

Przeniosłam Nalę z jednego ramienia na drugie i odpowiedziałam:

— W każdym razie w niczym nie przypominają psów.

— I chwała bogini za to!

— Czy mogłabym skorzystać z komputera? — spytałam.

Centrum informacji dysponowało pokaźną biblioteką, na półkach ciągnęły się długie szeregi książek, ale było również wyposażone w nowoczesny park komputerowy.

— Oczywiście, czuj się tu swobodnie. A kiedy nie będziesz mogła czegoś znaleźć, nie krępuj się i poproś mnie o pomoc.

— Dziękuję.

Wybrałam komputer stojący na dużym ładnym biurku i kliknęłam, by połączyć się z Internetem. Jeszcze coś różniło tę szkołę od mojej dawnej budy. Tutaj nie musiałam wpisywać hasła dostępowego i nie zainstalowano tu żadnych filtrów ograniczających dostęp do niektórych stron. Oczekiwano natomiast od uczniów, że wykażą się zdrowym rozsądkiem i będą postępować przyzwoicie. Gdyby stało się inaczej, wampiry, których nie dawało się oszukać, i tak by szybko wykryły prawdę. Na samą myśl o tym, że mogłabym okłamać Neferet, robiło mi się słabo.

Skup się i przestań myśleć o wszystkim naraz. To ważne.

Owszem, pewien pomysł już mi kiełkował w głowie. Należało teraz sprawdzić, czy jest to dobry pomysł. W wyszukiwarce Google'a wpisałam hasło: „gimnazja prywatne". Ukazały się setki, tysiące stron. Zaczęłam zawężać wybór do klas wyższych w ekskluzywnych placówkach. Zrezygnowałam z przeglądania stron „uczelni alternatywnych", które są tylko wylęgarnią przyszłych przestępców. Zależało mi też na przyjrzeniu się starym szkołom, istniejącym od kilku pokoleń. Chciałam znaleźć takie, które oparły się upływowi czasu.

Znalazłam bez trudu Chatham Hall, szkołę, którą wypomnieli Afrodycie rodzice. Była to ekskluzywna szkoła na Wschodnim Wybrzeżu, oczywiście wyglądała na przeznaczoną dla bananowej młodzieży, więc ją ominęłam. Żadna ze szkół, która by zadowoliła nadętych rodziców Afrodyty, z pewnością nie była moją wymarzoną szkołą. Szukałam dalej... Exeter... Andover... Taft... Szkoła Panny Porter... (hi, hi, co za nazwa dla szkoły)... Kent...

— Kent. Już gdzieś słyszałam tę nazwę — zwierzyłam się Nali, która zwinęła się w kłębek na blacie biurka, tak że mogła mieć mnie na oku i jednocześnie drzemać. Kliknęłam na tę nazwę. Szkoła znajdowała się w Connecticut i dlatego wydała mi się znajoma. To tam uczęszczała Shaunee, kiedy została Naznaczona. Penetrowałam tę stronę ciekawa miejsca, w którym Shaunee spędziła swój pierwszy, a może i drugi rok nauki. Nie ma co mówić, szkoła sprawiała dobre wrażenie. Owszem, pretensjonalna, ale było w niej coś zachęcającego, czego brakowało innym placówkom. A może odniosłam takie wrażenie, ponieważ znałam Shaunee. Dalej przeglądałam tę stronę, kiedy w pewnym momencie coś przykuło moją uwagę. „O to mi chodziło — mruknęłam do siebie. — Tego właśnie szukałam".

Wyciągnęłam zeszyt i długopis i zaczęłam robić notatki.

Gdyby Nala nie syknęła ostrzegawczo, pewnie bym wyskoczyła ze skóry na niespodziewany dźwięk głębokiego, aksamitnego głosu.

— Wygląda na to, że jesteś całkowicie pochłonięta tym, co robisz.

Podniosłam wzrok i znieruchomiałam. O rany.

— Przepraszam. Nie chciałem ci przeszkadzać. Ale widok ucznia, który pilnie pisze odręcznie, zamiast stukać w klawiaturę komputera, jest tak niezwykły, że pomyślałem sobie: kto wie, może ona pisze wiersze? Bo ja wolę pisać wiersze odręcznie. Komputer jest zbyt bezosobowy.

Odezwij się do niego. Nie rób z siebie idiotki! — podszeptywała mi gorączkowo podświadomość.

— Eee, nie, ja nie piszę wierszy. — O Boże, nie było to zbyt błyskotliwe.

— Mniejsza o to. Nie zawadzi sprawdzić. Miło mi, że się poznaliśmy.

Uśmiechnął się i już zamierzał odejść, kiedy odzyskałam mowę.

— Ja też uważam, że komputery są bezosobowe. Sama nigdy nie pisałam wierszy, ale kiedy mam napisać coś, co jest dla mnie ważne, wolę tym się posługiwać. — Uniosłam w górę długopis. Idiotka.

— A może powinnaś spróbować pisać wiersze? Wydaje mi się, że masz duszę poetki. — Wyciągnął rękę. — Zazwyczaj o tej porze przychodzę, by dać Safonie chwilę wytchnienia. Nie jestem pełnoetatowym profesorem, ponieważ mam tu zostać zaledwie przez jeden rok szkolny. Uczę tylko w dwóch klasach, więc mam sporo wolnego czasu. Nazywam się Loren Blake, jestem Poetą Wampirów, zwycięzcą w konkursie o ten laur.

Złapałam go za przedramię w typowym dla wampirów rytualnym geście powitania, starając się nie rozpamiętywać, jak ciepły był dotyk jego ręki i jak silny mi się wydawał oraz że przebywaliśmy sami w czytelni.

— Wiem — odpowiedziałam znów mało błyskotliwie, za co powinno mi się uciąć język. — To znaczy — jąkałam się — chciałam przez to powiedzieć, że wiem, kim jesteś. Jesteś pierwszym od dwustu lat męskim laureatem tej nagrody. — Uświadomiłam sobie, że dotąd nie wypuściłam z uścisku jego ręki. — Ja jestem Zoey Redbird.

Uśmiechnął się, co sprawiło, że serce niemal przestało mi bić.

— Ja też wiem, kim jesteś. — W jego oczach o niezmierzonej głębi czaiły się iskierki rozbawienia. — A ty jesteś pierwszą adeptką, jaką znam, która ma wypełniony kolorem Znak, w dodatku rozciągający się poza czoło, oraz pierwszą wampirką, nie tylko adeptką, która wykazuje zdolność kontaktowania się bezpośrednio z czterema, a nawet z pięcioma żywiołami. Cieszę się, że wreszcie mogłem cię poznać osobiście. Neferet dużo mi o tobie opowiadała.

— Naprawdę? — zaskrzeczałam, co omal nie przyprawiło mnie o apopleksję.

— Oczywiście. Jest z ciebie bardzo dumna. — Ruchem głowy wskazał puste krzesło stojące przy moim. — Nie chciałbym ci przeszkadzać w pracy, ale może nie będziesz miała nic przeciwko temu, żebym na chwilę przysiadł się do ciebie?

— Jasne. Przyda mi się chwila przerwy. Bo już mi tyłek zdrętwiał. — O rany, co ja wygaduję, chyba mnie pogięło.

Roześmiał się.

— W takim razie może postoisz przez chwilę, podczas gdy ja będę siedział?

— Nie, co tam. Po prostu zmienię trochę pozycję. — Podeszłam do okna i wychyliłam się.

— Czy będę niedyskretny, jeśli zapytam, nad czym tak pilnie pracujesz?

Zaraz, powinnam chwilkę się zastanowić i zacząć normalnie rozmawiać. Zapomnieć, jak nieziemsko przystojny jest ten facet i jak piorunujące wrażenie na mnie zrobił. W końcu to profesor. Jeszcze jeden nauczyciel. I to wszystko. No tak, nauczyciel, który ucieleśniał marzenia wszystkich kobiet o idealnym mężczyźnie. Erik był przystojny i pociągający. Loren Blake natomiast mógł być opisywany tylko w kategoriach nieziemskich. Jego wdzięk i czar, całkowicie nie z tej ziemi, sprawiały, że nawet nie mogłam marzyć, by się do niego zbliżyć. Dla niego byłam zaledwie dzieckiem, niczym więcej. A przecież mam już szesnaście lat. No, prawie siedemnaście, ale mimo wszystko. On pewnie ma dwadzieścia jeden lat lub coś koło tego. Po prostu stara się być dla mnie miły, nic poza tym. Najpewniej chciał zobaczyć z bliska mój niespotykany Znak, tylko to. Może też zbierał materiały do swojego następnego wiersza o...

— Jeśli nie chcesz mi powiedzieć, nad czym pracowałaś, to nie mów, nie obrażę się. Naprawdę nie chciałem sprawiać ci najmniejszego kłopotu.

— Nie. Nie o to chodzi. — Nabrałam powietrza do płuc, by w końcu się opanować. — Przepraszam, chyba nadal się zastanawiałam nad swoimi poszukiwaniami — skłamałam, mając nadzieję, że jest jeszcze dostatecznie młody i nie zdążył rozwinąć w sobie zdolności wykrywania kłamstw jak inni starsi nauczyciele. — Chcę wprowadzić pewne zmiany w organizacji Cór Ciemności — brnęłam dalej. — Myślę, że potrzebne im są jasne zasady, wyraźne wskazówki. Bo nie chodzi tylko o to, by wstąpić do tej organizacji, trzeba też spełniać pewne warunki. Nie powinno być tak, że każdy może się zapisać bez względu na to, co sobą reprezentuje i co robi. — Przerwałam, czując, jak palą mnie policzki. Co ja do diabła plotę? Robię z siebie szkolnego błazna.

On tymczasem wcale nie zlekceważył moich słów ani nie okazał wyższości. Przeciwnie, zastanowił się nad tym, co powiedziałam.

— Czy doszłaś do jakichś wniosków? — zapytał.

— Na przykład spodobało mi się to, w jaki sposób prywatna szkoła Kent prowadzi swoją grupę wiodącą. Popatrz... — Kliknęłam na prawy link i zaczęłam czytać. — Rada starszych i system gospodarzy klasowych jest integralną częścią funkcjonowania szkoły. Na gospodarzy klas i do rady starszych mogą być wybierani ci uczniowie, którzy złożą przyrzeczenie, że będą stanowili wzór do naśladowania i kierowali wszystkimi przejawami życia w szkole Kent. — Stuknęłam długopisem w ekran monitora. — Widzisz, tu jest kilku różnych gospodarzy klas, którzy co roku są wybierani do rady starszych przez uczniów i grono pedagogiczne, ale ostatecznie zatwierdza ich dyrektor szkoły, w naszym przypadku byłaby to Neferet i gospodarz szkoły.

— Czyli ty byś zatwierdzała.

Znów się zaczerwieniłam.

— No tak. Tu jest jeszcze powiedziane, że co roku w maju odbywa się wielka uroczystość pasowania na członków nowej rady na następną roczną kadencję. Byłby to nowy rytuał, który musiałby zostać zaakceptowany przez Nyks.

— To mówiąc, uśmiechnęłam się bardziej do siebie niż do niego. Poczułam przy tym, że rozumuję prawidłowo.

— Podoba mi się to, co mówisz — pochwalił mnie Loren. — Uważam, że to znakomity pomysł.

— Naprawdę tak myślisz? Nie mówisz tego ot, tak sobie?

— Musisz wiedzieć, że ja nie kłamię.

Spojrzałam mu prosto w oczy. Ich głębia była porażająca. Loren siedział przy mnie tak blisko, że poczułam żar bijący z jego ciała. Z wysiłkiem stłumiłam przejmujący mnie dreszcz nagłego pożądania, będącego w tej sytuacji owocem zakazanym.

— W takim razie dziękuję — powiedziałam łagodnie. I w przypływie nieoczekiwanej śmiałości kontynuowałam temat. — Chciałabym, aby Córy Ciemności reprezentowały sobą coś więcej niż tylko grupę towarzyską. Powinny świecić przykładem, postępować słusznie. Pomyślałam więc, że dobrze byłoby, aby każda z nas złożyła przysięgę na wierność pięciu ideałom stanowiącym odpowiedniki pięciu żywiołów.

Loren zdziwiony uniósł brwi.

— To znaczy?

— Córy i Synowie Ciemności powinni złożyć przysięgę na wierność ideałom. Wymyśliłam, że żywiołowi powietrza będzie odpowiadać prawdomówność, ognia — otwartość na innych, wody — wierność, ziemi — zacność, a duchowi — dobro.

Wszystko to wypowiedziałam bez zaglądania do notatek. Znałam na pamięć pięć żywiołów. Mogłam więc śledzić reakcję Lorena. Przez chwilę się nie odzywał. A potem z wolna uniósł rękę i obwiódł palcem płynny zarys mojego tatuażu. Drżałam pod wpływem jego dotyku, ale siedziałam nieporuszona.

— Piękna, inteligentna i niewinna — szepnął. Potem tym swoim niesamowitym głosem zadeklamował: — *Najistotniejsze w pięknie jest to, czego nie odda żaden obraz.*

— Przepraszam, że przeszkadzam, ale muszę wypożyczyć trzy następne książki z cyklu na zajęcia z profesor Anastazją.

Na dźwięk głosu Afrodyty prysnął czar, który spowijał mnie i Lorena. Odebrałam to jako brutalne wtargnięcie. Zauważyłam, że dla Lorena był to podobny szok. Zabrał dłoń z mojego policzka i szybko oddalił się w stronę kontuaru. Ja pozostałam na miejscu jakby wrośnięta w krzesło, udając niesłychanie zajętą gryzmoleniem notatek. Usłyszałam, że wraca Safona i przejmuje od Lorena wydawanie książek dla Afrodyty. Usłyszałam też, że on wychodzi, nie mogłam się powstrzymać, by nie odwrócić się i popatrzeć na niego. Będąc już w drzwiach, nawet na mnie nie spojrzał.

Za to Afrodyta patrzyła na mnie wyzywająco, a złośliwy uśmieszek wykrzywiał jej idealnie wykrojone usta.

A niech ją.

ROZDZIAŁ CZWARTY

Chciałam opowiedzieć Stevie Rae o tym, co zaszło między mną a Lorenem i jak Afrodyta wszystko zepsuła, ale nie miałam ochoty omawiać tego z Bliźniaczkami i Damienem. Owszem, uważałam ich za swoich przyjaciół, ale skoro sama jeszcze nie zdążyłam sobie poukładać w głowie tych zdarzeń, wzdrygałam się na samą myśl o tym, jak cała trójka będzie trajkotać na ten temat. Zwłaszcza że Bliźniaczki otwarcie przyznały, że zmieniły cały plan swoich zajęć, byleby się dostać na zajęcia z poezji prowadzone przez Lorena, na których nie robiły nic innego, jak tylko bez przerwy się na niego gapiły. Odeszłyby od zmysłów, gdyby się dowiedziały, co zaszło między mną a nim. (Ale czy w ogóle coś zaszło? Facet zaledwie dotknął mojego policzka).

— Co się z tobą dzieje? — zapytała Stevie Rae.

Cała czwórka przestała się zajmować dociekaniem, czy to, co Erin znalazła w sałatce, to włos oraz skąd pochodzi nitka w kawałku selera, i natychmiast przeniosła na mnie swoją uwagę.

— Nic — odpowiedziałam. — Po prostu myślę o niedzielnych obchodach pełni księżyca. — Popatrzyłam na ich miny, które wyrażały całkowitą pewność, że zdołałam coś wymyślić i za chwilę z tym wystąpię. Jeśli tego nie zrobię, wyjdę na głupka. Szkoda, że sama nie miałam tyle wiary w siebie.

— Czy wiesz już, co chcesz zrobić? — zapytał Damien.

— Chyba tak. No właśnie, co o tym sądzicie? — zapytałam i zaraz zaczęłam im dokładnie relacjonować cały pomysł z radami i gospodarzami, co sprawiło, że w trakcie opowiadania uświadomiłam sobie, że to całkiem niezły plan. Skończyłam na pięciu ideałach odpowiadających pięciu żywiołom.

Przez chwilę nikt się nie odzywał. Już zaczynałam się martwić, gdy nagle Stevie Rae rzuciła mi się na szyję i mocno uścisnęła.

— Wiesz, Zoey, będziesz wspaniałą kapłanką.

Damien miał podejrzanie zamglone oczy, gdy łamiącym się głosem wyznał:

— Czuję się, jakbym należał do orszaku królowej.

— Z ciebie też mogłaby być niezła królowa — podchwyciła Shaunee.

— Jej wysokość Damien, hi hi — zachichotała Erin.

— Słuchajcie no... — powiedziała ostrzegawczym tonem Stevie Rae.

— Przepraszam. — Bliźniaczki usprawiedliwiły się jednocześnie.

— Och, po prostu nie mogłam tego przepuścić — powiedziała Shaunee. — Ale mówiąc poważnie, to świetny pomysł.

— Aha, to rzeczywiście dobry sposób, żeby trzymać z daleka wiedźmy z piekła rodem — orzekła Erin.

— Właśnie o tym też chciałam z wami porozmawiać. — Zaczerpnęłam do płuc potężny haust powietrza. — Wydaje mi się, że rada powinna się składać z siedmiu osób. To optymalna liczba, a poza tym nie ma obawy, że przy decydowaniu o czymś głosy rozłożą się równo i nie uzyska się większości. — Pokiwali ze zrozumieniem głowami. — Wszędzie, a dotyczy to nie tylko Cór Ciemności, ale w ogóle wiodących grup studenckich, piszą o tym, że w radzie zasiadają studenci wyższych lat. Gospodarze klasowi, czyli to odnosi się do mnie, rekrutują się też z wyższych lat, a nie z nowicjuszy.

— Powiedzmy, że chodzi o kogoś z trzeciego formatowania, tak lepiej brzmi — podsunął Damien.

— Wszystko jedno, jakiego określenia użyjemy, ważne, że jesteśmy za młodzi na te funkcje. A w takim razie do rady potrzeba nam dwóch osób ze starszych klas.

Nastała chwila ciszy, aż wreszcie odezwał się Damien:

— Zgłaszam Erika Nighta.

Shaunee wzniosła oczy ku górze.

— Ile razy trzeba ci powtarzać — nie wytrzymała Erin — że on nie należy do twojej drużyny? Ten chłopak woli piersi i srom od penisów i zadków.

— Przestańcie! — Stanowczo nie chciałam kierować rozmowy na te tory. — Wydaje mi się, że Erik jest dobrą kandydaturą, i to nie dlatego, że lubi mnie czy też...

— Kobiece części ciała? — podpowiedziała Stevie Rae.

— Tak, że woli damskie organy od męskich. Wydaje mi się, że posiada te cechy, których szukamy. Jest utalentowany, powszechnie lubiany, w ogóle dobry z niego chłopak.

— Jest niesamowicie, bosko... — zaczęła rozpływać się Erin.

— Przystojny — dokończyła Shaunee.

— Owszem, jest, to prawda. Ale przy wyborze do rady nie możemy kierować się wyglądem zewnętrznym.

Shaunee i Erin nachmurzyły się, ale nie zgłosiły sprzeciwu. W gruncie rzeczy nie są takie znowu płytkie, może tylko trochę.

Westchnęłam ciężko.

— Wydaje mi się, że siódmy członek rady powinien być ze starszych lat, a także pochodzić z otoczenia Afrodyty. Oczywiście jeżeli ktoś z nich wyrazi chęć dołączenia do rady.

Tym razem nie zapadła cisza. Erin i Shaunee jak zwykle zaczęły mówić jednocześnie.

— Wiedźma z piekła rodem?!

— Za cholerę!

Kiedy Bliźniaczki przerwały swoje krzyki dla zaczerpnięcia tchu, włączył się Damien.

— Nie uważam, żeby to był dobry pomysł.

Stevie Rae ze zmartwioną miną skubała wargi.

Uniosłam rękę i ze zdziwieniem, ale i z zadowoleniem spostrzegłam, że natychmiast się uciszyli.

— Nie po to objęłam przywództwo Cór Ciemności, żeby rozpoczynać wojnę. Postanowiłam im przewodzić dlatego, że Afrodyta jest despotką, wykorzystuje słabszych i trzeba to ukrócić. I nie zamierzam tak jak ona otoczyć się grupką wybranych osób, które mi sprzyjają. Chcę, żeby Córy Ciemności stały się organizacją, do której wcale nie tak łatwo będzie się dostać. Organizacją dla wybranych, ale nie dla przyjaciół i znajomych. Członkostwo w tej organizacji powinno być powodem do dumy. Myślę, że przyjmując kogoś ze starego składu, daję przez to wszystkim do zrozumienia, że zamierzam postępować słusznie.

— Albo że wpuszczasz żmiję do naszego grona — powiedział ze spokojem Damien.

— Popraw mnie, jeśli się mylę — zwróciłam się do Damiena — ale czy żmije nie są ściśle związane z Nyks? — Mówiłam szybko, wiedziona przeczuciem, że tak właśnie należy zareagować. — Czy nie dlatego mają złą opinię, że w przeszłości były symbolem potęgi kobiet, której mężczyźni chcieli je pozbawić, napełniając go treścią odrażającą i przerażającą?

— Nie, nie mylisz się — odpowiedział z ociąganiem — ale to wcale nie znaczy, że dopuszczanie kogoś z bandy Afrodyty do naszej rady to dobry pomysł.

— Dotknąłeś sedna sprawy. Mnie nie chodzi o to, żeby to była n a s z a rada. Chcę, żeby przyczyniała się do budowania dobrego imienia szkoły, stała się częścią jej tradycji. Żeby trwała dłużej od nas.

— Chcesz przez to powiedzieć, że nawet jeśli nie uda nam się przeżyć Przemiany, to odnowienie Cór Ciemności sprawi, że pamięć o nas przetrwa? — zapytała Stevie Rae, a jej słowa przykuły uwagę pozostałych.

— Dokładnie o to mi chodziło, chociaż dopiero ty mi to uświadomiłaś — odpowiedziałam szybko.

— Hm, w takim razie to mi się podoba, mimo że nie zamierzam wykrwawić się na śmierć — oświadczyła Erin.

— Pewnie, że się nie wykrwawisz, ani ty, ani twoja bliźniaczka. To mało atrakcyjna forma śmierci.

— Ja nawet nie chcę myśleć o tym, że mógłbym nie przeżyć Przemiany — przyznał Damien. — Ale w razie gdyby miało mi się przytrafić coś strasznego, wolałbym zostawić po sobie tu, w szkole, coś trwalszego.

— A czy będziemy mieli tablice? — zapytała Stevie Rae, która nagle pobladła.

— Jakie znowu tablice? — Nie miałam pojęcia, o czym ona mówi.

— No tak. Jakieś tablice albo miejsce, gdzie by utrwalono nasze imiona jako... no, tych, jak im tam?

— Gospodarzy — przypomniał jej Damien.

— Aha, gospodarzy. Jakaś tablica albo inne miejsce, gdzie by uwidocznione były nazwiska wszystkich członków rady na każdy rok. I takie tablice zostałyby na zawsze.

— No — Shaunee zapaliła się do tego pomysłu. — Ale niechby to było coś fajniejszego niż tylko banalne tablice.

— Coś niepowtarzalnego, tak jak my jesteśmy niepowtarzalni — dodała Erin.

— Może odciski dłoni? — podsunął Damien.

— Co takiego? — zapytałam.

— Nasze odciski palców są niepowtarzalne. Może byśmy więc wykonali w betonie odciski naszych dłoni, a pod nimi znajdowałoby się nasze imię i nazwisko.

— Tak jak gwiazd hollywoodzkich — entuzjazmowała się Stevie Rae.

Wydało mi się to trochę tandetne, ale jednak pomysł mi się spodobał. Był tak jak my, wyjątkowy, niezwykły i trochę sentymentalny.

— Moim zdaniem odciski to świetny pomysł. A wiecie, gdzie by było najlepsze dla nich miejsce? — Popatrzyli na mnie rozjaśnieni i szczęśliwi, ich zatroskanie w związku z przyjęciem do rady kogoś z grona osób zbliżonych do Afrodyty czy z obawą śmierci, która stale nam towarzyszyła, na chwilę zostały zapomniane. — Na dziedzińcu, to idealne miejsce.

Rozległ się dzwonek przywołujący nas na lekcje. Poprosiłam Stevie Rae, żeby powiedziała naszej nauczycielce hiszpańskiego, profesorce Garmy, że się spóźnię, bo poszłam na spotkanie z Neferet. Bardzo chciałam opowiedzieć jej o swojej koncepcji, póki jeszcze na świeżo miałam wszystko w głowie. To nie zajmie wiele czasu. Przedstawię jej tylko główne założenia i zobaczę, czy akceptuje kierunek, w którym zmierzam. A może zaproszę ją na niedzielne obchody Pełni Księżyca, by usłyszała, jak obwieszczam nowe zasady przyjmowania w poczet członków Cór i Synów Ciemności? Zastanawiałam się, czy będę miała dużą tremę, kiedy Neferet zacznie się przyglądać mojemu kręgowi, obserwować, w jaki sposób prowadzę rytualne uroczystości, i postanowiłam, że będę musiała się opanować, bo obecność Neferet może wyłącznie przysłużyć się organizacji, zwłaszcza gdyby okazała swoje poparcie.

— Ale ja to widziałam! — Zza uchylonych drzwi klasy Neferet dobiegł mych uszu głos Afrodyty, co przerwało tok moich myśli. Brzmiał strasznie, pełen wzburzenia, a nawet trwogi.

— Jeśli to właśnie jesteś w stanie zobaczyć, może nadeszła pora, byś przestała się dzielić z innymi swoimi wizjami — powiedziała Neferet lodowatym tonem.

— Ależ Neferet! Przecież mnie zapytałaś. Więc ci odpowiedziałam, co zobaczyłam.

O czym ona mówi? O cholera. Czyżby pobiegła z donosem, że widziała, jak Loren gładził mnie po policzku? Rozejrzałam się po pustym holu. Powinnam się stąd wynieść jak najprędzej, ale przecież nie mogę tego zrobić, kiedy ta jędza opowiada o mnie niestworzone rzeczy, nawet jeśli Neferet nie wierzy ani jednemu jej słowu. Nie wycofałam się więc jak grzeczna dziewczynka, tylko przeniosłam w ciemny kąt bliżej uchylonych drzwi. A potem, wiedziona instynktem, zdjęłam z ucha jeden srebrny kolczyk w kształcie kółka i cisnęłam go do kąta. Często przechodzę koło klasy Neferet, a zatem nikomu nie wyda się podejrzane, że tu szukam zgubionego kolczyka.

— Wiesz, czego od ciebie oczekuję? — zapytała Neferet takim tonem, że przeszły mnie ciarki. — Że nauczysz się nie opowiadać n i e p r a w d o p o d o b n y c h historii. — Słowo to przeciągnęła znacząco. Czyżby chodziło o plotki rozsiewane przez Afrodytę na mój i Lorena temat?

— Ja tylko chciałam... — zająknęła się Afrodyta bliska płaczu — żebyś o tym wiedziała. Że może będziesz mogła coś zrobić, by to powstrzymać.

— Szkoda, że ci nie przyszło do głowy, iż z powodu twojej dotychczasowej, pełnej egoizmu postawy Nyks może przestała cię wyróżniać i wycofała dar wizjonerstwa, który od niej otrzymałaś. A zatem twoje obecne wizje mogą być zupełnie fałszywe.

Nigdy przedtem nie słyszałam tyle niechęci w głosie Neferet. Nawet miał inne brzmienie, co napełniło mnie niezrozumiałym lękiem. Tego dnia, kiedy zostałam Naznaczona, ale zanim dostałam się do Domu Nocy, miałam wypadek. Nieprzytomna doznałam przeżyć z pogranicza życia i śmierci. Wtedy spotkałam Nyks. Bogini powiedziała, że ma wobec mnie szczególne plany, i pocałowała mnie w czoło. A kiedy się ocknęłam, mój Znak był już wypełniony kolorem. Zostałam też obdarzona zdolnością kontaktowania się z żywiołami, choć dowiedziałam się o tym dopiero później. Jeszcze jedno nowe uczucie stało się moim udziałem: wewnętrzne przekonanie, że muszę coś zrobić albo powiedzieć. Czasem był to nakaz milczenia. Teraz wewnętrzne przekonanie mówiło mi, że gniew Neferet był zupełnie niesłuszny, chociaż mógł być reakcją na złośliwe donosy Afrodyty.

— Proszę cię, Neferet, nie mów tak — szlochała Afrodyta. — Nie mów, że Nyks mnie odtrąciła!

— Ja ci niczego nie muszę mówić. Właściwej odpowiedzi poszukaj w swojej duszy. Co ona ci podpowiada?

Gdyby Neferet wypowiedziała te słowa normalnym, łagodnym tonem, brzmiałoby to jak rada mądrej nauczycielki albo kapłanki udzielona strapionej osobie, by zajrzała w głąb swojej duszy i tam znalazła rozwiązanie problemu. Ale Neferet mówiła to lodowatym tonem, słowa tak wypowiadane były okrutne i raniące.

— Mówi mi, że... że... popełniałam błędy, ale nie że Nyks mnie nienawidzi. — Afrodyta płakała już tak bardzo, że coraz trudniej było ją zrozumieć.

— W takim razie popatrz głębiej.

Nie mogłam słuchać dłużej przejmującego płaczu Afrodyty. Zrezygnowałam z szukania kolczyka i posłuchawszy swojego głosu wewnętrznego, wyniosłam się stamtąd jak najdalej.

ROZDZIAŁ PIĄTY

Już do końca lekcji hiszpańskiego tak bardzo bolał mnie brzuch, że nawet zdobyłam się na to, by zapytać profesorkę Garmy, czy *puedo ir al baño*, gdzie siedziałam tak długo, że Stevie Rae przyszła zobaczyć, co się ze mną dzieje.

Wiedziałam, co kryło się za jej troską — kiedy adept zaczyna źle się czuć, zazwyczaj znaczy to, że umiera. Ponadto musiałam wyglądać okropnie. Powiedziałam więc Stevie Rae, że mam okres i umieram z bólu — chociaż nie dosłownie. Nie wydawało się, żeby była całkowicie przekonana.

Bardzo się ucieszyłam, kiedy nadeszła ostatnia lekcja — jazda konna. Nie tylko dlatego, że lubiłam ten przedmiot, ale też dlatego, że zawsze działał na mnie uspokajająco. Awansowałam, ponieważ wolno mi było teraz galopować na Persefonie, klaczy, którą już na pierwszej lekcji przydzieliła mi Lenobia (nie tytułowało się jej profesorką, stwierdziła bowiem, że samo imię starożytnej królowej wampirów starcza za tytuł). Zaczynałam też próbować z nią zmianę nogi. Tak długo i solidnie ćwiczyłam ze swoją śliczną klaczką, że obie wyszłyśmy spocone, a brzuch znacznie mniej już bolał, mogłam więc przez następne pół godziny zająć się jej oporządzaniem, nie przejmując się wcale tym, że dzwonek dawno już obwieścił koniec zajęć lekcyjnych na ten dzień. Kiedy przeszłam ze stajni do utrzymanej w idealnym porządku siodlarni, by zostawić tam zgrzebła, ze zdziwieniem spostrzegłam Lenobię siedzącą na krześle przed wejściem, zajętą czyszczeniem nieskazitelnego na pierwszy rzut oka siodła.

Lenobia wyglądała niezwykle, nawet jak na wampirzycę. Miała długie do pasa włosy tak jasne, że wydawały się niemal białe, oczy szare jak pochmurne niebo. Była drobna, poruszała się niczym baletnica. Jej tatuaż przedstawiał plątaninę węzłów okalających jej twarz, a wśród nich galopujące i skaczące konie.

— Konie mogą okazać się pomocne w rozwiązywaniu naszych problemów — stwierdziła, nawet nie podnosząc głowy znad siodła.

Nie wiedziałam, co na to odpowiedzieć. Lubiłam Lenobię. Owszem, na samym początku trochę się jej bałam, wydawała się surowa i sarkastyczna, ale kiedy bliżej ją poznałam, a zwłaszcza kiedy dowiodłam, że wiem, iż konie to nie są tylko duże psy, ceniłam ją za rozum i rzeczowość. Stała się moją ulubioną nauczycielką, zaraz po Neferet, ale właściwie rozmawiałyśmy dotąd wyłącznie o koniach. Z pewnym ociąganiem odpowiedziałam w końcu:

— Rzeczywiście Persefona sprawia, że czuję się, jakbym osiągnęła spokój, nawet jeśli tak nie jest. Czy ma to jakiś sens?

Podniosła na mnie oczy, które wyrażały zatroskanie.

— Owszem, to ma sens, nawet głęboki. — Zamilkła na chwilę, po czym dodała: — Obarczono cię wieloma obowiązkami, i to w krótkim czasie.

— Nie mam nic przeciwko temu — zapewniłam ją. — Chcę przez to powiedzieć, że przewodniczenie Córom Ciemności to dla mnie zaszczyt.

— Często sprawy, które przynoszą nam zaszczyt, stwarzają też najwięcej problemów. — Znów zamilkła na chwilę; odniosłam wrażenie, choć może podsuwała mi je wyłącznie wyobraźnia, że zastanawia się, czy powiedzieć coś jeszcze czy nie. Widocznie postanowiła mówić dalej, bo zaraz wyprostowała się jeszcze bardziej, o ile to było możliwe, i ciągnęła: — Twoją mentorką jest Neferet, do niej więc zgłaszasz się ze swoimi problemami, i to jest prawidłowe. Jednakże czasem ze starszą kapłanką trudno jest rozmawiać. Dlatego chcę, abyś wiedziała, że zawsze możesz się zwrócić do mnie z każdą sprawą.

Przetarłam oczy ze zdumienia.

— Dziękuję, Lenobio.

— Biegnij już. Odłożę za ciebie te zgrzebła. Twoi przyjaciele na pewno już się niepokoją, co się z tobą stało. — Uśmiechnęła się do mnie i wyciągnęła rękę po zgrzebła.

— Możesz przychodzić odwiedzać Persefonę, kiedy tylko będziesz miała ochotę. Nieraz już zauważyłam, że przy pielęgnacji konia świat wydaje się prostszy.

— Dziękuję — powtórzyłam.

Mogłabym przysiąc, że po wyjściu ze stajni usłyszałam słowa: „Niech cię Nyks prowadzi i czuwa nad tobą" lub coś w tym rodzaju, ale przecież byłoby to zbyt dziwne, żeby miało być prawdziwe. Chociaż równie dziwna była propozycja, że mogę się do niej zgłaszać ze swoimi problemami. Adepci są szczególnie związani ze swoimi mentorami, a ja tym bardziej, skoro moją mentorką jest starsza kapłanka. Oczywiście z innymi wampirami łączy nas sympatia, ale jeżeli małolat ma jakiś problem, którego sam nie potrafi rozwiązać, zwraca się z tym do swojego mentora. Zawsze tak jest.

Odległość od stajni do internatu nie była duża, szłam jednak niespiesznie, by jak najdłużej cieszyć się poczuciem spokoju, które przyniosła mi praca z Persefoną. Zboczyłam nieco z drogi, kierując się w stronę starych drzew przy murze otaczającym budynek szkolny od wschodu. Dochodziła czwarta (oczywiście nad ranem), a zachodzący księżyc pięknie rozświetlał mrok nocy.

Zapomniałam już, z jaką przyjemnością zawsze tu przychodziłam. Prawdę mówiąc, od miesiąca starałam się unikać wypraw w te strony, czyli od kiedy zobaczyłam tu dwa duchy albo wydawało mi się, że je widziałam.

— Miauu!

— Aleś mnie przestraszyła, Nala! Nie rób tego więcej!

— Serce tłukło mi się ze strachu jak szalone, jeszcze gdy brałam kotkę na ręce. Zaczęłam ją głaskać, ona tymczasem jak zwykle zrzędziła. — Wiesz, mogłabyś uchodzić za ducha — powiedziałam jej, na co parsknęła mi prosto w twarz, komentując w ten sposób pomysł, że mogłaby być duchem.

No dobrze, może za pierwszym razem rzeczywiście widziałam ducha. Wtedy przyszłam tutaj następnego dnia po śmierci Elizabeth. To był pierwszy śmiertelny przypadek, który wstrząsnął szkołą (może tylko mną wstrząsnął). Ponieważ każdy z adeptów w ciągu czterech lat, kiedy to w ich organizmach zachodzi Przemiana, mógł umrzeć, w szkole uznano, że powinniśmy oswoić się z tym faktem, ponieważ był nieodłączną częścią naszego życia. Owszem, należało zmówić paciorek za zmarłego kolegę czy koleżankę, zapalić świeczkę. I to wszystko.

Nadal nie mogę się z tym pogodzić, nie uważam, by to było słuszne, ale pewnie dlatego, że jestem tu zaledwie od miesiąca, bardziej więc jeszcze należę do świata ludzi niż wampirów.

Westchnęłam i poskrobałam Nalę za uszkiem. W każdym razie w pierwszą noc po śmierci Elizabeth zobaczyłam coś, co moim zdaniem było Elizabeth. Albo jej duchem, bo Elizabeth ponad wszelką wątpliwość już nie żyła. Zaledwie rzuciłam okiem na tę zjawę, a potem rozmawiając na ten temat ze Stevie Rae, nie ustaliłyśmy ostatecznie, co to było. Wiedziałyśmy aż za dobrze, że duchy istnieją. Nie dalej jak przed miesiącem jeden z duchów wywołanych przez Afrodytę nieomal zabił mojego byłego chłopaka. Mogłam więc zobaczyć ducha dopiero co wyzwolonego z ciała Elizabeth. Niewykluczone też, że widziałam inną adeptkę, skoro dopiero od kilku dni sama byłam adeptką i przez ten czas doświadczyłam wielu niezwykłych zjawisk. Wszystko to więc mogło być wytworem mojej wyobraźni.

Kiedy doszłam do muru, skręciłam w prawo, by dojść do sali rekreacyjnej, a stamtąd prosto już do internatu.

— Ale za drugim razem to nie mógł być wytwór mojej fantazji, prawda, Nala? — zwróciłam się do kotki, na co odpowiedziała intensywnym mruczeniem przypominającym włączony agregat. Przytuliłam ją mocniej do siebie, wdzięczna, że nadąża za tokiem moich myśli. Na samą myśl o tej drugiej zjawie przeszywał mnie dreszcz strachu. Jak wtedy, tak i teraz miałam przy sobie Nalę. Podobieństwo sytuacji sprawiło, że rozejrzałam się niespokojnie wokół i przyspieszyłam kroku.

Wkrótce potem następny małolat umarł uduszony własną flegmą z płuc, wykrwawiwszy się na oczach całej klasy podczas lekcji literatury. Wzdrygnęłam się na to wspomnienie, tym bardziej że nęcił mnie zapach jego krwi. Tak czy owak widziałam, jak Elliott umierał. Tego dnia trochę później ja i Nala niemal dosłownie wpadłyśmy na niego, co zdarzyło się niedaleko miejsca, do którego teraz przyszłyśmy. Myślałam, że znowu widzę ducha — aż do chwili kiedy mnie zaatakował, a Nala, kochane stworzonko, rzuciła się na niego z pazurami. Wtedy Elliott jednym susem przeskoczył wysoki na dwadzieścia stóp mur i zniknął w ciemnościach nocy. Obie z Nalą byłyśmy półżywe ze strachu, zwłaszcza kiedy zauważyłam krew na łapach kotki. Krew ducha! Wszystko to nie miało ani krzty sensu.

O tym drugim widzeniu nie wspomniałam nikomu. Ani swojej najlepszej przyjaciółce i współmieszkance, Stevie Rae, ani swojej mentorce, starszej kapłance Neferet, ani Erikowi, który był moim wspaniałym chłopakiem. Nikomu.

Całkiem świadomie. A potem nastąpiła lawina wypadków związanych z Afrodytą... Przejęłam Córy Ciemności... Zaczęłam się umawiać z Erikiem... Absorbowały mnie szkolne zajęcia... I tak minął cały miesiąc, a ja nie pisnęłam nikomu ani słowa. Nawet teraz, kiedy o tym pomyślę, opowiadanie komukolwiek o tych zdarzeniach mnie samej wydawało się głupie. *Słuchaj, Stevie Rae / Neferet/ Damien / Bliźniaczki, przed miesiącem widziałam zjawę Elliotta, tego dnia, w którym umarł, był naprawdę przerażający, a kiedy chciał się na mnie rzucić, Nala podrapała go do krwi. A jego krew pachniała jakoś nie tak. Mnie możecie wierzyć, bo rozpoznaję zapach krwi na odległość, gdyż bardzo mnie nęci (co jest u mnie następną dziwną rzeczą, bo adepci na ogół nie mają jeszcze rozwiniętego pożądania krwi). No więc tyle wam chciałam powiedzieć.*

Myślę, że chcieliby mnie posłać do psychora, co by raczej nie umocniło mojego wizerunku jako nowej liderki Cór Ciemności.

Poza tym im więcej mijało czasu, tym łatwiej mi było nabrać przekonania, że przynajmniej część historii dotyczącej Elliotta stanowiła wytwór mojej wyobraźni. Może to nie był Elliott (ani jego duch czy co tam jeszcze). Nie znałam przecież wszystkich adeptów. Może był to jakiś inny chłopak, który też miał rude rozwichrzone włosy i pyzatą bladą twarz. Co prawda nie widziałam jeszcze drugiego takiego adepta, ale wszystko jest możliwe. Natomiast co do brzydko pachnącej krwi, no cóż, może któryś adept tak pachniał, nie wiem. Przecież nie mogę być znawcą tematu, przebywając tu zaledwie od miesiąca. Poza tym zarówno jeden, jak i drugi „duch" miał jarzące się czerwono oczy. Co by to mogło oznaczać?

Cała ta sprawa przyprawiała mnie o ból głowy.

Starając się nie przywiązywać większej wagi do niepokoju, który mnie ogarnął, odwróciłam się z determinacją od muru i miejsca, gdzie wydarzyły się te dziwne rzeczy, gdy kątem oka spostrzegłam zarys jakiejś postaci. Zmartwiałam. Osoba ta stała oparta o wielki dąb, pod którym przed miesiącem znalazłam Nalę. Była odwrócona do mnie tyłem, miała pochyloną głowę.

Dobrze, że ten ktoś jeszcze mnie nie zauważył. Nawet nie chciałam wiedzieć, kto to był, on czy ona. Dość już spotkało mnie ostatnio stresów. I dość duchów. (Przysięgłam sobie w tym momencie, że na pewno opowiem Neferet o zostawiającym krwawe ślady duchu, który wałęsał się w okolicach szkolnego muru. Ona była starsza ode mnie. Mogła dać sobie radę ze stresem). Z sercem walącym tak głośno, że zagłuszało mruczenie Nali, zaczęłam wycofywać się ostrożnie, składając sobie jednocześnie mocne postanowienie, że nigdy więcej nie przyjdę tu sama w środku nocy. Chyba brakowało mi piątej klepki, skoro nie zrobiłam tego po pierwszym czy najpóźniej po drugim razie.

Wtedy niechcący nadepnęłam na suchą gałązkę, która głośno zatrzeszczała, aż Nala miauknęła wyraźnie niezadowolona, zwłaszcza że nieświadomie przycisnęłam ją zbyt mocno do siebie. Głowa tajemniczej postaci gwałtownie się uniosła, a cała sylwetka oparta o drzewo odwróciła się w moją stronę. Mogłam zacząć krzyczeć i rzucić się do ucieczki przed czerwonookim duchem, mogłam też z krzykiem wdać się z nim w walkę; obie możliwości zawierały krzyk, już więc otworzyłam usta, by wrzasnąć, kiedy posłyszałam znajomy uwodzicielski głos:

— To ty, Zoey?

— Loren?

— Co ty tu robisz?

Nie poruszył się, nie zrobił kroku w moim kierunku, więc z prostej przekory, jakbym chwilę przedtem nie umierała ze strachu, wyszczerzyłam się w uśmiechu, nonszalancko wzruszyłam ramionami i podeszłam do niego.

— Cześć — powiedziałam, starając się zrobić wrażenie dorosłej osoby. Potem zaraz przypomniałam sobie, że zadał mi pytanie, na które powinnam odpowiedzieć. Dobrze, że było ciemno i mój rumieniec nie rzucał się w oczy. — Właśnie wracałam ze stajni i zamiast iść na skróty, zdecydowałyśmy z Nalą iść na długi. — Co ja plotę? Naprawdę powiedziałam: „iść na długi"?

Kiedy szłam w jego stronę, wydawał mi się spięty, ale to moje powiedzenie rozśmieszyło go i na jego twarzy o idealnych rysach pojawiły się oznaki odprężenia.

— Iść na długi, powiadasz? Cześć, Nala, raz jeszcze.

Podrapał ją po łebku, na co odpowiedziała niegrzecznym mruknięciem, po czym delikatnie zeskoczyła z moich ramion na ziemię i z godnością się oddaliła.

— Przepraszam, ona nie jest szczególnie towarzyska.

Uśmiechnął się.

— Nie przejmuj się. Mój kot, Wolverine, przypomina opryskliwego staruszka.

— Wolverine? — zdziwiłam się.

Teraz jego uśmiech stał się trochę krzywy i jakby chłopięcy, co sprawiło, że wyglądał jeszcze bardziej czarująco.

— Tak, Wolverine. Wybrał mnie, kiedy byłem na trzecim formatowaniu. A wtedy miałem kompletnego fioła na punkcie X-menów.

— To imię wyjaśnia, dlaczego jest opryskliwy.

— Mogło być gorzej. Rok wcześniej oglądałem bez przerwy *Spider-Mana*. Niewiele brakowało, a nazwałbym kota Spidey albo Peter Parker.

— W każdym razie twój kot nosi ciężkie brzemię.

— Wolverine na pewno by się z tobą zgodził.

Znów się roześmiał, a ja starałam się powstrzymać przed histerycznym chichotaniem na jego widok, jak czynią to małolaty na koncertach swoich idoli. Przecież w gruncie rzeczy ja z nim flirtuję! *Zachowaj więc spokój. Nie mów ani nie zrób niczego głupiego.*

— A ty co tutaj robisz? — zapytałam niepomna przestróg własnego umysłu.

— Piszę haiku. — Uniósł rękę, a ja dopiero wtedy zauważyłam, że trzyma w niej elegancki, oprawiony w skórę dziennik, który musiał kosztować masę pieniędzy. — Przychodzę tutaj przed świtem, wtedy jestem sam i mogę liczyć na natchnienie.

— Och, przepraszam, nie chciałam przeszkadzać. Już się żegnam i odchodzę. — Pomachałam mu na pożegnanie (jak idiotka) i odwróciłam się, by się wycofać, ale wolną ręką złapał mnie za przegub.

— Wcale nie musisz odchodzić. Czerpię natchnienie z wielu innych rzeczy, nie tylko z samotnego przebywania w tym miejscu.

Poczułam ciepło jego ręki na swoim przegubie, zastanawiając się jednocześnie, czy on wyczuwa mój przyspieszony puls.

— No cóż, nie chcę przeszkadzać.

— Wcale mi nie przeszkadzasz. — Ścisnął mój przegub, zanim wypuścił go (niestety) z ręki.

— No więc dobrze. Piszesz haiku. — Dotyk jego ręki podniecił mnie, z trudem usiłowałam zachować opanowanie. — To azjatycka poezja z ustaloną strukturą, tak?

Jego uśmiech był sowitą zapłatą za to, że uważałam na lekcji poezji prowadzonej przez panią Wienecke w zeszłym roku.

— Tak. Moją ulubioną formą są wersy pięcio-, siedmio- i znów pięciosylabowe. — Przerwał, po czym uśmiechnął się na jeszcze inny sposób. Kiedy spojrzał na mnie tymi swoimi pięknymi oczami, poczułam w żołądku dziwną słabość. — A skoro mowa o natchnieniu, ty mogłabyś mi pomóc.

— Z przyjemnością — odpowiedziałam skwapliwie, mając nadzieję, że nie zauważy, iż brak mi tchu.

Nie spuszczając ze mnie wzroku, przesunął ręką po moich ramionach.

— Nyks cię Naznaczyła również w tych miejscach.

Nie było to pytanie, tylko stwierdzenie, ale i tak skinęłam głową.

— Owszem.

— Chciałbym zobaczyć. Jeśli cię to zbytnio nie krępuje.

Na dźwięk jego głosu znów przeszedł mnie dreszcz. Rozsądek podpowiadał mi, że Loren bynajmniej nie miał najmniejszego zamiaru mnie uwodzić, lecz chciał tylko obejrzeć mój oryginalny tatuaż. Dla niego byłam niczym więcej jak tylko smarkulą z niespotykanym tatuażem i zdolnością komunikowania się z żywiołami. Tyle podpowiadała mi logika. Ale jego oczy, głos, ręce nadal gładzące moje ramiona mówiły coś wręcz przeciwnego.

— Mogę ci pokazać.

Ubrana byłam w swoją ulubioną zamszową kurteczkę, która leżała na mnie idealnie. Pod nią miałam ciemnofioletową bluzkę na ramiączkach. (Wprawdzie zbliżał się koniec listopada, ale jako adeptka nie odczuwałam zimna tak jak przedtem, zanim zostałam Naznaczona. Wszyscy tutaj tak mają). Zaczęłam ściągać z siebie kurtkę.

— Poczekaj, pomogę ci.

Stał teraz bardzo blisko. Prawą ręką chwycił kołnierz kurteczki, którą zręcznie zsunął z moich ramion i zostawił zrolowaną na łokciach.

Loren powinien teraz oglądać moje częściowo odsłonięte ramiona, wpatrywać się w rysunek tatuażu, jakiego nie miał dotąd żaden adept ani nawet wampir. Powinien, ale nadal patrzył mi w oczy. Nagle coś się ze mną stało. Już się nie czułam jak narwana, nieopierzona smarkata. Jego wzrok obudził we mnie kobietę, która odkryła w sobie spokój i nieznaną przedtem pewność siebie. Ujęłam w palce ramiączko bluzki i z wolna zsunęłam je na zdjęty do połowy żakiet. Potem, nadal nie odrywając wzroku od jego oczu, odrzuciłam włosy, by nie zasłaniały tatuażu, i obróciłam się tak, aby miał pełen widok na moje ramiona i plecy, całkiem już nagie, jeśli nie liczyć wąskiego paska czarnego biustonosza.

Przez następnych kilka sekund nadal patrzyliśmy sobie w oczy, a ja czułam wtedy na swym odsłoniętym ciele chłodny oddech nocy i pieszczotę księżycowej poświaty. Loren przysunął się jeszcze bliżej i trzymając mnie za rękę, zaczął oglądać moje plecy.

— Niesamowite — szepnął niskim, zmienionym głosem. Poczułam, jak opuszkami palców wodzi po spiralnym labiryncie tatuażu, który z wyjątkiem nieregularnie rozmieszczonych egzotycznych runów przypominał rysunek mojego Znaku na twarzy. — Nigdy nie widziałem czegoś podobnego. Wyglądasz z tym jak starożytna kapłanka, która zmaterializowała się w naszych czasach. Jakie to dla nas szczęście, Zoey Redbird, że jesteś wśród nas.

Wymówił moje imię z nabożeństwem, jakby to były słowa modlitwy. Ton jego głosu i delikatny dotyk palców sprawiły, że zadrżałam, a na mym ciele pojawiła się gęsia skórka.

— Przepraszam, pewnie jest ci zimno — rzekł Loren i zręcznie podciągnął mi ramiączka bluzki, a na to żakiet.

— Nie z powodu zimna przeszedł mnie dreszcz — wyjawiłam sama zaskoczona, a może nawet zaszokowana własną śmiałością.

Lico — krew z mlekiem
Spijam je w marzeniach swych
A księżyc patrzy.

Przez cały czas kiedy deklamował ten wiersz, patrzył mi w oczy. Jego głos, dotychczas dźwięczny i wyćwiczony, teraz brzmiał chrapliwie i nabrał niskich tonów, jakby mówienie przychodziło mu z trudnością. Ogarnął mnie żar, jakby ten głos miał właściwości rozpalające, czułam, jak wzburzone fale krwi tętnią w moich żyłach. Drżały mi nogi, z trudnością łapałam oddech. *Jeśli mnie pocałuje, chyba pęknę z wrażenia.*

— Czy teraz ułożyłeś ten wiersz? — zapytałam zdyszana.

Pokręcił głową, leciutko się uśmiechnął.

— Nie. To zostało napisane przed wiekami, tak starożytny japoński poeta uwiecznił swoją ukochaną leżącą nago w świetle księżyca.

— Piękne.

— Ty jesteś piękna — odpowiedział i ujął w złożone dłonie moją twarz. — Dziś ty byłaś moim natchnieniem. Dziękuję ci za to.

Oparłam się o niego, na co odpowiedział również zbliżeniem. Zgoda, mogę nie mieć doświadczenia. Prawdę mówiąc, jestem jeszcze dziewicą. Ale na ogół nie jestem kretynką. Wiem, kiedy facet jest na mnie napalony. A ten facet był na mnie napalony — przynajmniej przez chwilę. Położyłam dłoń na jego ręce i zapomniawszy o wszystkim, nawet o Eriku i o tym, że Loren był dorosłym wampirem, a ja zaledwie adeptką, marzyłam, żeby mnie pocałował, żeby jeszcze mnie dotykał. Staliśmy wpatrzeni w siebie. Obydwoje oddychaliśmy ciężko. I nagle, w jednej chwili, w jego oczach coś zamigotało i zgasło, w spojrzeniu już nie było ciepła i bliskości, tylko chłód i oddalenie. Odjął rękę od mojej twarzy, cofnął się o krok. Odczułam to jak smagnięcie lodowatego wiatru.

— Miło mi było cię spotkać, Zoey. Jeszcze raz dziękuję, że pozwoliłaś mi obejrzeć swój Znak. — Uśmiechnął się zdawkowo. Skinął głową, wykonując formalny ukłon, po czym się oddalił.

Nie wiedziałam, czy krzyczeć z frustracji i zawodu czy może płakać z upokorzenia. Nachmurzona, z trzęsącymi się rękoma pomaszerowałam do internatu. Z pewnością pilnie potrzebowałam oparcia w swojej najlepszej przyjaciółce.

ROZDZIAŁ SZÓSTY

Nadal zżymając się duchu z powodu niekonsekwencji mężczyzn i niejednoznacznych przekazów, weszłam do głównej sali internatu, gdzie odnalazłam Stevie Rae i Bliźniaczki przytulone do siebie, wpatrzone w ekran telewizora. Jasne, że czekały na mnie. Doznałam wielkiej ulgi na ten widok. Nie chciałam, żeby wszyscy, czyli Damien i Bliźniaczki, dowiedzieli się, co się pod dębem wydarzyło, ale miałam nieprzepartą ochotę zrelacjonować Stevie Rae z najdrobniejszymi detalami całe spotkanie z Lorenem, tak byśmy obie mogły ustalić, co to wszystko znaczy.

— Wiesz co, Stevie Rae? Nie potrafię zabrać się do pracy z socjologii zadanej na poniedziałek. Mogłabyś mi pomóc? To nie zajmie ci dużo czasu i... — zaczęłam, ale Stevie Rae przerwała mi, nie odrywając wzroku od telewizora.

— Zaczekaj. I chodź tu, powinnaś to zobaczyć — wskazała na telewizor. Bliźniaczki też wpatrywały się w ekran.

Spoważniałam, widząc ich zaaferowanie, które (chwilowo) zepchnęło myśli o Lorenie na plan dalszy.

— O co chodzi? — Oglądały powtórkę wieczornych wiadomości nadawanych w lokalnej stacji Fox 23. Chera Kimiko, gospodyni programu, kończyła swoją relację, a znajome widoki z Woodward Park ukazywały się na ekranie. — Trudno uwierzyć, że Chera nie jest wampirzycą — zauważyłam.

— Jest niezwykle efektowna.

— Cicho, słuchaj, co ona mówi — powiedziała Stevie Rae.

Nadal zaskoczona ich nietypowym zachowaniem zamilkłam i zaczęłam słuchać.

Powtarzamy wiadomość dnia: trwają poszukiwania Chrisa Forda, siedemnastoletniego ucznia szkoły średniej w Union, który zniknął wczoraj po treningu piłki nożnej. Na ekranie ukazało się zdjęcie Chrisa w barwach drużyny. Wydałam cichy okrzyk, kiedy rozpoznałam go po twarzy i nazwisku.

— Ej, ja go znam!

— Właśnie dlatego tu cię przywołałyśmy– wyjaśniła Stevie Rae.

Grupy poszukiwawcze przeczesują teren wokół Utica Square i Woodward Park, gdzie go widziano po raz ostatni.

— To blisko nas — zauważyłam.

— Ćśś! — uciszyła mnie Shaunee.

— Wiemy o tym — dodała Erin.

Dotychczas nie są znane powody, dla których Chris znalazł się w okolicach Woodward Park. Jego matka twierdzi, iż nie wiedziała, że jej syn w ogóle zna drogę do Woodward Park, nigdy nie słyszała, by kiedykolwiek tam się wybrał. Pani Ford powiedziała również, że syn zamierzał wrócić do domu zaraz po treningu, a nie ma go już od przeszło doby. Osoby mające informacje, które mogłyby naprowadzić miejscową policję na ślad Chrisa, proszone są o kontakt z Crime Stoppers. Zapewniamy anonimowość.

Chera przeszła do następnego wydarzenia, więc napięcie zelżało.

— To ty go znasz? — zapytała Shaunee.

— Tak, ale nie za dobrze. On jest biegaczem, gwiazdą drużyny Union, i kiedy ja od czasu do czasu umawiałam się z Heathem... wiecie chyba, że on jest rozgrywającym w Broken Arrows? — Zniecierpliwieni szybko pokiwali głowami. — No więc Heath zaciągał mnie na różne imprezy, a wszyscy piłkarze znali się jak łyse konie, a Chris i jego kuzyn Jon należeli do tej samej paczki. Chodziły plotki o tym, jak urządzali zawody w piciu taniego piwa z towarzyszeniem palenia jointa. — Następnie zwróciłam się do Shaunee, która wykazała niezwykłe zainteresowanie wiadomościami usłyszanymi w telewizji. — A zanim zadasz to pytanie, z góry na nie mogę odpowiedzieć: tak, jest równie fajny w rzeczywistości jak na zdjęciu.

— Cholerna szkoda, jeśli coś złego przytrafia się takiemu fajnemu ziomkowi. — Shaunee potrząsnęła głową ze smutną miną.

— Cholerna szkoda, jeśli coś złego przytrafia się komuś fajnemu bez względu na kolor skóry — dodała Erin. — Fajny to fajny. Nie ma tu miejsca na dyskryminację.

— Jak zwykle macie rację, Bliźniaczki.

— Ja nie lubię marihuany — stwierdziła Stevie Rae. — Dla mnie ona śmierdzi. Raz spróbowałam, myślałam, że od kaszlu głowa mi odpadnie, a jak paliło mnie w gardle! Do tego trochę trawki dostało mi się do ust, obrzydlistwo!

— My nie robimy brzydkich rzeczy — oświadczyła Shaunee.

— No, a trawka to coś brzydkiego. Poza tym od tego zaczynasz się najadać bez powodu. To obciach, że najlepsi gracze w to wdepnęli.

— Przez to są mniej atrakcyjni — stwierdziła Shaunee.

— Słuchajcie, trawka i atrakcyjność nie są w tej chwili istotne — powiedziałam. — Mam złe przeczucia, jeśli chodzi o to zniknięcie.

— Daj spokój — chciała odczarować Stevie Rae.

— O cholera — przejęła się Shaunee.

— Nie znoszę, jak ona wpada w taki nastrój — wyjawiła Erin.

*

Wszyscy uznaliśmy, że zniknięcie Chrisa w pobliżu Domu Nocy to dziwna sprawa. W porównaniu z zaginięciem chłopaka moje przeżycie z Lorenem wydało się błahe i nieznaczące. Owszem, nadal miałam ochotę opowiedzieć o wszystkim przynajmniej Stevie Rae, ale nie mogłam się dostatecznie skupić na niczym innym, jak tylko na czarnych myślach, jakie mnie ogarniały w związku z zaginięciem Chrisa.

Chris nie żyje. Nie chciałam w to uwierzyć. Nie chciałam przyjąć tego do wiadomości. Miałam przy tym wewnętrzne przekonanie, że wprawdzie zostanie odnaleziony, ale martwy.

Spotkałyśmy Damiena w jadalni, a tam nie mówiło się o niczym innym, jak tylko o zniknięciu Chrisa. Każdy snuł własną teorię na ten temat; Bliźniaczki zgadywały, że przystojniaczek musiał się wdać ze swoimi starymi w sprzeczkę, po której poszedł opić się gdzieś piwskiem, Damien natomiast był przekonany, że chłopak mógł w sobie odkryć skłonności homoseksualne i udał się do Nowego Jorku, by tam spełnić swoje marzenia i zostać gejowskim modelem.

Ja nie miałam żadnej teorii, jedynie straszne przeczucia, o których nie miałam ochoty dyskutować.

Oczywiście straciłam apetyt. Żołądek znów okropnie mnie rozbolał.

— Takie dobre jedzenie, a ty tylko je rozgrzebujesz — zauważył Damien.

— Po prostu nie jestem głodna.

— To samo mówiłaś podczas lunchu.

— No dobrze, więc teraz to powtarzam! — wydarłam się na niego i natychmiast pożałowałam swojego wybuchu, widząc, jaką mu zrobiłam przykrość. Zasępiony siedział nad miseczką swojej ulubionej wietnamskiej sałatki bun cha gio. Każda z Bliźniaczek uniosła w górę brew, po czym całą uwagę skupiły na prawidłowym posługiwaniu się pałeczkami. Stevie Rae popatrzyła na mnie w milczeniu, ale wyraz zatroskania na jej twarzy był więcej niż wymowny.

— Masz, znalazłam to. I mam wrażenie, że to twoje.

Afrodyta rzuciła srebrne kółeczko obok mojego talerza. Podniosłam głowę. Jej idealna twarz nie wyrażała żadnych uczuć, co wydało mi się dziwne. Głos też nie zdradzał żadnych emocji. Dziwne.

— Twoje czy nie?

Bezwiednie podniosłam rękę, by namacać kolczyk od pary nadal wpięty w drugie ucho. Zupełnie wyleciało mi z głowy, że podrzuciłam to cholerstwo, by udawać, że go szukam, podczas gdy w rzeczywistości podsłuchiwałam Afrodytę i Neferet.

— Moje, dziękuję.

— Nie ma o czym mówić. Domyślam się, że nie jesteś jedyną osobą, która ma przeczucia, prawda?

Odwróciła się na pięcie i wyszła z jadalni przez szklane drzwi na dziedziniec. Mimo że niosła tacę z jedzeniem, nawet nie rzuciła okiem na stół, przy którym siedziały jej przyjaciółki. Zauważyłam, że gdy przechodziła, podniosły głowy znad talerzy, ale zaraz spuściły wzrok. Żadna nie spojrzała jej w oczy. Afrodyta usiadła na słabo oświetlonym dziedzińcu, gdzie od prawie miesiąca jadała — sama.

— Po prostu jest dziwna — skonstatowała Shaunee.

— Aha, jak małpa z piekła rodem — dodała Erin.

— Jej niedawne przyjaciółki teraz nie chcą się z nią zadawać — powiedziałam.

— Przestań jej żałować — wykrzyknęła histerycznie Stevie Rae, co całkiem było do niej niepodobne. — Nie zauważyłaś, że ona każdemu wchodzi w drogę?

— Nie mówię, że nie. Zrobiłam tylko uwagę, że jej przyjaciółki się od niej odwróciły.

— Czy coś straciłyśmy? — zapytała Shaunee.

— Co zaszło między tobą a Afrodytą? — chciał wiedzieć Damien.

Już otworzyłam usta, żeby im opowiedzieć, co usłyszałam przed chwilą, ale weszła Neferet i zwróciła się do mnie :

— Zoey, mam nadzieję, że twoi przyjaciele mi wybaczą, jeśli zabiorę cię na resztę wieczoru.

Z wolna podniosłam na nią wzrok pełna obaw, co zobaczę. Głównie dlatego, że kiedy po raz ostatni słyszałam jej głos, brzmiał wrogo i lodowato. Napotkałam jednak miły uśmiech i łagodne spojrzenie zielonych oczu, w których zaczynał się pojawiać lekki niepokój.

— Czy coś się stało, Zoey?

— Nie, przepraszam, po prostu się zamyśliłam.

— Chciałabym, żebyśmy razem zjadły dziś kolację.

— Jasne, oczywiście, nie ma sprawy, z przyjemnością. — Uświadomiłam sobie, że bredzę, ale jakoś nie mogłam temu zapobiec. Po prostu miałam nadzieję, że bredzenie samo się wyłączy. To tak jak jest z biegunką — kiedyś musi się skończyć.

— Dobrze. — Uśmiechnęła się do moich przyjaciół. — Wypożyczam od was Zoey, ale obiecuję, że niedługo ją zwrócę.

Cała czwórka grzecznie się do niej wyszczerzyła, zapewniając, że każda propozycja im odpowiada.

Wiem, że może się to wydać śmieszne, ale ich łatwa rezygnacja z mojego towarzystwa sprawiła, że poczułam się opuszczona i zagrożona. Głupstwo. Neferet jest moją mentorką, starszą kapłanką Nyks. Ona jest w porządku.

Ale dlaczego w takim razie poczułam ucisk w żołądku, kiedy szłam za nią do jadalni?

Rzuciłam okiem na swoją paczkę. Już byli pogrążeni w beztroskiej rozmowie. Damien trzymał podniesione pałeczki, najwyraźniej udzielając Bliźniaczkom kolejnych instrukcji, jak się nimi prawidłowo posługiwać. Stevie Rae dokonywała demonstracji. Poczułam na sobie czyjeś spojrzenie. Popatrzyłam w stronę szklanego przepierzenia oddzielającego jadalnię od dziedzińca i zobaczyłam siedzącą samotnie Afrodytę. Pogrążona w mroku patrzyła na mnie wzrokiem, który wyrażał coś, co można by uznać niemal za litość.

ROZDZIAŁ SIÓDMY

Sala jadalna dla wampirów nie wyglądała jak kafeteria. Usytuowana tuż nad jadalnią dla adeptów, bardziej przypominała elegancki lokal. Tak jak na niższej kondygnacji, i tu łukowate okna ciągnęły się wzdłuż całej ściany. Na balkonie wychodzącym na dziedziniec również ustawione były stoliki i krzesełka z kutego żelaza. Resztę urządzonej gustownie sali zajmowały różnej wielkości stoliki, niektóre oddzielone parawanikami z drewna z ciemnej wiśni. Nigdzie nie dostrzegłam tac ani bufetu. Na blatach gustownie rozmieszczono porcelanową zastawę i lniane serwetki. W kryształowych świecznikach jarzyły się wysmukłe świeczki. Przy kilku stolikach siedzieli już nauczyciele po dwoje lub w małych grupkach. Na widok Neferet skłaniali głowy w pełnym uszanowania pozdrowieniu, a do mnie uśmiechali się krótko, po czym wracali do przerwanego posiłku.

Próbowałam wypatrzyć dyskretnie, co jedli, ale nie zauważyłam niczego innego poza tą samą sałatką wietnamską, jaką mieliśmy tam, na dole, oraz sajgonkami o wyszukanych kształtach. Nigdzie ani śladu surowego mięsa czy też czegokolwiek, co by przypominało krew (nie licząc oczywiście wina). W tym wypadku nawet nie musiałam się martwić, że mogłabym gapić się niegrzecznie, przecież natychmiast poczułabym zapach.

— Czy chłód nocy nie będzie ci przeszkadzał, jeżeli usiądziemy na balkonie? — zapytała Neferet.

— Nie, chyba nie. Teraz już nie jestem tak wrażliwa na zimno jak przedtem. — Uśmiechnęłam się do niej promiennie, starając się nie zapominać, że Neferet miała niezwykłą intuicję i mogła słyszeć głupie myśli, jakie przelatywały mi przez głowę.

— To dobrze, bo ja o każdej porze roku wolę jeść na zewnątrz. — Poprowadziła mnie na balkon do stolika nakrytego już na dwie osoby. Nie wiadomo skąd pojawiła się natychmiast kelnerka, z pewnością wampirzyca, choć wyglądała młodo, miała jednak na twarzy wypełniony kolorem tatuaż, który cienką linią obramowywał jej twarz w kształcie serca.

— Ja poproszę o bun cha gio oraz dzbanek tego samego wina, które piłam wczoraj. — Zrobiła krótką przerwę, po czym uśmiechnąwszy się do mnie porozumiewawczo, dodała: — A dla Zoey przynieś piwo, wszystko jedno jakie, byle niedietetyczne.

— Dziękuję — powiedziałam.

— Staraj się nie pić tego za dużo. To nie jest zdrowe. — Mrugnęła do mnie, obracając przestrogę w żart.

Uśmiechnęłam się do niej szeroko, wdzięczna, że pamiętała, co lubię. Zaczęłam czuć się swobodniej. Przecież Neferet, nasza starsza kapłanka, a moja mentorka, osoba mi przyjazna, w ciągu ostatniego miesiąca, czyli od kiedy tu jestem, zawsze była dla mnie miła. Owszem, w rozmowie z Afrodytą wydała mi się przerażająca, ale przecież Neferet to potężna kapłanka, a ponieważ Afrodyta, o czym bez przerwy przypominała mi Stevie Rae, była zapatrzoną w siebie egoistką i dręczycielką słabszych, zasłużyła na to, by mieć teraz nieprzyjemności. Cholera, pewnie na mnie nagadała.

— Już lepiej? — zapytała Neferet.

Napotkałam jej uważny wzrok.

— Tak, lepiej.

— Kiedy się dowiedziałam o zaginięciu ludzkiego nastolatka, zaczęłam się o ciebie martwić. Ten Chris Ford to twój przyjaciel, prawda?

Nic nie powinno mnie zdziwić. Neferet była niesłychanie inteligentna i obdarzona przez boginię wieloma zdolnościami. A jeśli do tego dodać jeszcze ów szósty zmysł, który mają wszystkie wampiry, jest więcej niż pewne, że wiedziała dosłownie wszystko (przynajmniej z rzeczy najważniejszych). Pewnie też wiedziała, że mam swoje przeczucia dotyczące zniknięcia Chrisa.

— Właściwie nie byliśmy przyjaciółmi. Spotkaliśmy się parę razy na kilku imprezach, tak że nie znałam go dobrze.

— Ale z jakiegoś powodu zmartwiłaś się jego zniknięciem.

Potaknęłam.

— To tylko takie przeczucia. Dziwne. Pewnie pokłócił się z rodzicami, może dostał jakąś karę od ojca i chłopak uciekł. Domyślam się, że do tej pory już wrócił do domu.

— Gdybyś w to wierzyła, tobyś się tak nie martwiła.

— Neferet odczekała, aż kelnerka skończy nalewać nam napoje i podawać dania, po czym jeszcze dodała: — Ludzie uważają, że wampiry mają nadprzyrodzone zdolności. Tymczasem chociaż wielu z nas ma dar jasnowidzenia, zdecydowana większość nauczyła się po prostu słuchać własnej intuicji, czego ludzie na ogół boją się stosować. — Teraz jej głos brzmiał tak, jak na lekcji, a ja pilnie słuchałam tego wywodu.

— Pomyśl o tym, Zoey. Jesteś dobrą uczennicą. Na pewno pamiętasz z lekcji historii, co w przeszłości działo się z ludźmi, a zwłaszcza z kobietami, kiedy zbytnio zawierzały swojej intuicji i zaczynały słuchać głosów rozbrzmiewających im w głowach albo nawet przepowiadać przyszłość.

— Na ogół uważano, że pozostają w zmowie z diabłem lub innymi siłami nieczystymi, zależy, kiedy to się działo. W każdym razie dawano im cholerny wycisk. — Zaczerwieniłam się, gdy to powiedziałam, bo w obecności nauczycielki użyłam słowa na „ch", ale Neferet zdawała się tego nie zauważać, tylko kiwała potakująco głową na znak, że się ze mną zgadza.

— Tak, właśnie tak. Występowali nawet przeciwko swoim świętym, jak Joanna d'Arc. Sama widzisz, że ludzie nauczyli się wyciszać własne instynkty. A wampiry przeciwnie, nauczyły się iść za głosem instynktu. W przeszłości, kiedy ludzie ścigali nas, starając się wytępić cały nasz rodzaj, właśnie to ocaliło wielu naszych przodków.

Zadrżałam na myśl, jakie to musiały być okropne czasy dla wampirów.

— Och, nie martw się tym, Zoey, ptaszyno — powiedziała z uśmiechem Neferet. Kiedy usłyszałam, że nazywa mnie jak moja babcia, też się uśmiechnęłam. — Czasy palenia na stosie minęły i już nie wrócą. Może nie cieszymy się powszechnym szacunkiem, jak to kiedyś bywało, ale ludzki ród już nigdy nie będzie nas ścigał i tępił. — W jej zielonych oczach pojawiły się groźne błyski. Pociągnęłam łyk piwa, nie chcąc mierzyć się z tym strasznym spojrzeniem. Kiedy znów się odezwała, jej głos brzmiał jak przedtem, a wszelkie groźne akcenty zniknęły z głosu i spojrzenia, znów była moją mentorką i przyjazną osobą. — A mówię to po to, by cię przekonać do tego, że powinnaś słuchać swojej intuicji. Jeśli będziesz miała niedobre przeczucia co do jakiejś osoby czy sytuacji, uważaj. A poza tym jeśli poczujesz potrzebę porozmawiania ze mną, nie krępuj się, możesz przyjść w każdej chwili.

— Dziękuję, Neferet, to dla mnie bardzo wiele znaczy.

Machnęła ręką lekceważąco.

— Na tym polega rola mentorki i kapłanki, rola, którą mam nadzieję, pewnego dnia ode mnie przejmiesz.

Zawsze kiedy się mówi o mojej przyszłości i o tym, że zostanę kapłanką, mam mieszane uczucia. Z jednej strony ta perspektywa mnie ekscytuje, z drugiej wzbudza niejasne obawy.

— Właściwie trochę mnie zdziwiło, że nie przyszłaś do mnie po zajęciach w czytelni. Czyżbyś jeszcze się nie zdecydowała co do nowych kierunków działania w organizacji Cór Ciemności?

— Hm, tak, coś postanowiłam... — Zmusiłam się, by nie rozpamiętywać tego, co zaszło w czytelni, i nie myśleć teraz o Lorenie. Neferet z tą swoją intuicją nie powinna się dowiedzieć o mnie i o... nim.

— Wyczuwam twoje wahanie, Zoey. Czy wolisz nie ujawniać przede mną tego, co postanowiłaś?

— O, nie. To znaczy... tak. Prawdę mówiąc, przyszłam wczoraj do ciebie, ale byłaś... — szukałam właściwego słowa — ...zajęta z Afrodytą. Więc odeszłam.

— A, rozumiem. Teraz twoje zdenerwowanie w moim towarzystwie zaczyna być zrozumiałe. — Neferet westchnęła ze smutkiem. — Afrodyta sprawia pewne problemy. Wielka szkoda. Tak jak mówiłam podczas obchodów Samhain, kiedy zdałam sobie sprawę, jak daleko zabrnęła, ja również czuję się w jakimś stopniu odpowiedzialna za jej postępowanie i przedzierzgnięcie się w ponure indywiduum. Wiedziałam, że to egoistka, od samego początku, gdy tylko do nas nastała. Powinnam była wkroczyć wcześniej i twardszą ręką nią pokierować. — Napotkała moje spojrzenie. — Co doszło do ciebie z naszej rozmowy?

Poczułam na grzbiecie ostrzegawczy dreszcz.

— Właściwie niewiele — pospiesznie ją zapewniłam.

— Afrodyta głośno płakała. Posłyszałam, jak mówisz, żeby wejrzała w głąb siebie. Domyśliłam się, że wolisz, by ci nie przeszkadzać. — Na wszelki wypadek nie powiedziałam wyraźnie, że to nie wszystko, co usłyszałam. Wolałam otwarcie nie kłamać. Wytrzymałam jej badawcze spojrzenie.

Neferet ponownie westchnęła i pociągnęła następny łyk wina.

— Zazwyczaj nie omawiam przypadku jednej adeptki z drugą, ale ta sprawa jest wyjątkowa. Wiesz, że Afrodyta miała dar od bogini przewidywania katastrof i nieszczęść?

Skinęłam głową, nie przeoczywszy faktu, że Neferet użyła czasu przeszłego.

— Otóż wydaje mi się, że swoim zachowaniem doprowadziła do tego, że Nyks cofnęła swój dar. Coś takiego niesłychanie rzadko się zdarza. Na ogół jeśli raz obdarzy kogoś jakąś zdolnością, to już tego nie odbiera. — Neferet mruknęła, w ten sposób wyrażając swój żal. — Któż jednak może zgłębić zamysły Wielkiej Bogini Nocy?

— To musi być okropne dla Afrodyty — zauważyłam bezwiednie, nie zamierzając specjalnie komentować tego, co mówiła Neferet.

— Doceniam twoje współczucie, ale nie powiedziałam ci tego po to, byś się nad nią użalała. Raczej po to, byś się miała na baczności, ponieważ jej wizje nie są już wiarygodne. Afrodyta może mówić coś, co tylko wprowadzi zamęt. Natomiast twoim zadaniem jako przewodniczącej Cór Ciemności będzie pilnowanie, by nie zakłóciła ona delikatnej harmonii panującej wśród adeptek. Oczywiście zawsze zachęcamy was do samodzielnego rozwiązywania waszych problemów, skoro reprezentujecie sobą więcej niż ludzkie nastolatki, ale też więcej od was wymagamy. Niemniej nie krępuj się i przychodź do mnie, jeśli zachowanie Afrodyty stanie się... — przerwała, jakby ważąc następne słowo — ...nieobliczalne.

— Dobrze — zgodziłam się, ale żołądek znów zaczął mnie boleć.

— To świetnie. A teraz może mi coś powiesz na temat zmian, które planujesz wprowadzić jako przełożona Cór Ciemności?

Oderwałam myśli od Afrodyty i opowiedziałam o swoich planach utworzenia rady starszych jako gremium doradczego Cór Ciemności. Neferet słuchała z uwagą; moje poszukiwania w bibliotece wyraźnie jej zaimponowały, a plany reorganizacji uznała za logiczne.

— Rozumiem, że oczekujesz ode mnie, że przeprowadzę wybory dwóch brakujących członków rady, bo wskazani przez ciebie przyjaciele dowiedli już, jak bardzo zasługują na zaufanie i jak znakomicie wykonują swoje zadania.

— Tak. Rada wystąpiła z wnioskiem, żeby na jedno z wakujących miejsc zaproponować Erika Nighta.

Neferet z uznaniem skinęła głową.

— To mądra propozycja. Erik cieszy się popularnością wśród adeptów i czeka go świetlana przyszłość. A kogo byś sugerowała na ostatnie miejsce?

— Tu ja i reszta rady nie jesteśmy zgodni. Ja uważam, że powinniśmy dokooptować kogoś z wyższego roku, a w dodatku moim zdaniem powinien to być ktoś z najbliższego dotąd otoczenia Afrodyty. — Neferet uniosła brwi mocno zdziwiona. — Owszem, ktoś z kręgu jej przyjaciół czy popleczników. Bo jak już mówiłam, nie objęłam przywództwa dlatego, że jestem spragniona władzy albo że zaczaiłam się, by wykraść to, co należało do Afrodyty, ale by postępować słusznie. Nie zamierzam wszczynać walki stronnictw ani nic z tych rzeczy. Jeśli ktoś z jej otoczenia wejdzie do naszej rady, może reszta zrozumie, że nie chodzi mi o pokonanie Afrodyty, tylko o coś znacznie ważniejszego.

Neferet zastanawiała się w nieskończoność. W końcu zapytała:

— Czy wiesz, że nawet jej przyjaciółki odwróciły się od niej?

— Zauważyłam to dzisiaj w jadalni.

— W takim razie jaki jest sens przyjmowania kogoś z nich w skład rady?

— Nie do końca jestem przekonana, że to już tylko byłe przyjaciółki. Ludzie inaczej się zachowują w miejscach publicznych, a inaczej w odosobnieniu.

— Znów muszę ci przyznać rację. Już zapowiedziałam gronu pedagogicznemu, że w niedzielę odbędzie się szczególnie uroczyste zebranie Cór i Synów Ciemności podczas obchodów Pełni Księżyca. Spodziewam się, że przybędzie zdecydowana większość dotychczasowych członków, wiedziona ciekawością i chęcią przekonania się o twoich niezwykłych zdolnościach.

Kiwnęłam głową. Wiedziałam aż za dobrze, że będę główną atrakcją w tym cyrku.

— Niedziela to również odpowiednia pora, by poinformować Córy Ciemności o twojej nowej wizji organizacji. Ogłoś, że zostało jedno wolne miejsce w planowanej radzie i że powinien je zająć ktoś z szóstego formatowania. Przejrzymy we dwie zgłoszenia i zdecydujemy, kto jest najbardziej odpowiedni.

Nachmurzyłam się.

— Ale ja nie chcę, byśmy to my wybrały. Chciałabym, aby grono pedagogiczne głosowało, ale uczniowie również.

— Będą głosować– odpowiedziała łagodnie. — A potem my wybierzemy.

Chciałam jeszcze coś dodać, ale powstrzymało mnie spojrzenie jej zielonych oczu, które stało się tak zimne, że zaczęłam się bać. Zamiast więc wdać się z nią w sprzeczkę (co i tak było niemożliwe), wybrałam inną ścieżkę (jak mawiała Babcia).

— Chciałabym też, aby Córy Ciemności włączyły się w działalność dobroczynną na rzecz miejscowej społeczności.

Tym razem jej brwi sięgnęły linii włosów.

— Masz na myśli społeczność ludzi?

— Tak.

— Uważasz, że ucieszą się z twojej pomocy? Przecież oni brzydzą się nami. Unikają nas. Boją się nas.

— Może dlatego, że nas nie znają — odpowiedziałam.

— Może jeśli zaczniemy postępować jak część Tulsy, zaczniemy być traktowani jak reszta Tulsy.

— Czytałaś o buncie w roku tysiąc dziewięćset dwudziestym? Ci Afroamerykanie byli częścią Tulsy, ale Tulsa ich zniszczyła.

— Rok tysiąc dziewięćset dwudziesty dawno minął. — Trudno mi było wytrzymać jej wzrok, ale byłam przekonana, że mam rację. — Neferet, moja intuicja mi podpowiada, że m u s z ę to zrobić.

Zauważyłam, że staje się mniej nieprzejednana.

— A ja ci radziłam postępować zgodnie z podszeptami intuicji, tak?

Kiwnęłam głową.

— Jaki rodzaj działalności byś wybrała, zakładając, że ludzie ci na to pozwolą?

— Och, uważam, że nam pozwolą. Postanowiłam skontaktować się z Ulicznymi Kotami, organizacją ratującą koty.

Neferet odrzuciła głowę do tyłu i zaniosła się śmiechem.

ROZDZIAŁ ÓSMY

Kiedy opuściłam już salę jadalną i byłam w drodze do internatu, uświadomiłam sobie, że nie wspomniałam Neferet o duchach, w żadnym razie jednak nie miałam ochoty wracać i poruszać tego tematu. Rozmowa z nią i tak kompletnie mnie wyczerpała, i mimo pięknego urządzenia sali jadalnej ze wspaniałym widokiem, lnianymi serwetkami i kryształami bardzo już chciałam znaleźć się gdzie indziej. Marzyłam o tym, by rozsiąść się wygodnie w swojej sypialni i zacząć opowiadać Stevie Rae wszystko o Lorenie, po czym leżeć do góry brzuchem, oglądać leniwie jakieś powtórki w telewizji i nie myśleć, przynajmniej przez tę jedną noc, o swoich złych przeczuciach na temat zniknięcia Chrisa albo o tym, że teraz jestem grubą rybą odpowiedzialną za najważniejszą grupę w szkole. Ach, mniejsza o to. Po prostu chciałam przez chwilę znów poczuć się sobą. Tak jak powiedziałam Neferet, Chris pewnie siedział już w domu, zdrów i cały. Na resztę zostawało mi dużo czasu. Jutro napiszę konspekt tego, co w niedzielę powiem Córom Ciemności. Domyślam się, że będę też musiała się przygotować do przeprowadzenia obchodów Pełni Księżyca, co stanie się moim pierwszym publicznym występem z prowadzeniem kręgu i formalnym przewodniczeniem obchodom. Znów ścisnęło mnie w żołądku, ale udałam, że tego nie zauważam.

W połowie drogi przypomniałam też sobie, że na poniedziałek mam przygotować wypracowanie z socjologii wampirów. Wprawdzie Neferet zwolniłaby mnie z większości zadań z tego przedmiotu dla trzeciego formatowania, bym mogła się skupić na tekstach przeznaczonych dla starszych słuchaczy, ale to się kłóciło z moim usiłowaniem, żeby pozostać „normalną" (zresztą co to w ogóle znaczy: być normalną, skoro jestem jeszcze nastolatką i do tego adeptką w szkole wampirów?). W takim razie na pewno zabiorę się do pisania, jak reszta klasy. Pospiesznie więc skręciłam do macierzystej klasy, gdzie znajdowała się moja szafka, a w niej wszystkie podręczniki. Był to także pokój Neferet, ale zostawiłam ją przecież w sali jadalnej, gdzie wraz z kilkoma innymi nauczycielami sączyła wino. Przynajmniej teraz nie żywiłam żadnych obaw, że przypadkiem posłyszę coś strasznego.

Sala jak zwykle pozostawała otwarta. Po co zakładać jakiekolwiek zamki, skoro każdy i tak trząsł się ze strachu przed intuicją dorosłych wampirów? W sali było ciemno, ale wcale mi to nie przeszkadzało. Zaledwie od miesiąca byłam Naznaczona, a już widziałam w ciemności równie dobrze jak w świetle. A nawet lepiej. Jasne światło mnie razi, a blask słońca jest nie do zniesienia.

Z pewnym wahaniem otwierałam szafkę, uświadamiając sobie, że od miesiąca nie oglądałam słońca. I nawet o tym nie myślałam. Czy to nie dziwne?

Właśnie rozpamiętywałam dziwne zmiany, jakie zaszły w moim życiu, kiedy nagle zauważyłam kartkę papieru przylepioną taśmą do wewnętrznej strony mojej szafki. Wzbudzony jej otwarciem przeciąg spowodował, że kartka zatrzepotała. Wygładziłam ją ręką, a widząc, co to jest, doznałam niemal szoku.

To był wiersz. Krótki, zapisany ładną kursywą. Przeczytałam go raz i drugi, zauważyłam, że to haiku.

Budzi się starożytna królowa
Poczwarka jeszcze nie wykluta.
Kiedy rozwiniesz skrzydła?

Pogładziłam litery. Wiedziałam, kto je napisał. Istniała tylko jedna logiczna odpowiedź. Serce mi się ścisnęło, gdy wypowiedziałam jego imię: Loren.

— Mówię poważnie, Stevie Rae. Musisz mi przyrzec, że nikomu nie powiesz o tym, co teraz ode mnie usłyszysz. Dosłownie: nikomu. Zwłaszcza Damienowi czy Bliźniaczkom.

— Słowo, Zoey, możesz mi wierzyć. Powiedziałam, że przyrzekam. Co mam jeszcze zrobić? Upuścić sobie krwi?

Nie odezwałam się na to.

— Zoey, naprawdę możesz mi zaufać. Obiecuję dotrzymać słowa.

Przyglądałam się uważnie swojej najlepszej przyjaciółce. Musiałam z kimś porozmawiać, i to z kimś, kto nie był wampirem. Wejrzałam w głąb siebie, by zapytać swojej intuicji, jak mi radziła Neferet. I zobaczyłam, że Stevie Rae jest odpowiednią osobą. Był to bezpieczny wybór.

— Nie gniewaj się. Wiem, że mogę ci wierzyć. Tylko że... Sama nie wiem. Dziwne rzeczy się dzisiaj wydarzyły.

— Jeszcze dziwniejsze niż te, które codziennie nam się przytrafiają?

— Właśnie. Loren Blake przyszedł dzisiaj do biblioteki akurat wtedy, kiedy ja tam przebywałam. Był pierwszą osobą, z którą rozmawiałam na temat rady starszych i moich nowych pomysłów co do Cór Ciemności.

— Loren Blake? Ten najprzystojniejszy z wampirów, jaki kiedykolwiek istniał? Rany koguta. Zaczekaj, muszę usiąść z wrażenia. — Stevie Rae klapnęła na łóżko.

— Tak, właśnie ten.

— Nie do wiary, że do tej pory nie pisnęłaś ani słówka na ten temat. Jak wytrzymałaś?

— Czekaj, to jeszcze nie wszystko. On... on mnie dotknął. I to więcej niż jeden raz. Prawdę mówiąc, spotkałam się z nim dzisiaj nie tylko ten jeden raz. Sam na sam. I wydaje mi się, że napisał dla mnie wiersz.

— Co?!

— Aha. Najpierw sądziłam, że to wszystko było zupełnie niewinne, jakoś inaczej to oceniałam. W bibliotece po prostu rozmawialiśmy o moich pomysłach dotyczących najbliższej przyszłości Cór Ciemności. Nie miało to większego znaczenia. Ale potem Loren dotknął mojego Znaku.

— Którego? — zapytała Stevie Rae. Jej oczy zrobiły się okrągłe ze zdziwienia, miałam wrażenie, że za chwilę ciekawość ją rozsadzi.

— Tego na twarzy. Ale to było później.

— Co to znaczy: później?

— Bo kiedy skończyłam oporządzać Persefonę, nie spieszyłam się z powrotem do internatu. Poszłam się przejść pod zachodni mur. I tam spotkałam Lorena.

— Daj spokój, coś takiego! I co dalej?

— Chyba ze sobą flirtowaliśmy.

— Chyba?!

— Uśmiechaliśmy się do siebie, żartowaliśmy.

— No to flirtowaliście. O rany, on jest cudowny!

— Mnie to mówisz? Kiedy on się uśmiecha, zapiera mi dech w piersi. Jeszcze do tego on dla mnie deklamował wiersz! — dodałam. — To było haiku, które pewien poeta napisał, patrząc na swoją ukochaną nagą w blasku księżyca.

— Ty chyba żartujesz! — Stevie Rae zaczęła się wachlować rozgrzana z wrażenia. — Ale mówiłaś, żeście się dotykali.

Nabrałam haust powietrza do płuc.

— Nie wiem, co o tym myśleć. Bo najpierw wszystko szło gładko. Jak już mówiłam, śmieliśmy się i rozmawiali. Potem powiedział, że przyszedł tutaj, bo szukał natchnienia do napisania haiku...

— Niesamowicie romantyczne!

Skinęłam głową i mówiłam dalej:

— Tak. W każdym razie powiedziałam mu, że wobec tego nie chcę mu przeszkadzać i płoszyć natchnienia, na co on, że natchnienie przynosi mu więcej rzeczy niż tylko sama noc. I zapytał, czybym nie chciała być jego natchnieniem.

— Ja cię kręcę!

— Tak też sobie pomyślałam.

— Oczywiście odpowiedziałaś mu, że z przyjemnością staniesz się jego natchnieniem.

— Oczywiście.

— No i... — Stevie Rae nie mogła się doczekać dalszego ciągu.

— No i zapytał mnie, czybym mu nie pokazała swojego Znaku, tego na ramionach i na plecach.

— Nie mów!...

— Mówię.

— Rany, ja bym natychmiast zdarła z siebie koszulę, aniby się obejrzał!

Roześmiałam się.

— Nie ściągnęłam z siebie koszuli, ale zsunęłam z ramion kurtkę. Właściwie on mi w tym pomógł.

— Chcesz powiedzieć, że Loren Blake, poeta pierwszy wśród wampirów, najprzystojniejszy samiec, jakiego kiedykolwiek ziemia nosiła, pomógł ci zdjąć kurtkę niczym staroświecki dżentelmen?

— Tak, dokładnie tak to wyglądało. — Zademonstrowałam to, zsuwając kurtkę do łokcia. — A potem nie wiem, co się ze mną stało, ale nagle przestałam być onieśmieloną nastolatką, która nie wie, jak się zachować, tylko specjalnie dla niego zsunęłam ramiączka topu. O, tak. — Teraz dla Stevie Rae zsunęłam ramiączka skąpej bluzeczki, odsłaniając ramiona, plecy i spory kawałek biustu (ponownie gratulując sobie, że nałożyłam porządny czarny biustonosz). — Wtedy on dotknął mnie po raz drugi.

— Gdzie cię dotknął?

— Wodził palcem po moim Znaku na ramionach i plecach. Powiedział, że wyglądam jak starożytna królowa wampirów, i zadeklamował dla mnie wiersz.

— Ja cię kręcę — znów powiedziała Stevie Rae.

Klapnęłam na łóżko, jak Stevie Rae przed chwilą, i podciągnęłam ramiączka topu.

— Przez chwilę sama byłam tym oszołomiona. Kontaktowaliśmy ze sobą, to pewne. Niewiele brakowało, a by mnie pocałował. Wiem, że miał na to ochotę, naprawdę. I nagle ni stąd, ni zowąd wszystko się zmieniło. Raptem zrobił się tylko uprzejmy i oficjalny, grzecznie mi podziękował za pokazanie Znaku, po czym odszedł.

— Specjalnie się temu nie dziwię.

— A ja się dziwię, i to cholernie się dziwię. Bo jak to, w jednej chwili patrzy mi w oczy i daje wyraźnie do zrozumienia, że mnie pragnie, a w następnej zachowuje się jak gdyby nigdy nic?

— Zoey, ty jesteś uczennicą, a on nauczycielem. To szkoła wampirów i mnóstwo rzeczy wygląda inaczej niż w normalnej szkole średniej, ale pewne rzeczy się nie zmieniają, jak na przykład to, że nauczyciele nie mogą się zbliżać do uczennic.

Przygryzłam wargi.

— On jest nauczycielem w niepełnym wymiarze czasu.

Stevie Rae wzniosła oczy do nieba.

— No i co z tego?

— To jeszcze nie wszystko. Właśnie znalazłam w swojej szafce jego wiersz. — Podałam jej arkusik papieru z zapisanym wierszem haiku.

Stevie Rae gwizdnęła przeciągle.

— Rany koguta! Ależ to romantyczne! Ja się zabiję! Ale powiedz mi, jak on dotykał twojego Znaku?

— A jak myślisz? Palcem. Wodził palcem po konturach. — Nadal czułam jego gorący oddech na swojej skórze.

— Deklamował dla ciebie poezje, dotykał twojego Znaku, napisał dla ciebie wiersz... — Westchnęła rozmarzona.

— Niczym Romeo i Julia przeżywający zakazaną miłość.

— Nagle wyprostowała się na łóżku, jakby otrzeźwiała. — A co z Erikiem?

— Jak to co?

— Zoey, przecież to twój chłopak.

— Oficjalnie nie jest moim chłopakiem — nieśmiało zaprotestowałam.

— O rany, Zoey, a co biedak ma zrobić, żeby stać się oficjalnym chłopakiem? Paść na kolana? Przecież wszyscy wiedzą, że od miesiąca umawiacie się ze sobą i stanowicie parę.

— Wiem — przyznałam żałośnie.

— Czy Loren podoba ci się bardziej niż Erik?

— Nie. Tak. Cholera, nie wiem. Loren to całkiem inna sprawa. Loren jest jakby z innej planety. Nie sądzę, byśmy mogli się umawiać, nic z tych rzeczy. — Właściwie nie byłam tego pewna, bo może coś z tych innych rzeczy jednak byłoby możliwe. Może moglibyśmy się spotykać po kryjomu. Tylko czy ja tego chcę?

Jakby czytając w moich myślach, Stevie Rae powiedziała:

— Mogłabyś się wymknąć na spotkanie z nim.

— Śmieszne. Jemu to pewnie nawet nie przyszło do głowy. — Ale gdy to mówiłam, przypomniałam sobie żar bijący od niego i pożądanie widoczne w jego ciemnych oczach.

— A jeśli przyszło? — Stevie Rae przyglądała mi się uważnie. — Wiesz, że różnisz się od nas. Nikt przedtem nie został tak Naznaczony jak ty. Nikt też nie reagował na żywioły jak ty. W takim razie zasady nas obowiązujące ciebie mogą nie dotyczyć.

Znów poczułam ucisk w żołądku. Od pierwszego dnia swojej bytności w Domu Nocy starałam się ze wszystkich sił wtopić w otoczenie, być jak inni. Naprawdę chciałam, by to nowe miejsce stało się moim domem, a przyjaciele rodziną. Nie chciałam być odmieńcem, nie chciałam też podlegać innym zasadom. Potrząsnęłam głową i odpowiedziałam z trudnością:

— Stevie Rae, nie chcę, żeby tak było. Chcę być normalna.

— Wiem — przyznała Stevie Rae łagodnym tonem. — Ale ty jesteś inna. Wszyscy to wiedzą. A powiedz sama: czy nie chcesz się podobać Lorenowi?

Westchnęłam ciężko.

— Sama nie wiem, czego chcę. Ale jednego jestem pewna: nie chcę, by ktokolwiek dowiedział się o mnie i o Lorenie.

— Mam zapieczętowane usta. — Zwariowana Oklahomianka odegrała całą pantomimę z zamykaniem ust na zamek i wyrzucaniem kluczyka za siebie. — Nikt nie wyciśnie ze mnie ani słówka — wybełkotała półgębkiem, niby to nie mogąc otworzyć ust.

— Czekaj, coś mi się przypomniało. Przecież Afrodyta widziała, jak Loren mnie dotykał.

— To ta czarownica szła za tobą pod mur? — zapytała Stevie Rae z niedowierzaniem.

— Nie. Tam nas nikt nie widział. Afrodyta weszła do centrum informacji akurat wtedy, gdy on gładził mnie po twarzy.

— O cholera!

— Masz rację: cholera! Ale powiem ci coś jeszcze. Pamiętasz, jak opuściłam początek lekcji hiszpańskiego, bo chciałam pójść do Neferet i porozmawiać z nią? Otóż do żadnej rozmowy wtedy nie doszło. Drzwi do jej klasy były uchylone, więc usłyszałam, co tam się działo. W środku siedziała Afrodyta.

— Małpa donosiła na ciebie?

— Nie jestem pewna. Usłyszałam tylko strzępy rozmowy.

— Domyślam się, że spanikowałaś, kiedy Neferet wyciągnęła cię od nas na wspólną kolację.

— Jeszcze jak.

— Nic dziwnego, że wyglądałaś na chorą. Rany, teraz wszystko się układa w logiczną całość. — Nagle zrobiła wielkie oczy. — Czy przez Afrodytę masz teraz tyły u Neferet?

— Nie. Podczas dzisiejszej rozmowy Neferet powiedziała mi, że wizje Afrodyty mogą być fałszywe, ponieważ Nyks cofnęła swój dar. Czyli bez względu na to co Afrodyta naopowiadała, Neferet jej nie wierzy.

— To dobrze. — Stevie Rae miała taką minę, jakby chciała skręcić Afrodycie kark.

— Wcale nie dobrze — odpowiedziałam. — Reakcja Neferet była zbyt ostra. Doprowadziła Afrodytę do łez. Poważnie ci mówię, Stevie Rae, Afrodyta była załamana tym, co usłyszała od Neferet, która w dodatku nie przypominała siebie.

— Zoey, nie mogę uwierzyć, że znowu się użalasz nad Afrodytą. Powinnaś przestać.

— Stevie Rae, nie trafiasz w sedno. Tu nie chodzi o Afrodytę, tylko o Neferet. Była taka bezwzględna. Nawet jeśli Afrodyta na mnie nagadała i przesadziła w swych opowieściach, Neferet zareagowała nieodpowiednio. I mam niesmak z tego powodu.

— Masz niesmak z powodu Neferet?

— Tak... nie... sama nie wiem. Chodzi nie tylko o Neferet. Za wiele spadło na mnie naraz. Chris... Loren... Afrodyta... Neferet... Coś mi w tym wszystkim nie gra.

Z miny Stevie Rae wywnioskowałam, że nie bardzo rozumie, o co chodzi, i przydałoby się jej jakieś porównanie z realiami Oklahomy.

— Wiesz, jak to jest tuż przed uderzeniem tornada? Kiedy niebo jest jeszcze czyste, ale już zaczyna wiać zimny wiatr i zmienia kierunek? Wiesz, że coś się stanie, ale jeszcze nie wiesz co. Tak właśnie teraz ja się czuję.

— Jakby nadciągała burza?

— Tak, i to groźna.

— Co chcesz, żebym zrobiła?

— Żebyś ze mną wypatrywała tej burzy.

— Tyle to mogę zrobić.

— Dzięki.

— Ale może najpierw obejrzymy film? Damien właśnie zamówił w Netfliksie *Moulin Rouge*. Ma przynieść kasetę, a Bliźniaczki postarały się o uczciwe chipsy, nie żadne dietetyczne, a do tego pełnotłusty dip. — Rzuciła okiem na zegar z Elvisem. — Pewnie już są na dole i się złoszczą, bo każemy im czekać.

Podobało mi się u Stevie Rae, że w jednej chwili mogła wysłuchać moich zwierzeń i przejąć się nimi, a następnie przejść gładko do spraw błahych, jak filmy i chipsy. To mnie sprowadzało na ziemię, przy niej mogłam czuć się normalnie. Uśmiechnęłam się do niej.

— *Moulin Rouge*, powiadasz? Czy to ten z Ewanem McGregorem?

— Jasne. Mam nadzieję, że zobaczymy jego pośladki.

— Nabrałam ochoty. Idziemy. Ale pamiętaj...

— O Jezu, wiem, wiem, mam nikomu nic nie mówić. Ale muszę raz jeszcze powtórzyć: L o r e n   B l a k e   s i ę   n a   c i e b i e   n a p a l i ł!

— Lepiej ci teraz?

— Znacznie lepiej. — Uśmiechnęła się figlarnie.

— Mam nadzieję, że ktoś przyniósł dla mnie trochę piwa.

— Dziwna jesteś z tym swoim piwem.

— Nieważne, panno Lucky Charms.*

— Przynajmniej Lucky Charms są dobre dla zdrowia.

— Naprawdę? W takim razie powiedz mi, co to jest prawoślaz, owoc czy warzywo?

— Jedno i drugie. To jest wyjątek, tak jak ja.

Kiedy zbiegałyśmy po schodach do frontowej części internatu, śmiałam się ze Stevie Rae zadowolona, że mam jeszcze przed sobą cały dzień. Bliźniaczki i Damien zdążyli już zająć jeden z telewizorów z płaskim ekranem i machali do nas. Stevie Rae nie myliła się, rzeczywiście pogryzali prawdziwe Doritosy, maczając je przedtem w pełnotłustym sosie szczypiorkowym (brzmi okropnie, ale to prawdziwy smakołyk). Poczułam się jeszcze lepiej, gdy Damien wręczył mi dużą szklankę piwa.

— Długo wam zeszło — zauważył, skwapliwie robiąc nam miejsce koło siebie na kanapie. Bliźniaczki oczywiście przytaskały dwa jednakowe wielkie krzesła, które ustawiły przy kanapie.

— Przepraszam — powiedziała Stevie Rae, po czym szczerząc się do Erin, dodała: — Musiałam opróżnić jelita.

— Doskonale użyłaś tego wyrażenia — pochwaliła ją Erin z zadowoloną miną.

— Ojej, nastaw wreszcie ten film — powiedział Damien.

— Czekaj, to ja mam pilota — przypomniała Erin.

— Chwileczkę — powstrzymałam ją, zanim włączyła kasetę. Głos był ściszony, ale zobaczyłam poważną twarz Chery Kimiko przedstawiającej wiadomości o dwudziestej trzeciej. Z zasmuconą miną mówiła coś do kamery. U dołu ekranu przesuwały się słowa: *Ciało nastolatka zostało odnalezione.*

— Daj głośniej — poprosiłam. Shaunee włączyła głos.

---

* Nazwa popularnych płatków śniadaniowych.

Wracając do głównego wydarzenia dnia: ciało Chrisa Forda, biegacza z drużyny Union, zostało odnalezione przez dwoje kajakarzy w piątek po południu. Ciało zaczepiło się o skały i barki służące do budowy zapory na rzece Arkansas w rejonie Dwudziestej Pierwszej Ulicy, gdzie powstają nowe tereny rekreacyjne. Informatorzy twierdzą, że śmierć chłopca nastąpiła z powodu upływu krwi oraz ran szarpanych, prawdopodobnie zadanych przez duże zwierzę. Więcej na ten temat będziemy mogli powiedzieć, kiedy zostanie wydane oficjalne orzeczenie lekarskie dotyczące przyczyn zgonu.*

Mój żołądek, który zdążył się już uspokoić, znów się skurczył. Ciarki przeszły mi po plecach. Ale na tym nie skończyły się złe wiadomości. Poważna twarz Chery nie znikała z ekranu, gdy kontynuowała swoją wypowiedź przed kamerą.

W ślad za tą tragiczną informacją otrzymaliśmy następny komunikat o zaginięciu drugiego nastolatka, również piłkarza z drużyny Union. Na ekranie pojawiło się zdjęcie następnego przystojnego gracza w klubowych biało-czerwonych barwach. *Brada Higeonsa widziano ostatnio w piątek po lekcjach w Starbucks na Utica Square, gdzie rozlepiał zdjęcia Chrisa. Brad był nie tylko kolegą Chrisa z tej samej drużyny, ale też jego kuzynem.*

— Rany koguta! Gracze z drużyny piłkarskiej Union padają jak muchy — zmartwiła się Stevie Rae. Popatrzyła na mnie i się przestraszyła. — Ojej, Zoey, nic ci nie jest? Nie wyglądasz dobrze.

— Jego też znałam.

— To dziwne — zauważył Damien.

— Często przychodzili razem na różne imprezy. Wszyscy ich znali, bo byli kuzynami, mimo że Chris jest czarny, a Brad biały.

— Mnie to nie dziwi — stwierdziła Shaunee.

— Ani mnie, Bliźniaczko — zawtórowała jej Erin.

W głowie mi huczało, ich rozmowa ledwie dochodziła do moich uszu.

— Muszę się przejść.

— Pójdę z tobą — zaofiarowała się zaraz Stevie Rae.

— Nie, zostań i oglądaj film. Ja tylko zaczerpnę trochę świeżego powietrza.

— Naprawdę tak chcesz?

— Tak. Zaraz wrócę. Zdążę przyjść, zanim Ewan odsłoni swoje pośladki.

Mimo że czułam na plecach zatroskane spojrzenie Stevie Rae (słyszałam też, jak Bliźniaczki spierają się z Damienem, czy faktycznie zobaczą tyłek Ewana), wybiegłam z internatu na dwór, w chłodną listopadową noc.

Bezwiednie skręciłam, by odejść jak najdalej od głównego budynku szkoły i od miejsc, gdzie mogłabym kogoś napotkać. Zmusiłam się, by maszerować i jednocześnie głęboko oddychać. *Co się ze mną dzieje?* W piersiach czułam ucisk, żołądek też miałam ściśnięty, co chwilę musiałam przełykać ślinę, by nie zwymiotować. Szum w uszach trochę się wyciszył, ale nie opuszczało mnie przygnębienie, które spowiło mnie jak całun. Wszystko we mnie krzyczało: *Coś niedobrego się dzieje! Coś niedobrego się dzieje!*

Po drodze zauważyłam, że dotychczas bezchmurna jasna noc z rozgwieżdżonym niebem, rozjaśnionym blaskiem niemal pełnego księżyca, staje się coraz ciemniejsza. Łagodny wietrzyk przeszedł w zimny wiatr, który strącał zeschłe liście z drzew, a ich zapach zmieszany z wonią ziemi wsiąkał w ciemność... Nie wiadomo dlaczego podziałało to na mnie kojąco, rozbiegane chaotyczne myśli zaczęły się układać w jakiś porządek, mogłam wreszcie zebrać myśli.

Skierowałam kroki w stronę stajni. Lenobia mówiła, że mogę oporządzać Persefonę, gdy tylko będę czuła potrzebę skupienia się, by spokojnie i w samotności coś sobie przemyśleć. Z pewnością właśnie tego teraz potrzebowałam, zwłaszcza że obrany kierunek był jakimś celem, do którego zmierzałam, co stanowiło zapowiedź pewnego ładu w chaosie myśli kłębiących się w mej głowie.

Przede mną rysowały się niskie długie budynki stajni, poczułam się raźniej, oddech mi się uspokoił, zwłaszcza gdy usłyszałam dochodzące stamtąd odgłosy. Początkowo nie wiedziałam, co to jest, zbyt przytłumione były te dźwięki, trochę dziwne. A potem pomyślałam, że to pewnie Nala. To do niej podobne, iść za mną i zrzędzić niczym skrzekliwa starucha, dopóki nie zatrzymam się i nie wezmę jej na ręce. Stanęłam więc i zaczęłam ją przywoływać: kici-kici...

Głos stał się wyraźniejszy, ale to nie było kocie miauczenie, już nie miałam co do tego wątpliwości. Bliżej stajni coś się poruszyło, zauważyłam wtedy sylwetkę kogoś, kto siedział niedbale na ławce w pobliżu drzwi wejściowych. Paliła się tylko jedna lampa gazowa, najbliżej wejścia. Ławka natomiast stała tuż poza zasięgiem wątłego, migoczącego światła latarni.

Sylwetka znów się poruszyła, wtedy nabrałam pewności, że to musi być człowiek... albo adept... albo wampir. Postać była jakby skurczona we dwoje. Zaczęła ponownie wydawać dziwne odgłosy. Przypominało to zawodzenie, jakby na skutek dręczącego bólu.

W pierwszym odruchu chciałam stamtąd uciec, ale jednak się nie ruszyłam. Czułam, że nie powinnam. Rozbudowana intuicja mówiła mi, że mam tu zostać. Że cokolwiek się stanie z udziałem tej osoby na ławce, powinnam temu stawić czoła.

Wzięłam głęboki oddech i podeszłam do ławki.

— Hej, nic ci nie jest?

— Nie! — Zabrzmiało to dziwnie, szept był ostry i przejmujący.

— Czy... czy mogę ci jakoś pomóc? — zapytałam, wpatrując się intensywnie w mrok, by zobaczyć, kto tam siedzi.

Wydawało mi się, że widzę jasne włosy, ręce zasłaniające twarz...

— Woda... Zimna i głęboka woda... Nie mogę się stąd wydostać, nie mogę wyjść...

Odjęła ręce od twarzy i skierowała na mnie wzrok. Poznałam ten głos. I nagle zrozumiałam, co się z nią dzieje. Zmusiłam się, by podejść bliżej. Patrzyła na mnie szeroko otwartymi oczami. Łzy spływały po jej policzkach.

— Chodź, Afrodyto. Masz wizję. Muszę cię zaprowadzić do Neferet.

— Nie! — jęknęła. — Nie zabieraj mnie do niej. Ona mnie nie wysłucha. Ona już mi nie wierzy.

Przypomniałam sobie, co powiedziała Neferet o cofnięciu daru Nyks. Dlaczego więc ja miałabym sobie teraz zawracać głowę Afrodytą? Przecież nawet nie wiadomo, co się z nią dzieje. Może odgrywa jakąś komedię, by zwrócić na siebie uwagę? Szkoda czasu, by zaprzątać sobie tym głowę.

— No i dobrze. Powiedzmy, że ja też ci nie wierzę — powiedziałam. — Zresztą mam teraz inne zmartwienia. — Odwróciłam się, by pójść do stajni, ale capnęła mnie za rękę.

— Musisz zostać! — powiedziała, dygocząc i dzwoniąc zębami. Miała wyraźne kłopoty z mówieniem. — Musisz wysłuchać mojej wizji!

— Wcale nie muszę — odpowiedziałam i wyrwałam rękę z kleszczowego uścisku jej palców. — Cokolwiek się dzieje, nie dotyczy to mnie, tylko ciebie. To twoja sprawa. — Tym razem oddaliłam się szybciej z tego miejsca.

Ale nie dość szybko, jak się okazało. Następne słowa, które wypowiedziała, ugodziły mnie jak nożem.

— Musisz mnie wysłuchać. Inaczej twoja babcia umrze.

ROZDZIAŁ DZIEWIĄTY

— O czym, do diabła, mówisz? — napadłam na nią.

Dyszała, jej oddech był krótki i urywany, oczy miała nadal przymknięte, ale powieki zaczęły z wolna drżeć. Mimo że było ciemno, zauważyłam, jak przewraca oczami, błyska białkami. Potrząsnęłam ją za ramię.

— Mów, co widzisz!

Widziałam, że próbuje nad sobą zapanować, gdy z wysiłkiem skinęła głową i obiecała:

— Powiem — sapnęła. — Tylko zostań ze mną.

Usiadłam obok niej na ławce i pozwoliłam, by złapała mnie za rękę, choć ucisk jej palców był tak mocny, że zdawało mi się, iż za chwilę połamie mi kości. Nieważne, że była moim wrogiem, nie miało znaczenia, że właściwie jej nie ufałam; wszystko to bladło wobec zagrożenia, przed którym stanęła Babcia.

— Nigdzie nie idę — przyrzekłam posępnie. Przypomniałam sobie, jak Neferet wyciągała od niej zeznania. — Afrodyto, powiedz mi, co widzisz.

— Woda. Obrzydliwa. Brunatna i bardzo zimna. Nie wiadomo, co się dzieje... Drzwi tego saturna nie dają się otworzyć.

Jakby grom we mnie strzelił. Saturn! Przecież taki samochód posiadała Babcia. Kupiła go, bo miał być bardzo bezpieczny, miał wytrzymać wszystko...

— Gdzie jest ten samochód, Afrodyto? Co to za woda?

— Rzeka Arkansas — westchnęła. — Most... most się zawalił. — Zaczęła szlochać, widać było, że jest przerażona. — Zobaczyłam, jak samochód jadący przede mną spada i uderza w barkę. Pali się!... Mali chłopcy przebiegali drogę, by samochody na nich trąbiły... oni też są w aucie.

Przełknęłam z trudnością.

— Okay, który to most? Gdzie? Kiedy?

Afrodyta wyprężyła się. Wszystkie mięśnie miała napięte.

— Nie mogę wyjść! Nie mogę wyjść! Woda jest... — Wydała okropny dźwięk, jakby się dławiła, po czym bezwładnie opadła na ławkę. Jej ręka, trzymająca dotychczas mój przegub w żelaznym uścisku, stała się bezwładna.

Potrząsnęłam nią mocno.

— Afrodyto, zbudź się. Musisz mi opowiedzieć o wszystkim, co zobaczyłaś.

Z wolna powieki jej zaczęły drżeć. Tym razem nie widziałam białek oczu, kiedy po chwili je otworzyła, patrzyła w miarę normalnie. Gwałtownie odrzuciła moją dłoń i odgarnęła włosy z twarzy. Zauważyłam, że ma mokre policzki i cała jest spocona. Zamrugała parę razy, zanim spojrzała mi w oczy. Nie potrafiłam w nich nic wyczytać poza wyczerpaniem, wyraźnym także w jej głosie.

— Dobrze, że zostałaś ze mną — przyznała.

— Powiedz mi, co zobaczyłaś. Co się stało z moją babcią?

— Most, po którym jedzie jej samochód, załamuje się, auto spada do rzeki i ona tonie — odpowiedziała bezbarwnym głosem.

— Nie, to się nie może zdarzyć. Powiedz coś więcej o tym moście. Kiedy to się ma stać? Gdzie? Muszę temu zapobiec.

Na ustach Afrodyty pojawił się wątły uśmieszek.

— Widzę, że zaczęłaś wierzyć w moje wizje.

Trzęsłam się ze strachu o Babcię. Złapałam Afrodytę za ramię i pociągnęłam za sobą.

— Idziemy.

Próbowała mi się wyrwać, ale była zbyt osłabiona.

— Dokąd?

— Oczywiście do Neferet. Już ona będzie wiedziała, jak ma z ciebie wydusić resztę. Na pewno jej powiesz wszystko.

— Nie! — krzyknęła histerycznie. — Nic jej nie powiem. Przysięgam. Żeby nie wiem co, będę mówiła, że nic nie pamiętam poza tym, że widziałam wodę i most. Jeśli zabierzesz mnie do niej, twoja babcia umrze.

Poczułam, że robi mi się słabo.

— Czego ty chcesz, Afrodyto? Czy chcesz nadal przewodzić Córom Ciemności? Bo jeśli tak, to dobrze. Niech będzie. Tylko powiedz mi o Babci.

Bolesny grymas przebiegł po twarzy Afrodyty.

— Ty nie możesz zwrócić mi tej funkcji, tylko Neferet może to zrobić.

— W takim razie czego chcesz ode mnie?

— Chcę, abyś słuchała tego, co mówię, i dowiodła, że Nyks się ode mnie nie odwróciła. Chcę, abyś wierzyła, że moje wizje są nadal prawdziwe. — Popatrzyła mi uważnie w oczy. Jej głos stał się niski i napięty. — Chcę, żebyś miała wobec mnie dług wdzięczności. Kiedyś zostaniesz starszą kapłanką o wielkim autorytecie i władzy. Większym, niż teraz ma Neferet. Może kiedyś potrzebna mi będzie twoja pomoc, a skoro zaciągniesz wobec mnie dług wdzięczności, może mi się to przydać.

Chciałam jej odpowiedzieć, że żadną miarą nie mogę jej bronić przed Neferet, teraz czy kiedykolwiek indziej. I naprawdę nie chciałam mieć do czynienia z Afrodytą, odkąd się przekonałam, jaka potrafi być samolubna i przepełniona nienawiścią. Nie chciałam niczego jej zawdzięczać. W ogóle nie chciałam mieć z nią nic wspólnego.

Ale przecież nie miałam wyboru.

— Dobrze. Nie zaprowadzę cię do Neferet. Więc co widziałaś?

— Najpierw obiecaj mi, że zaciągasz wobec mnie dług wdzięczności. I pamiętaj, że to nie jest puste słowo, jakie ludzie sobie dają. Kiedy wampir daje słowo — wszystko jedno, adept czy dorosły wampir — to zobowiązuje.

— Jeśli powiesz mi, jak ocalić moją babcię, dam ci słowo, że będę ci winna przysługę.

— Zgodnie z moim życzeniem — dodała chytrze.

— Obojętne.

— Musisz to wypowiedzieć w całości jak przysięgę.

— Jeśli powiesz mi, jak mam ocalić swoją babcię, będę wobec ciebie miała dług wdzięczności do spłacenia według twojego uznania.

— I niech tak się stanie zgodnie z tym, co zostało powiedziane — szepnęła, ale od tego szeptu przeszły mnie ciarki, czym się nie przejęłam.

— Więc teraz mi powiedz.

— Najpierw muszę usiąść. — Znów się zaczęła trząść i opadła na ławkę.

Usiadłam obok niej i czekałam z niecierpliwością, aż się weźmie w garść. A kiedy zaczęła mówić, natychmiast ogarnęło mnie przerażenie, tym bardziej że miałam głębokie przekonanie, iż mówi prawdę. Nawet jeśli Nyks zniechęciła się do Afrodyty, w tę noc tego nie okazała.

— Dziś po południu twoja babcia wybierze się do Tulsy, będzie tam jechała autostradą Muskogee. — Przerwała, przekrzywiając głowę na bok, jakby starała się posłyszeć coś mimo szumu wiatru. — Jedzie do miasta po prezent dla ciebie, bo w przyszłym miesiącu przypadają twoje urodziny.

Zaskoczyła mnie. Rzeczywiście moje urodziny wypadały dwudziestego czwartego grudnia, więc właściwie nigdy ich nie obchodziłam. Zawsze łączyły się ze świętami. Nawet w zeszłym roku, kiedy kończyłam szesnaście lat i powinnam mieć prawdziwe przyjęcie, skończyło się na niczym. To było wkurzające. Zaraz jednak otrząsnęłam się ze snucia gorzkich żalów. Nie była to pora, by rozpamiętywać urodzinowe rozczarowania.

— No dobrze, więc po południu jedzie do miasta i co się dalej dzieje?

Afrodyta zmrużyła oczy, jakby usiłowała dostrzec coś w ciemności.

— Dziwne. Zazwyczaj potrafię określić, dlaczego dochodzi do wypadku, na przykład że w silniku samolotu coś się zepsuło albo coś w tym rodzaju, ale teraz tak się skupiłam na postaci twojej babci, że nie jestem pewna, dlaczego most się wali. — Spojrzała na mnie. — Może dlatego, że po raz pierwszy mam wizję, w której umiera ktoś, kogo znam. To mnie rozprasza.

— Ona nie umrze — powiedziałam z mocą.

— W takim razie nie może się znaleźć na tym moście. Przypominam sobie widok zegara na desce rozdzielczej jej samochodu, wskazywał piętnaście po trzeciej, dlatego jestem pewna, że to się wydarzy po południu.

Bezwiednie spojrzałam na zegarek. Było dziesięć po szóstej rano. Za godzinę zacznie się rozwidniać (wtedy powinnam położyć się spać) i Babcia będzie wstawała. Znałam jej rozkład dnia. Budziła się o świcie i wychodziła na poranny spacer. Potem wracała do swojego przytulnego domku i jadła lekkie śniadanie, następnie szła popracować na lawendowym poletku. Zadzwonię do niej i powiem, żeby została w domu i nigdzie nie wychodziła, a zwłaszcza pod żadnym pozorem nie wyjeżdżała samochodem. Wtedy będzie bezpieczna, już ja się o to postaram. Ale zaraz pomyślałam o jeszcze czymś innym. Spojrzałam na Afrodytę.

— A co z pozostałymi ludźmi? Pamiętam, jak mówiłaś o jakichś małych dzieciach w samochodzie, który widziałaś przed sobą, i o tym, że się rozbił i stanął w płomieniach.

— Aha.

Nastroszyłam się.

— Aha i co?

— Aha, widziałam ich, tak jakby twoja babcia na nich patrzyła. Widziałam też kupę innych samochodów, które się wokół mnie rozbijają. Ale działo się to tak szybko, że nie potrafię powiedzieć, ile ich było.

Zamilkła i nie dodała nic więcej. Potrząsnęłam głową z dezaprobatą.

— A może by tak ich uratować? Powiedziałaś, że chłopcy zginęli!

Afrodyta wzruszyła ramionami.

— Powiedziałam ci, że moja wizja była niejasna, że nie wiem dokładnie, gdzie to się dzieje, wiem tylko kiedy, i to wyłącznie dlatego, że zobaczyłam zegar na tablicy rozdzielczej auta twojej babci.

— Więc zamierzasz dopuścić do tego, żeby wszyscy zginęli?

— Co cię obchodzi? Twoja babcia ocaleje.

— Afrodyto, cholera mnie bierze na ciebie. Czy ciebie ktokolwiek obchodzi poza tobą samą?

— Daj mi spokój, Zoey. A ty niby jesteś taka święta? Jakoś nie zauważyłam, żebyś martwiła się o kogoś innego poza swoją babcią.

— Jasne, że przede wszystkim o nią się martwię. Ja ją kocham! Ale nie chcę też, by inni zginęli, skoro mogę mieć na to jakiś wpływ. Musisz więc się dowiedzieć, na którym moście ma się to stać.

— Już ci mówiłam: na autostradzie Muskogee. Ale na którym dokładnie moście, to nie wiem.

— Skup się. Co jeszcze widzisz?

Z ciężkim westchnieniem zamknęła oczy. Obserwowałam ją uważnie, jak marszczy brwi, zastanawiając się głęboko. Nie otwierając oczu, powiedziała po chwili:

— Zaczekaj, to nie tak. To nie jest autostrada. Zobaczyłam znak. To musi być most na rzece Arkansas łączący się z drogą I-40, przy zjeździe z autostrady w pobliżu Webber Falls. — Otworzyła oczy. — Teraz już znasz miejsce i czas. Nic więcej nie mogę powiedzieć. Myślę, że jakaś łódź, może barka uderzyła w most, ale to tylko moje domysły. Nie widzę żadnych szczegółów, które pozwoliłyby mi zidentyfikować łódź. W jaki sposób chcesz zapobiec tym wypadkom?

— Jeszcze nie wiem — mruknęłam. — Ale zrobię to.

— W takim razie zastanawiaj się, jak zbawić świat, a ja tymczasem wrócę do internatu i zrobię sobie manikiur. Nieopiłowane paznokcie to dla mnie tragedia.

— Wiesz co? To, że masz beznadziejnych rodziców, wcale nie znaczy, że możesz być okrutna — powiedziałam.

Odwróciła się do mnie i wyprostowana jak struna spojrzała spod zmrużonych powiek.

— A co ty możesz wiedzieć na ten temat? — zapytała ze złością.

— Na jaki temat? Twoich rodziców? Nie tak znowu wiele, tyle że są apodyktyczni, zwłaszcza twoja matka jest koszmarna. A w ogóle na temat popieprzonych rodziców? Wiem mnóstwo. Z własnego doświadczenia wiem, jak to jest mieć upierdliwego rodzica, od kiedy moja matka wyszła powtórnie za mąż trzy lata temu. Ale to nie znaczy, żebym miała być małpą.

— Gdybyś przez osiemnaście lat miała taką sytuację jak ja, a nie „upierdliwego rodzica przez trzy lata", to może byś miała większe pojęcie o całej sprawie. Bo teraz gówno wiesz na ten temat. — To mówiąc, wzorem dawnej Afrodyty, jaką znałam i jakiej nie cierpiałam, odrzuciła dumnie włosy do tyłu i odeszła, kręcąc zadkiem, jakby mnie to mogło ruszać.

Ta dziewczyna ma poważne problemy, pomyślałam, grzebiąc nerwowo w torebce w poszukiwaniu telefonu, zadowolona, że się z nim nie rozstaję, mimo że przeważnie jest wyłączony, z wibracją włącznie. Powód tego wyłączenia można ująć w jednym słowie: Heath. To mój były prawie chłopak, a od czasu gdy on i moja zdecydowanie była najlepsza koleżanka, Kayla, próbowali mnie wyrwać z Domu Nocy, Heath dostał fioła na moim punkcie. W gruncie rzeczy nie winię go o to. To ja spróbowałam jego krwi, co spowodowało całą tę hecę ze Skojarzeniem. I nawet jeśli liczba wysyłanych przez niego wiadomości spadła z setek (czyli dwudziestu) w ciągu jednego dnia do dwóch lub trzech, nadal nie chciałam zostawiać włączonego telefonu, by pozwolić Heathowi na zakłócanie mi spokoju. Jak mogłam się spodziewać, kiedy włączyłam komórkę, wyświetliły się informacje o dwóch nieodebranych połączeniach, oczywiście od Heatha. Nie przesłał mi jednak żadnych wiadomości, widać robi postępy.

Babcia była zaspana, kiedy odebrała telefon, ale gdy tylko stwierdziła, że to ja dzwonię, natychmiast oprzytomniała.

— Och, ptaszyno. Jak to miło obudzić się i usłyszeć twój głos — powiedziała.

Uśmiechnęłam się do słuchawki.

— Tęsknię za tobą, Babciu.

— Ja też za tobą tęsknię, kochanie.

— Słuchaj, Babciu. Powód, dla którego dzwonię, może ci się wydać dziwny, ale musisz mi zaufać.

— Zawsze ci ufam — odpowiedziała bez wahania. Jest tak różna od mojej mamy, że czasem się dziwię, jak one mogą być ze sobą spokrewnione.

— No więc planowałaś pojechać do Tulsy dziś po południu, prawda?

Po krótkiej chwili milczenia roześmiała się.

— Oj, chyba trudno będzie utrzymać coś w tajemnicy przed moją wnuczką wampirzyczką.

— Babciu, musisz mi coś przyrzec. Obiecaj, że nigdzie dzisiaj nie pojedziesz. Nie wsiadaj do samochodu. Nigdzie nie jedź. Zostań w domu i odpoczywaj sobie.

— Ale o co chodzi, Zoey?

Zawahałam się, nie wiedząc, jak jej to powiedzieć. Na szczęście Babcia, która zawsze mnie rozumiała, przypomniała mi:

— Pamiętaj, że mnie możesz powiedzieć wszystko. Bo ja ci wierzę.

Nawet nie zdawałam sobie sprawy z tego, że aż do tej chwili wstrzymywałam oddech. Odetchnęłam głęboko i wyrzuciłam z siebie:

— Most na rzece Arkansas, ten na drodze I-40 niedaleko Webber's Falls, ma się zawalić. Miałaś się na nim znajdować w tym czasie i miałaś zginąć w tej katastrofie. — Ostatnią część zdania wypowiedziałam niemal szeptem.

— Ojej! Poczekaj, muszę usiąść.

— Babciu, dobrze się czujesz?

— Chyba tak, chociaż tak by nie było, gdybyś mnie nie uprzedziła. Teraz tylko trochę kręci mi się w głowie. — Pewnie wzięła do ręki jakąś gazetę, bo posłyszałam, że się wachluje. — Skąd się o tym dowiedziałaś? Masz wizje?

— Ja nie. Ale Afrodyta ma.

— Ta dziewczyna, która była przewodniczącą Cór Ciemności? Nie podejrzewałam, że się przyjaźnicie.

— Nie przyjaźnimy się. W żadnym razie. Ale spotkałam ją akurat w chwili, gdy miała wizję, a ona powiedziała mi, co zobaczyła.

— A ty jej wierzysz?

— Na ogół jej nie ufam, ale wiem, że ma zdolność przeżywania wizji. Poza tym to wszystko działo się przy mnie, widziałam ją, jakby była wtedy przy tobie. To straszne. Widziała cały wypadek, jak się rozbija samochód i jak ci mali chłopcy giną.

— Zaraz, to w wypadku brało udział więcej ludzi?

— Tak. Kiedy zawala się most, dużo samochodów wpada do rzeki.

— A co z innymi ludźmi?

— Tym też się zajmę. Ale ty zostań w domu.

— A nie powinnam tam pojechać, by powstrzymywać ludzi przed wjechaniem na most?

— Nie. Trzymaj się od tego z daleka. Postaram się, by nikomu nic złego się nie stało. Obiecuję. Ale muszę mieć pewność, że będziesz bezpieczna.

— Dobrze, kochanie. Wierzę ci. Nie martw się o mnie. Zostanę w domu i włos z głowy mi nie spadnie. A ty rób, co uważasz za stosowne, a jak będziesz mnie potrzebowała, to zadzwoń. O każdej porze.

— Dziękuję, Babciu. Jesteś kochana.

— Ty też jesteś kochana. Moja *u-we-tsi a-ge-hu-tsa*.

Skończyłam z nią rozmawiać i przez chwilę siedziałam bez ruchu, usiłując opanować dreszcze, które mną wstrząsały. Ale trwało to tylko krótką chwilę. W mojej głowie powstawał już plan działania i nie było czasu do stracenia.

ROZDZIAŁ DZIESIĄTY

— Chyba należałoby opowiedzieć o wszystkim Neferet. Ona wykona kilka telefonów, tak jak w zeszłym miesiącu, kiedy Afrodyta miała wizję wypadku lotniczego w Denver — powiedział Damien, starając się mówić opanowanym głosem.

Wróciłam do internatu, zebrałam zaraz swoich przyjaciół i szybko zdałam im relację z wizji Afrodyty.

— Kazała mi przyrzec, że nie pójdę z tym do Neferet. Obie panie prowadzą coś w rodzaju wojny.

— Neferet w końcu zauważyła, jaka to małpa — przypomniała Stevie Rae.

— Bezczelna krowa — dodała Shaunee.

— Wiedźma z piekła rodem — uzupełniła Erin.

— Dobrze, w tej chwili to nieważne — uświadomiłam im. — Ważna jest jej wizja i niebezpieczeństwo, które grozi wielu ludziom.

— Słyszałem, że jej wizje nie są teraz wiarygodne, ponieważ Nyks cofnęła swoje łaski dla Afrodyty — powiedział Damien. — Może dlatego zmusiła cię do przyrzeczenia, że nie pójdziesz do Neferet, ponieważ wszystko to sobie wymyśliła, bo chciała cię nastraszyć, żebyś była bardziej skłonna do zrobienia czegoś, co wpędzi cię w kłopoty albo skompromituje.

— Też pomyślałabymm o tym, gdybym nie widziała jej podczas przeżywania wizji. Jestem pewna, że nie udawała.

— Pytanie też, czy mówi całą prawdę — wyraziła wątpliwość Stevie Rae.

Zastanowiłam się. Afrodyta raz się przyznała, że część wizji ukrywała przed Neferet. Dlaczego więc się nie bałam, że i w tym wypadku tak się zachowa? Ale przypomniałam sobie jej bladość, sposób, w jaki złapała mnie za rękę, i strach w jej głosie, gdy była przy mojej umierającej Babci. Przeszedł mnie dreszcz.

— Mówiła prawdę — powtórzyłam. — Po prostu musicie zawierzyć mojej intuicji. — Popatrzyłam po twarzach czwórki swoich przyjaciół. Nikt z nich nie wyglądał na usatysfakcjonowanego, ale wiedziałam też, że każde z nich mi ufało i że mogłam na nich liczyć. — Więc tak sprawa wygląda. Już dzwoniłam do Babci. Nie znajdzie się na moście, ale będzie tam kupa innych ludzi. Musimy coś wymyślić, by ich uratować.

— Afrodyta powiedziała, że jakaś łódź podobna do barki uderzy w most, co spowoduje katastrofę? — upewnił się Damien.

Skinęłam głową.

— W takim razie mogłabyś udać, że jesteś Neferet, i zrobić to, co ona zazwyczaj robi w takich sytuacjach, czyli zadzwonić do kogoś odpowiedzialnego za barki i powiedzieć mu, że jedna z uczennic miała taką wizję. Ludzie zawsze słuchają Neferet, boją się ryzyka zaniechania. Powszechnie wiadomo, że jej informacje nieraz ocaliły wiele ludzkich istnień.

— Już o tym myślałam, ale to na nic, ponieważ Afrodyta nie widziała wyraźnie, co to za barka. Nie wiedziałabym więc nawet, od czego zacząć, by skontaktować się z kimś odpowiednim, kto byłby władny ją zatrzymać. Poza tym nie mogę udawać Neferet. To byłoby z wielu powodów nie w porządku. Bardzo szybko narobiłabym sobie kłopotów. Nikt nie zaręczy, że osoba, do której bym zadzwoniła, nie zechce później zatelefonować do Neferet choćby po to, by zdać sprawę z tego, co zostało zrobione. A to by spowodowało całą lawinę wypadków.

— Nieciekawa perspektywa — zgodziła się Shaunee.

— No właśnie. Neferet odkryłaby, że wiedźma miała następną wizję, czyli złamałabyś daną jej obietnicę, że nic nie powiesz — wyszczególniła Erin.

— W takim razie wykreślamy wariant z barką, podobnie wykreślamy pomysł z podszywaniem się pod Neferet. Zostaje więc tylko opcja zamknięcia mostu — skonkludował Damien.

— Też tak pomyślałam — zgodziłam się z nim.

— Groźba podłożenia bomby — wpadła na pomysł Stevie Rae.

Popatrzyliśmy na nią pytająco.

— Że co? — zapytała Erin.

— Co masz na myśli? — chciała wiedzieć dokładniej Shaunee.

— Możemy się podszyć pod jednego z tych wariatów, którzy grożą podłożeniem bomby.

— To by mogło zadziałać — zgodził się Damien. — Ilekroć ktoś zgłasza, że podłożył bombę, zawsze się ewakuuje ludzi. Z tego wniosek, że jeśli istnieje niebezpieczeństwo, że w okolicach mostu podłożono bombę, to most zostanie zamknięty przynajmniej do momentu, w którym odkryją, że alarm był fałszywy.

— Jeśli zadzwonię ze swojej komórki, nikt nie będzie wiedział, że to ja, prawda? — chciałam się upewnić.

Damien potrząsnął głową z taką dezaprobatą, jakby miał do czynienia z zeznaniami kretynki.

— Jasne, że natychmiast dojdą do tego. Mamy dwudziesty pierwszy wiek, a nie lata dziewięćdziesiąte.

— To co mam zrobić?

— Możesz użyć innej komórki. Takiej jednorazowej — wyjaśnił.

— Jak jednorazowe aparaty fotograficzne?

— Gdzieś ty się podziewała? — zdziwiła się Shaunee.

— Wszyscy znają jednorazowe komórki — zapewniła nas Erin.

— Ja nie — przyznała Stevie Rae.

— No właśnie — wypunktowały Bliźniaczki.

— Masz. — Damien wyciągnął z kieszeni duży, bajeranćko wyglądający aparat Nokii. — Możesz wykorzystać moją komórkę.

— Dlaczego masz jednorazowy telefon? — chciałam wiedzieć. Obejrzałam ten sprzęt uważnie. Wyglądał tak jak inne.

— Zafundowałem go sobie po tym, jak moi rodzice spanikowali, że mają syna geja. Zanim zostałem Naznaczony, zachodziła obawa, że chcą mnie odgrodzić od życia na zawsze. Nie chcę przez to powiedzieć, bym się spodziewał, że zamkną mnie gdzieś w szafie albo w innym odosobnionym miejscu, ale uznałem, że nie zawadzi przygotować się na każdą okoliczność. Od tego czasu na wszelki wypadek zawsze mam przy sobie taki aparat.

Nie wiedzieliśmy, co powiedzieć. To naprawdę głupia sprawa mieć rodziców z obsesją na punkcie skłonności homoseksualnych swojego syna.

— Dziękuję ci, Damien — wykrztusiłam w końcu.

— Nie ma za co — odpowiedział. — Nie zapomnij wyłączyć telefonu po skończonej rozmowie, a potem mi oddać, bo powinienem go zaraz zniszczyć.

— Dobrze.

— I nie zapomnij im powiedzieć, że bomba została umieszczona pod wodą. Wtedy będą musieli zamknąć most na dłużej, żeby posłać tam nurków, którzy sprawdzą rzekę.

Kiwnęłam głową.

— Dobry pomysł. Powiem im też, że bomba ma wybuchnąć o trzeciej piętnaście, czyli dokładnie o tej godzinie, którą zobaczyła Afrodyta na zegarze w Babci samochodzie, kiedy się rozbijał.

— Nie wiem, ile czasu im zajmie sprawdzanie, ale wydaje mi się, że powinnaś do nich zadzwonić około wpół do trzeciej. Wtedy będą mieli dość czasu, aby dojechać na miejsce i zamknąć most, ale nie dość, by się przekonać, że alarm jest fałszywy, i otworzyć powtórnie most dla ruchu — powiedziała Stevie Rae.

— Ale kto z nas zadzwoni? — zapytała Shaunee.

— Holender, nie wiem. — Czułam się coraz bardziej zestresowana, byłam pewna, że zaraz dopadnie mnie gigantyczny ból głowy.

— Napisz w Google'u — podsunęła Erin.

— Nie — zaprotestował natychmiast Damien. — Nie możemy zostawiać żadnych śladów komputerowych. Musimy po prostu zadzwonić do miejscowego oddziału FBI. Numer można znaleźć w książce telefonicznej. Zrobią to co zawsze, kiedy otrzymują sygnał od jakiegoś czubka.

— Czyli złapią go i zapudłują do końca życia — dokończyłam ponuro.

— Nie, nie złapią cię. Nie zostawisz żadnych śladów. Nie będą mieli najmniejszego powodu, by podejrzewać kogokolwiek z nas. Zadzwoń do nich o wpół do trzeciej. Powiedz, że umieściłaś bombę pod mostem, ponieważ... — Damien zawahał się.

— Z powodu zanieczyszczenia — wychrypiała Stevie Rae.

— Zanieczyszczenia? — zdziwiła się Shaunee.

— Chyba niekoniecznie z tego powodu. Moim zdaniem lepiej będzie, jak powiesz, że masz już dość wtrącania się władz w prywatne życie obywateli — zaproponowała Erin.

— Świetny pomysł, Bliźniaczko — pochwaliła ją Shaunee.

Erin rozpromieniła się.

— Mój tata na moim miejscu właśnie tak by powiedział. Byłby ze mnie dumny. Nie z powodu fałszywego alarmu z wysadzeniem mostu, ale z powodu całej reszty.

— Jasne, Bliźniaczko — zapewniła ją Shaunee.

— A mnie się bardziej podoba pomysł z zanieczyszczeniem środowiska — nie ustępowała Stevie Rae. — Przecież to poważny problem.

— W takim razie może powiem, że chodzi mi o wtrącanie się władz do prywatnego życia obywateli i o zanieczyszczanie rzek? To by wyjaśniało, dlaczego bombę umieszczamy pod mostem. — Patrzyli na mnie nierozumiejącym wzrokiem. Westchnęłam ciężko. — Bomba będzie pod mostem, by zwrócić uwagę na zanieczyszczanie rzek.

— Aha — westchnęli z ulgą. Teraz zrozumieli.

— Wystąpimy w roli porąbanych terrorystów — zachichotała Stevie Rae.

— W gruncie rzeczy to dobrze — uznał Damien.

— Czyli wszystko już ustalone? Ja zadzwonię do FBI, a nikt z nas nie piśnie słówkiem o wizji Afrodyty.

Potakująco skinęli głowami.

— Dobra. W takim razie ja poszukam książki telefonicznej, znajdę numer FBI, a wtedy...

Kątem oka zauważyłam, że ktoś się zbliża w naszym kierunku. Była to Neferet w towarzystwie dwóch mężczyzn w garniturach, a cała trójka zmierzała w stronę internatu. Wszyscy natychmiast zamilkliśmy. Przez salę przeszedł szmer, z którego mogłam wyłowić powtarzające się słowa: *To ludzie...*

Nie miałam czasu dłużej się nad tym zastanawiać, ponieważ zobaczyłam, że Neferet z dwoma panami kierują się prosto w moją stronę.

— A, tu jesteś, Zoey. — Neferet jak zwykle uśmiechnęła się do mnie ciepło. — Panowie chcieliby z tobą porozmawiać. Chyba wstąpimy do biblioteki. To zajmie tylko krótką chwilę. — Neferet władczym gestem poleciła nam iść za sobą do znajdującego się za główną salą bocznego pokoju, który nazywaliśmy biblioteką, mimo że był to raczej pokój komputerowy z kilkoma wygodnymi krzesłami i półkami z broszurowymi wydaniami książek. W bibliotece siedziały tylko dwie dziewczyny, które Neferet wyprosiła jednym gestem ręki. Zamknęła za nimi drzwi, po czym zwróciła się do nas. Rzuciłam okiem na zegar wiszący nad komputerami. Było sześć po siódmej, sobotni poranek. Co się stało?

— Zoey, to jest detektyw Marx. — Neferet wskazała wyższego z mężczyzn. — I detektyw Martin z wydziału zabójstw policji w Tulsie. Chcą zadać ci kilka pytań na temat zabitego chłopca.

— Okay — powiedziałam, zastanawiając się jednocześnie, o co mogliby mnie pytać. Przecież, do diabła, o niczym nie wiedziałam. Nawet nie znałam go dobrze.

— Panno Montgomery... — zaczął detektyw Marx, ale Neferet natychmiast mu przerwała.

— Redbird — poprawiła go.

— Słucham?

— Zoey zgodnie z prawem zmieniła nazwisko na Redbird, kiedy przed miesiącem wstępując w progi naszej szkoły, uzyskała status osoby pełnoletniej. Wszyscy nasi uczniowie według prawa stanowią sami o sobie. Uznaliśmy, że tak jest lepiej, wziąwszy pod uwagę szczególny charakter naszej szkoły.

Gliniarz kiwnął głową. Nie wiedziałam, czy Neferet go wkurzała czy nie, ale sądząc po tym, jak na nią spoglądał, doszłam do wniosku, że nie.

— Panno Redbird — ciągnął. — Wiadomo nam, że znasz Chrisa Forda i Brada Higeonsa. Zgadza się?

— Aha, to znaczy, tak — poprawiłam się zaraz. Z pewnością nie był to stosowny moment, by zgrywać się na głupią nastolatkę. — Znam... to znaczy: znałam ich obu.

— Znałam? — podchwycił natychmiast niższy gliniarz.

— Tak, bo nie zadaję się teraz z ludzkimi chłopakami, ale nawet zanim zostałam Naznaczona, nieczęsto miałam okazję spotykać Chrisa czy Brada. — Początkowo zdziwiło mnie, że tak się przyczepili do tego słówka, ale zaraz uświadomiłam sobie, że skoro Chris nie żyje, a Brad zaginął, użycie przeze mnie czasu przeszłego mogło zabrzmieć podejrzanie.

— Kiedy po raz ostatni widziałaś obu chłopców?

Zagryzłam wargi, starając się sobie przypomnieć.

— Nie tak znowu dawno, może na początku sezonu piłkarskiego, a potem byłam na dwóch czy trzech imprezach, w których oni też brali udział.

— Żaden z nich nie był twoim chłopakiem?

Skrzywiłam się.

— Nie, umawiałam się przez jakiś czas z jednym z rozgrywających z Broken Arrow. Stąd znałam graczy z Unii. — Uśmiechnęłam się, usiłując wprowadzić trochę lżejszą atmosferę. — Na ogół uważa się, że chłopaki z Union nienawidzą tych z BA, ale to nieprawda. Większość z nich zna się od dzieciństwa. Wielu się przyjaźni ze sobą.

— Panno Redbird, od jak dawna jesteś w Domu Nocy? — zapytał niski gliniarz, nie zauważając, że staram się być miła.

— Zoey jest u nas prawie dokładnie od miesiąca — odpowiedziała za mnie Neferet.

— Czy w ciągu tego miesiąca Chris albo Brad odwiedzili cię tutaj?

— Nie — odpowiedziałam zaskoczona tym pytaniem.

— Czy chcesz przez to powiedzieć, że żaden z ludzkich chłopaków cię tu nie odwiedzał? — wypalił Martin.

To mnie całkiem zbiło z pantałyku. Zaczęłam się jąkać i musiałam wyglądać na winną, ale na szczęście Neferet przyszła mi z odsieczą.

— Dwójka przyjaciół Zoey odwiedziła ją tutaj podczas pierwszego tygodnia jej pobytu u nas, chociaż nie sadzę, by można to nazwać oficjalną wizytą — powiedziała z miłym uśmiechem osoby dorosłej zwracającej się do policjantów, jakby chciała powiedzieć: „Dzieci to zawsze dzieci". Potem spojrzeniem i gestem dodała mi otuchy. — Opowiedz panom o dwójce swoich przyjaciół, którym się wydawało, że wdrapywanie się na mur i skakanie przez płot to zabawny sposób składania wizyt.

Spojrzała na mnie znacząco. Wiedziała ode mnie wszystko o tym, jak to Heath i Kayla wdrapali się na mur, by dostać się na nasz teren i wyciągnąć mnie ze szkoły. Przynajmniej Heath miał taki pomysł. Kayla natomiast, moja była przyjaciółka, chciała zobaczyć, jak zareaguję na to, że ona zagięła parol na Heatha. O tym wszystkim opowiedziałam Neferet. I o czymś jeszcze. O tym, jak przez przypadek spróbowałam smaku jego krwi, jak Kayla mnie na tym złapała i jak w końcu straciłam panowanie nad sobą. Patrząc w zielone oczy Neferet, odczytałam z jej spojrzenia równie jednoznacznie, jakby wyraziła to słowami, że mam przemilczeć cały incydent z krwią.

— Niewiele jest tu do opowiadania, a poza tym to było już miesiąc temu. Kayla i Heath wyobrażali sobie, że się tu zakradną i wyciągną mnie stąd. — Zamilkłam i potrząsnęłam głową ciągle jeszcze zdumiona absurdalnością takiego pomysłu.

A wtedy wysoki gliniarz wciął się z pytaniem:

— Kayla i Heath... Nazwiska?

— Kayla Robinson i Heath Luck — odpowiedziałam. (Heath naprawdę ma na nazwisko Luck, ale jedyne szczęście, jakim może się wykazać, to że dotychczas nie został złapany za jazdę pod wpływem alkoholu czy narkotyków). — Prawdę mówiąc, Heath czasami ciężko myśli, a Kayla... cóż, zna się na fryzurach i butach, ale poza tym nie może się pochwalić zdrowym rozsądkiem. Więc w ogóle sobie nie przemyśleli całej akcji i nie wzięli pod uwagę faktu, że gdybym opuściła Dom Nocy, gdzie przeistaczam się w wampira, po prostu bym umarła. Więc im wytłumaczyłam, że nie tylko nie chcę opuszczać tego miejsca, ale i nie mogę. I to wszystko.

— Nie zaszło nic niezwykłego podczas tego spotkania z przyjaciółmi?

— To znaczy, kiedy wróciłam do internatu?

— Nie. Inaczej sformułuję to pytanie. Czy nie zaszło nic niezwykłego podczas spotkania z Kaylą i Heathem? — zapytał Martin.

Poczułam gulę w gardle. Przełknęłam z trudnością.

— Nie. — I właściwie nie było to kłamstwo. Widocznie nie ma nic niezwykłego w tym, że adept odczuwa pragnienie krwi właściwe wampirom. Może nie powinno się to zdarzyć na tak wczesnym etapie Przemiany, ale też nie zdarza się, by adept miał wypełniony kolorem cały Znak i dodatkowy tatuaż, jakie spotyka się tylko u dorosłych wampirów. Nie mówiąc już o tym, że jeszcze żaden adept nie miał tatuażu na ramionach i plecach, a ja miałam. Widać nie jestem typową adeptką.

— Nie skaleczyłaś tego chłopaka i nie piłaś jego krwi? — Niższy gliniarz zadał to pytanie lodowatym tonem.

— Nie! — krzyknęłam.

— Czy oskarżacie o coś Zoey? — zapytała Neferet, podchodząc do mnie bliżej.

— Nie, proszę pani. My tylko zadajemy jej pytania, starając się dociec, jaki był charakter kontaktów Chrisa Forda i Brada Higeonsa z przyjaciółmi. Istnieje kilka aspektów tej sprawy, raczej niezwykłych, więc... — Niższy gliniarz nawijał dalej w tym stylu, podczas gdy mnie gorączkowe myśli wirowały w głowie.

O co chodzi? Nie skaleczyłam Heatha, ja go tylko zadrapałam. I to nienaumyślnie. Nie można też powiedzieć, że „piłam" jego krew, raczej ją zlizywałam. Ale skąd do diabła ci gliniarze dowiedzieli się o tym? Heath nie był specjalnie lotny, ale nie wyobrażam sobie, żeby rozpowiadał wokół (zwłaszcza policjantom), że babeczka, w której się bujał, piła jego krew. Nie, Heath by nic nie powiedział, ale...

Olśniło mnie, już wiedziałam, dlaczego detektywi zadawali takie pytania.

— Powinniście dowiedzieć się czegoś na temat Kayli Robinson — powiedziałam, przerywając nudny wywód niższego gliniarza. — Ona zobaczyła, jak całujemy się z Heathem, a właściwie że Heath mnie pocałował. — Patrzyłam to na jednego, to na drugiego gliniarza. — Wiecie, Heath naprawdę jej się podoba, więc chcąc się z nim umawiać stale, musiała mnie usunąć z drogi. A kiedy zobaczyła, że on mnie całuje, wkurzyła się i zaczęła się na mnie wydzierać. Przyznaję, że nie zachowałam się odpowiednio, ale ona mnie też wkurzyła. Przecież to nie w porządku, kiedy najlepsza przyjaciółka zaczyna latać za twoim chłopakiem. W każdym razie... — Przerwałam, niby wzdragając się przed tym, co za chwilę miałam im wyznać. — Powiedziałam Kayli coś przykrego, co ją przestraszyło. Spanikowała i odeszła.

— Co przykrego jej powiedziałaś? — chciał wiedzieć detektyw Marx.

Westchnęłam ciężko.

— Że jeśli nie usunie się zaraz, to sfrunę z muru i wypiję jej krew.

— Zoey! — zganiła mnie Neferet ostrym tonem. — Wiesz, że tak nie można. I tak krążą o nas krzywdzące opinie, a ty jeszcze straszysz w taki sposób ludzkie nastolatki. Nie dziwota, że wystraszone dziecko poskarżyło się policji.

— Wiem. Przepraszam — powiedziałam ze skruszoną miną. Mimo że zdawałam sobie sprawę z tego, że Neferet odgrywa pewną rolę właściwie w mojej obronie, byłam pod wrażeniem władczości jej tonu. Podniosłam wzrok na detektywów. Obaj patrzyli na nią szeroko otwartymi oczami. Dotąd widzieli w niej tylko miłą panią, jej oblicze przeznaczone dla zewnętrznego świata, teraz otarli się o jej moc, o jakiej nie mieli pojęcia.

— I od tamtej pory nie widziałaś żadnego ze znanych ci nastolatków? — zapytał ten wyższy po pełnej skrępowania chwili ciszy.

— Tylko raz, Heatha, ale wtedy był sam, podczas naszych obchodów święta Samhain.

— Przepraszam, czego?

— Samhain to starodawna nazwa nocy, którą zapewne pan zna jako Halloween — pospieszyła z wyjaśnieniem Neferet. Stała się na powrót niezwykle piękna i uprzejma, rozumiałam, dlaczego gliniarzy to zmyliło, ale też się do niej uśmiechnęli, jakby nie mieli wyboru. Jak znam władzę Neferet, to chyba rzeczywiście nie mieli. — Mów dalej, Zoey — zwróciła się do mnie.

— Było nas dużo podczas obchodów. To trochę jak odprawianie nabożeństwa na dworze — wyjaśniłam. Wprawdzie w rzeczywistości niewiele to miało wspólnego z odprawianiem nabożeństwa na dworze, ale przecież nie zamierzałam wyjaśniać dwóm przedstawicielom świata ludzi, jak się tworzy krąg i wywołuje duchy mięsożernych wampirów. Spojrzałam na Neferet. Kiwała do mnie głową zachęcająco. Wzięłam głęboki oddech i dałam nura w przeszłość. Wiedziałam, że właściwie nie miało znaczenia, co powiem. Heath i tak nie zapamiętał niczego z tej nocy, w której omal nie został zabity przez duchy starożytnych wampirów. Już Neferet o to zadbała, by jego pamięć została całkowicie zablokowana Wiedział tylko, że odnalazł mnie w grupie innych młodziaków, po czym stracił przytomność. — W każdym razie Heathowi udało się wkręcić na nasze obchody. Było to żenujące, zwłaszcza że... no cóż... był... całkiem ululany.

— Heath był pijany? — zapytał Marx.

Skinęłam głową.

— Tak. Był pijany. Chociaż nie chcę, by miał z tego powodu jakieś kłopoty. — Postanowiłam nie wspominać o jego doświadczeniach, mam nadzieję, że tylko chwilowych, z marychą.

— Nie będzie miał kłopotów.

— To dobrze. To znaczy, on nie jest już moim chłopakiem, ale w gruncie rzeczy nie jest zły.

— Możesz się o to nie martwić, panno Redbird. Po prostu opowiedz nam, co się dalej wydarzyło.

— Właściwie nic takiego. Przerwał nasze obchody, co było żenujące. Powiedziałam mu, by wracał do domu i nie przychodził tu więcej, i że z nami koniec. Wygłupił się, a zaraz potem zemdlał. Zostawiliśmy go tam i to wszystko.

— Od tej pory go nie widziałaś?

— Nie.

— Kontaktował się z tobą w jakiś sposób?

— Tak, dzwoni do mnie stanowczo za często, zostawia mi wiadomości w skrzynce głosowej, co mnie denerwuje. Ale chyba robi postępy — dodałam pospiesznie. Naprawdę nie chciałam, by miał przeze mnie jakiekolwiek kłopoty. — Chyba zaczyna rozumieć, że z nami koniec.

Wysoki gliniarz skończył robić notatki, po czym sięgnął do kieszeni i wyciągnął plastikową torebkę.

— A co powiesz na to, panienko Redbird? Widziałaś to kiedyś?

Kiedy podał mi torebkę, zrozumiałam, co zawierała. Była tam czarna aksamitna wstążka ze srebrnym wisiorkiem przedstawiającym dwa półksiężyce zwrócone do siebie grzbietami na tle księżyca w pełni zdobionego granatami.

Symbol bogini w trzech wcieleniach: matki, panny i staruszki. Miałam taki sam wisiorek, ponieważ taki naszyjnik nosiła przewodnicząca Cór Ciemności.

ROZDZIAŁ JEDENASTY

— Skąd pan to ma? — zapytała Neferet. Starała się panować nad głosem, ale pobrzmiewały w nim ostre gniewne tony, których nie sposób było ukryć.

— Ten naszyjnik został znaleziony przy zwłokach Chrisa Forda.

Otworzyłam usta, ale nie wydałam z siebie żadnego dźwięku. Poczułam bolesne skurcze w żołądku, krew odpłynęła mi z twarzy.

— Panno Redbird, pewnie rozpoznajesz ten naszyjnik? — Detektyw Marx musiał powtórzyć to pytanie.

Odchrząknęłam, by pozbyć się nagłej suchości w gardle.

— Tak. To naszyjnik przewodniczącej Cór Ciemności.

— Cór Ciemności?

— Córy i Synowie Ciemności to ekskluzywna szkolna organizacja skupiająca najlepszych uczniów — wyjaśniła Neferet.

— Należysz do tej organizacji?

— Jestem jej przewodniczącą.

— Czy mogłabyś nam pokazać swój naszyjnik?

— Nie mam go przy sobie. Jest w moim pokoju. — Kręciło mi się w głowie.

— Czy panowie oskarżają o coś Zoey? — zapytała Neferet. Nadal mówiła spokojnym głosem, ale pobrzmiewały w nim groźne tony i hamowana wściekłość, co zjeżyło mi włos na głowie.

Obaj policjanci wymienili spojrzenia, w których widać było, że i na nich ton Neferet zrobił wrażenie.

— Po prostu zadajemy jej pytania.

— W jaki sposób Chris umarł? — zapytałam słabym głosem, który jednak wtargnął brutalnie w śmiertelną ciszę, jaka zapanowała w bibliotece.

— Z powodu licznych ran i upływu krwi — odpowiedział Marx.

— Czy ktoś poranił go nożem? — Z informacji podawanych w telewizji wynikało, że został pokąsany przez jakieś zwierzę, czułam jednak, że powinnam zadać to pytanie.

Marx pokręcił głową.

— Rany nie wyglądały na zadane nożem. Raczej były skutkiem pokąsania przez zwierzę, o czym też świadczą ślady zostawione przypuszczalnie przez szpony.

— Uszła z niego prawie cała krew — dodał Martin.

— I przyszli panowie tutaj, bo wygląda to na atak wampira — dokończyła Neferet ponuro.

— Próbujemy znaleźć odpowiedzi na pytania, które się tu nasuwają, proszę pani — powiedział Marx.

— Proponuję, by zrobiono test na zawartość alkoholu w krwi zabitego chłopca. Z tego, co wiem na temat nastolatków w ludzkim środowisku, którzy stanowili grupę jego przyjaciół, byli oni niemal ustawicznie pijani. Niewykluczone, że pod wpływem odurzenia alkoholowego wpadł do wody i utonął. Poranił się, spadając na skały. Całkiem możliwe też, że rany zostały spowodowane przez zwierzęta. Nieraz widzi się nad brzegiem rzeki kojoty, nawet w obrębie Tulsy.

— Owszem, proszę pani, testy na zawartość alkoholu zostały wykonane. Mimo że niewiele krwi pozostało w jego ciele, mogą być wiele mówiące.

— To dobrze. Jestem pewna, że spośród licznych informacji, które wam dostarczą, będzie i ta, że chłopiec był pijany, i to zapewne mocno pijany. Wydaje mi się, że panowie powinni szukać bardziej prawdopodobnych przyczyn jego śmierci niż atak wampira. Teraz, jak się domyślam, panowie już skończyli?

— Jeszcze jedno pytanie, panno Redbird. — Detektyw Marx powiedział to, nie patrząc na Neferet. — Gdzie byłaś w czwartek między ósmą a dziesiątą?

— Wieczorem? — zapytałam.

— Tak.

— W szkole. Tutaj. Na lekcjach.

Martin spojrzał na mnie bardzo zdziwiony.

— W szkole? O tej porze?

— Może powinien pan się przygotować, zanim zabierze się pan do odpytywania moich uczniów. Lekcje w Domu Nocy zaczynają się o ósmej wieczorem i trwają do trzeciej nad ranem. Wampiry od dawna wolą funkcjonować nocą. — Nadal dało się słyszeć groźny ton w głosie Neferet. — Zoey była w szkole na lekcjach, kiedy ten chłopiec umarł. Czy teraz panowie już skończyli?

— Na razie skończyliśmy zadawać pytania pannie Redbird. — Marx przewrócił kilka kartek notesu, w którym robił notatki, i dodał: — Musimy jeszcze porozmawiać z Lorenem Blakiem.

Usiłowałam nie dać po sobie poznać, jakie wrażenie zrobiło na mnie to imię, ale poczułam, jak oblewa mnie gorąco.

— Przykro mi, ale wczoraj wieczorem Loren odleciał stąd szkolnym samolotem. Udał się do jednej ze szkół na Wschodnim Wybrzeżu, by wspierać naszych uczniów, którzy biorą tam udział w finale międzynarodowego konkursu na najlepiej wygłoszony monolog Szekspira. Oczywiście przekażę mu, kiedy wróci w niedzielę, że panowie chcą się z nim widzieć — obiecała Neferet, zmierzając do drzwi i dając im w ten sposób jednoznacznie do zrozumienia, że ich wizyta jest skończona.

Ale Marx nie ruszył się z miejsca. Nadal nie spuszczał ze mnie wzroku. W końcu powoli sięgnął do kieszeni, skąd wyciągnął swoją wizytówkę i wręczył mi ją ze słowami:

— Jeśli uznasz, że jakakolwiek informacja, która przyjdzie ci do głowy, mogłaby nam pomóc w odnalezieniu zabójców Chrisa, zadzwoń do mnie. — Następnie skinął głową w stronę Neferet. — Dziękuję, że poświęciła nam pani swój czas. Wrócimy tu w niedzielę, by porozmawiać z panem Blakiem.

— Odprowadzę panów — powiedziała Neferet. Ścisnęła mnie za ramię i śmignęła do drzwi, by jak najszybciej je zamknąć za policjantami.

Usiadłam, próbując zebrać myśli. Neferet kłamała, świadomie przemilczając incydent, w którym piłam krew Heatha, oraz to, że omal nie zginął podczas obchodów święta Samhain. Skłamała też, mówiąc o Lorenie. Nie wyjechał on ze szkoły poprzedniego dnia przed świtem. O brzasku był ze mną pod szkolnym murem.

Zacisnęłam mocno dłonie, próbując opanować ich drżenie.

Położyłam się spać dopiero o dziesiątej (oczywiście rano). Damien, Bliźniaczki i Stevie Rae chcieli wiedzieć wszystko na temat wizyty policjantów. Nie miałam nic przeciwko temu, żeby im opowiedzieć. Pomyślałam, że odtwarzając szczegółowo przebieg tego dziwnego spotkania, odnajdę klucz do zagadki, zrozumiem, co się dzieje. Ale myliłam się. Nikt z nas też nie domyślał się, dlaczego naszyjnik przywódczyni Cór Ciemności znalazł się przy zwłokach zabitego chłopca. Sprawdziłam swój naszyjnik; spoczywał bezpiecznie w kasetce na biżuterię. Erin, Shaunee i Stevie Rae uważały, że za podrzuceniem gliniarzom naszyjnika, a nawet za zabiciem

Chrisa kryje się Afrodyta. Ale Damien i ja już nie byliśmy tego tak pewni. Afrodyta nienawidziła ludzi, ale nie znaczyło to, by miała się posunąć do uprowadzenia i zabicia świetnie zbudowanego piłkarza, którego nie dałoby się przecież schować w jej bajeranckiej torebce Coach. Ponad wszelką wątpliwość nie zadawała się z ludźmi. A co do naszyjnika, to owszem, miała go, ale tylko do dnia, w którym Neferet jej go zabrała, by mi przekazać jako symbol przywództwa nad Córami i Synami Ciemności.

Zostawiwszy nierozwikłaną zagadkę naszyjnika, mogliśmy tylko zgadywać, że to Kayla, ta szmata, jak nazywały ją Bliźniaczki, musiała powiedzieć glinom, że ja zabiłam Chrisa. W ten sposób mściła się na mnie za to, że Heath nadal za mną szalał. Najwyraźniej gliny nie miały poważnych podejrzeń, skoro poszły tropem oskarżeń zazdrosnej nastolatki. Jasne, że moi przyjaciele nie wiedzieli nic o krwiopiciu. Nadal nie mogłam się zdobyć na to, by im wyznać, że piłam (czy lizałam, wszystko jedno) krew Heatha. Podałam więc im tę samą ocenzurowaną wersję, jaką miałam dla detektywów. O historii z krwią (oprócz samego Heatha i tej szmaty Kayli) wiedziała jeszcze Neferet i Erik. Neferet wiedziała to ode mnie, Erik natomiast był świadkiem tej sceny i stąd znał prawdę. A skoro o Eriku mowa, to — nagle za nim zatęskniłam, zwłaszcza że ostatnio byłam tak zaabsorbowana, że nawet nie miałam czasu na tęsknotę; teraz chciałabym, aby już wrócił, wtedy mogłabym opowiedzieć o wypadkach ostatnich dni komuś, kto nie był starszą kapłanką.

Tuż przed zaśnięciem pomyślałam, że Erik powinien wrócić w niedzielę. Tego dnia Loren także powinien być z powrotem. (Nie, nie chciałam zastanawiać się nad tym, do czego mogło między nami dojść, wolałam też odpędzić od siebie myśl, że to on stanowił przynajmniej część mojego „zaabsorbowania", które nie dało mi zatęsknić za Erikiem).

Ale dlaczego do cholery policjanci chcieli rozmawiać z Lorenem? Tego nikt z nas się nie domyślał.

Westchnęłam i spróbowałam się odprężyć. Nie znoszę, kiedy jestem śpiąca i nie mogę zasnąć. Nie potrafiłam jednak wyłączyć myśli. Nie tylko sprawa Chrisa Forda i Brada Higeonsa nie mogła mi wyjść z głowy, ale także czekająca mnie misja wystąpienia w roli terrorystki kontaktującej się z FBI. Do tego perspektywa utworzenia kręgu i prowadzenia uroczystości obchodów Pełni Księżyca, których jeszcze nie zaplanowałam w szczegółach. Wszystko to przyprawiało mnie o koszmarny ból głowy.

Spojrzałam na budzik. Dochodziło wpół do jedenastej. Za cztery godziny powinnam wstać i zatelefonować do FBI. A to dopiero początek, bo będę musiała jeszcze jakoś przetrwać następne godziny, zanim podadzą w wiadomościach informacje o moście (oby udało się nie dopuścić do wypadku) i o odnalezieniu Higeonsa (oby żywego), oraz jakoś wyobrazić sobie scenariusz obchodów Pełni Księżyca (oby nie doszło do mojej kompromitacji).

Stevie Rae, która potrafiłaby zasnąć, stojąc na głowie w środku zamieci śnieżnej, teraz pochrapywała leciutko po drugiej stronie pokoju. Nala, zwinięta w kłębek, umościła się na mojej poduszce. Nawet ona przestała na mnie narzekać i pomrukiwała teraz pogrążona w swoich kocich snach. Przez chwilę myślałam, czy nie powinnam zrobić jej testu uczuleniowego, tak często przecież kichała. Ale uznałam, że wymyślam nowe zmartwienia, pogłębiając tylko swój stres. Kocina była utuczona niczym świąteczny indyk. A brzuch miała taki, jakby miała w nim zmieścić małe kangurzątko. Pewnie dlatego tak sapała i kichała. Noszenie takiej ilości tłuszczu to dla kota nie lada wyzwanie.

Zamknęłam oczy i zaczęłam liczyć owce. Dosłownie. To podobno pomaga. Wyobraziłam więc sobie pastwisko i bramki, przez które przeskakiwały wełniste owieczki (bo chyba tak się liczy owce przed zaśnięciem). Po pięćdziesiątej szóstej kolejne liczby zaczęły mi się mieszać, tak że w końcu zapadłam w płytki sen, w którym owce miały na sobie klubowe biało-czerwone dresy drużyny Union. Ich pastuszka zaganiała je do bramek (przypominających miniaturowe bramki na boisku do gry w piłkę nożną), które owieczki zręcznie przeskakiwały. Ja we śnie unosiłam się nad tą owczą scenerią niczym bohaterska zwyciężczyni. Nie widziałam twarzy owej pastuszki, ale nawet oglądana z tyłu wydawała się wysoka i piękna. Miedziane włosy sięgały jej do pasa. Jakby wyczuwając, że jest obserwowana, odwróciła się i spojrzała na mnie oczami koloru zielonego mchu. Uśmiechnęłam się do niej. Jasne, że Neferet stała nad tym wszystkim, nawet w moim śnie. Pomachałam jej, ale zamiast odpowiedzieć mi tym samym, zmrużyła groźnie oczy, obróciła się gwałtownie i skoczyła. Warcząc jak dziki zwierz, złapała owieczkę, uniosła ją i paznokciem mocnym i długim jak szpon przecięła ofierze gardło wprawnym gestem, po czym przyssała się do krwawiącej rany zwierzęcia. Patrzyłam na to przerażona i zafascynowana zarazem. Chciałam odwrócić wzrok, ale nie mogłam. Wkrótce ciało owieczki zaczęło lekko falować jak powierzchnia zaczynającej się gotować wody. Kilka razy zamrugałam i owieczka przeistoczyła się w Chrisa Forda, który szeroko otwartymi martwymi oczami patrzył na mnie z wyrzutem.

Przerażona wstrzymałam oddech, w końcu oderwałam wzrok od całej tej krwawej sceny ze snu, ale straszna wizja jeszcze się nie skończyła, bo oto Neferet przeistoczyła się w Lorena Blake'a i to on pił teraz krew sączącą się z gardła Chrisa. Spoglądał na mnie z uśmiechem. Znów nie mogłam odwrócić wzroku. Patrzyłam jak zahipnotyzowana.

Drżałam w swoim śnie, gdy znajomy głos unosił się w powietrzu i płynął do mnie. Najpierw był to tylko szept, tak cichy, że nie mogłam rozróżnić słów, ale gdy Loren wypił ostatnią kroplę krwi, jego słowa stały się nie tylko słyszalne, ale i widzialne. Pląsały wokół mojej głowy otoczone srebrną poświatą, równie znajomą jak jego głos.

...Pamiętaj, ciemność nie zawsze oznacza zło, tak jak światło nie zawsze niesie dobro.

Z trudem rozwarłam powieki, usiadłam gwałtownie na łóżku, ciężko dysząc. Osłabiona, czując mdłości, spojrzałam na zegarek: dwunasta trzydzieści. Jęknęłam. Oznaczało to, że spałam tylko dwie godziny. Nic dziwnego, że czułam się podle. Cichutko poszłam do łazienki, którą dzieliłam ze Stevie Rae, tam ochlapałam sobie twarz, usiłując zmyć z siebie senność. Niestety nie udało mi się zmyć przygnębiającego wrażenia, jakie pozostawił po sobie koszmar senny.

Na pewno już bym nie zasnęła. Bezszelestnie podeszłam do okna i rozsunęłam lekko zasłony, by wyjrzeć na dwór. Szarość zwiastowała ponury dzień. Nisko zwieszające się chmury całkowicie przesłaniały słońce, a ustawiczna mżawka zacierała wszystkie kontury. Pogoda akurat odzwierciedlała mój nastrój, ponadto sprawiała, że mogłam znieść światło dzienne. Od jak dawna nie oglądałam światła dnia? Uświadomiłam sobie, że nie licząc z rzadka oglądanych świtów, to już miesiąc. Wstrząsnął mną dreszcz. Poczułam, że ani minuty dłużej nie mogę zostać wewnątrz tego pomieszczenia. Ogarnęła mnie klaustrofobia, czułam się jak w grobie.

Weszłam raz jeszcze do łazienki, gdzie otworzyłam szklany słoiczek z kremem, który mógł bez śladu pokryć cały tatuaż. Na samym początku pobytu w Domu Nocy myślałam z przerażeniem, że nigdy, ale to nigdy przedtem nie widziałam adepta. Wobec tego wyobrażałam sobie, że adepci są trzymani w zamknięciu czterech ścian budynku szkolnego przez cztery lata nauki. Wkrótce odkryłam prawdę — adepci cieszą się sporą wolnością, ale jeśli wychodzą poza teren szkoły, muszą przestrzegać dwóch bardzo ważnych zasad. Jedna to obowiązek maskowania Znaku, tak by pozostawał całkowicie niewidoczny, i nienoszenie żadnych insygniów świadczących o przynależności do danej klasy.

Druga zasada, moim zdaniem ważniejsza, to konieczność pozostawania adepta w bliskości dorosłego wampira. Proces podlegania Przemianie jest dziwny i skomplikowany, nawet obecnie nauka nie wszystko potrafi ująć i wyjaśnić. Jedno natomiast jest pewne: jeśli adept pozostanie przez dłuższy czas pozbawiony kontaktu z dorosłym wampirem, proces Przemiany zostaje zatrzymany i adept umiera. Zawsze tak się dzieje. Tak więc wolno nam opuścić szkołę, pójść na zakupy czy coś w tym rodzaju, ale jeśli nasza nieobecność potrwa dłużej niż kilka godzin, organizm zacznie odrzucać Przemianę, co kończy się śmiercią. Nic dziwnego więc, że zanim zostałam Naznaczona, myślałam, że nigdy nie widziałam adepta. Prawdopodobnie widziałam, ale po pierwsze: Znak był całkowicie przesłonięty, i po drugie: każdy adept wie, że nie może się włóczyć jak pozostałe nastolatki. Czyli byli wśród ludzi, ale zamaskowani i spieszący się do swoich spraw.

Zrozumiałe, dlaczego się maskowali. Przecież nie chodziło im o to, by wmieszać się w tłum i szpiegować ludzi, jak to sobie ci niemądrzy wyobrażali. Prawdą natomiast jest, że ludzie i wampiry współistnieją na zasadach kruchego pokoju. Rozgłaszanie, że adepci właśnie wyszli ze szkoły i wybrali się na zakupy czy do kina jak normalne dzieciaki, byłoby niepotrzebnym szukaniem guza. Bez trudu mogę sobie wyobrazić, co by powiedzieli ludzie pokroju mojego koszmarnego ojciacha. Pewnie to, że gangi młodocianych wampirów włóczą się po okolicy, dopuszczając się rozmaitych przestępstw. Och, straszny z niego dupek. Ale nie tylko on tak myśli. Bez wątpienia reguły wprowadzone przez wampiry miały głęboki sens.

Bez wahania zaczęłam wklepywać krem w policzki i czoło, by ukryć przed światem swój Znak, po którym by mnie rozpoznano. Zdumiewające, jak dokładnie krem przykrywał

Znak. Kiedy stopniowo znikał z mej twarzy ciemniejący pół-księżyc i girlanda niebieskich spiralnych linii okalających mi oczy, obserwowałam, jak pojawia się dawna Zoey, co wywołało we mnie mieszane uczucia. Owszem, wiedziałam, że zmieniłam się nie tylko zewnętrznie, czego potwierdzeniem był tatuaż, ale zniknięcie Znaku Nyks okazało się szokujące. Poczułam, że czegoś mi brakuje, i zrobiło mi się z tego powodu żal.

Kiedy przypominam sobie tę chwilę, wiem, że powinnam była posłuchać swojego wahania i wrócić do łóżka, choćby z książką w ręku.

Tymczasem popatrzyłam na swoje odbicie i powiedziałam do niego: „Wyglądasz młodo". Następnie wciągnęłam dżinsy i czarny sweter. Jeszcze przez chwilę grzebałam w szafie (ostrożnie, by nie zbudzić Stevie Rae ani Nali, bo każda chciałaby mi towarzyszyć) w poszukiwaniu starej bluzy z kapturem i napisem *Borg Invasion 4D*, włożyłam ją na siebie, do tego wygodne czarne adidasy, kapelusz z emblematami OSU*, bajeranckie okulary od słońca firmy Maui Jim i już byłam gotowa do wyjścia. Zanim zdążyłabym się rozmyślić (co byłoby mądrym posunięciem), złapałam torebkę i wymknęłam się z pokoju.

W głównej sali internatu nie było nikogo. Pchnęłam drzwi, wzięłam głęboki oddech, by się uspokoić przed poważnym krokiem, i wyszłam na zewnątrz. Oczywiście legendy o tym, jak wampir wystawiony na działanie światła dnia spala się na popiół, to wierutne kłamstwo, prawdą jest natomiast, że dorosłemu wampirowi jasność dnia sprawia przykrość. Mnie jako adeptce „zaawansowanej" w niezwykły sposób w proces Przemiany światło dzienne również dawało uczucie dyskomfortu, zacisnęłam jednak zęby i pełna determinacji weszłam w przesiąknięty mżawką świat.

---

* Skrót od Ohio State University.

Kampus sprawiał wrażenie opuszczonego. Niecodzienny to widok, po drodze nie spotkałam żadnego ucznia ani dorosłego wampira na chodniku okalającym główny budynek (który nadal przypominał mi zamek) i prowadzącym na parking. Bez trudu znalazłam swojego volkswagena garbusa, rocznik 1966, który kontrastował z eleganckimi autami, w jakich gustowały wampiry. Jego niezawodny silnik zawarczał i zaraz zaskoczył, jakby był nowy, prosto z fabryki.

Żeby otworzyć garaż, nacisnęłam guzik breloczka, który dała mi Neferet zaraz po tym, jak Babcia przyprowadziła tutaj mój samochód. Żelazna kuta brama otworzyła się bezszelestnie.

Mimo że światło dzienne raziło mnie w oczy i powodowało swędzenie skóry, humor poprawił mi się od razu, gdy tylko przekroczyłam szkolne ogrodzenie. Nie świadczy to o tym, bym nie lubiła Domu Nocy, nic takiego. W gruncie rzeczy szkoła i koledzy stali się dla mnie domem i rodziną. Tego dnia jednak potrzebowałam czegoś więcej. Chciałam poczuć się normalnie, jak przed Naznaczeniem, kiedy największym moim zmartwieniem była klasówka z geometrii, a moim jedynym talentem umiejętność wypatrzenia ładnych butów na wyprzedaży.

Właśnie, zakupy to niezły pomysł. Utica Square znajdował się w odległości mniejszej niż jedna mila od Domu Nocy, a ja przepadałam za znajdującym się tam sklepem American Eagle. Od kiedy zostałam Naznaczona, w mojej szafie przeważały rzeczy w ciemnych kolorach, jak fiolet, czerń czy granat. Zapragnęłam mieć czerwony sweter.

Zaparkowałam w mniej uczęszczanym sektorze parkingu, za szeregiem sklepów, wśród których American Eagle zajmował centralne miejsce. Więcej tu rosło starych drzew, które dawały głębszy cień, co mi akurat odpowiadało, a poza tym mniej tu przychodziło ludzi. Wiedziałam ze swojego odbicia w lustrze, że na zewnątrz wyglądam jak pierwsza lepsza ludzka nastolatka, wewnętrznie jednak nadal czułam się Naznaczona i podenerwowana swoją pierwszą samodzielną wyprawą do dawnego świata.

Nie spodziewałam się wpaść na kogoś znajomego. Dawne szkolne koleżanki uważały mnie za dziwaczkę, ponieważ wolałam robić zakupy w śródmiejskich eleganckich sklepach niż w hałaśliwych centrach handlowych, gdzie rozchodził się zapach fast foodów. To dzięki Babci Redbird nabrałam upodobania do takich miejsc. Zabierała mnie nieraz do Tulsy na cały dzień, bym zakosztowała miejskich rozrywek. Mogłam się nie obawiać, że tu, na Utica Square, spotkam Kaylę czy znajomych z Broken Arrow. Poczułam nęcący zapach American Eagle, którego magia znów zaczęła na mnie działać. Kiedy płaciłam za ładny czerwony sweterek, żołądek przestał mnie boleć, a mimo że prawie nie spałam, ból głowy też minął.

Tyle że bardzo chciało mi się jeść. Vis-à-vis American Eagle znajdował się Starbucks z narożnym ogródkiem usytuowanym wewnątrz niewielkiego placyku. W taką pogodę trudno się było spodziewać, że ktoś zechce usiąść na zewnątrz przy jednym z żelaznych stoliczków ustawionych na szerokim chodniku pod rosnącymi na jego skraju drzewami. Mogłabym sobie zamówić smaczne cappuccino i jagodziankę, które tu osiągały gigantyczne rozmiary. Siedząc nad tymi smakołykami, mogłabym z powodzeniem uchodzić za normalną studentkę college'u.

Wyglądało to na całkiem rozsądny plan. Miałam rację: w ogródku kawiarnianym nikogo nie było, spokojnie więc usiadłam pod rozłożystą magnolią i przystąpiłam do obfitego słodzenia swojego cappuccino i powolnego rozkoszowania się jagodzianką.

Nie pamiętam chwili, w której poczułam jego obecność. Zaczęło się od lekkiego swędzenia na skórze. Zmieniłam pozycję, próbując się skupić na lekturze recenzji filmowych i zastanawiając się, czybym nie mogła namówić Erika na wyskoczenie do kina na któryś z najnowszych filmów w najbliższy weekend. A jednak nie dane mi było skupić się na recenzjach. Podskórne wrażenie czegoś dziwnego nie dawało mi spokoju. Zdenerwowana uniosłam głowę i zmartwiałam.

Nie dalej jak piętnaście stóp ode mnie pod latarnią stał Heath Luck.

ROZDZIAŁ DWUNASTY

Heath przyklejał do słupa latarni jakąś ulotkę. Dobrze widziałam jego twarz, zaskoczyło mnie, że jest taki przystojny. Jasne, znałam go od trzeciej klasy i miałam możność obserwować, jak z ładnego chłopaczka robił się najpierw fajny, a potem seksowny chłopak, nigdy jednak nie zauważyłam u niego takiego wyrazu twarzy. Bez śladu uśmiechu, rysy jego stały się bardziej poważne, co sprawiło, że wyglądał teraz na więcej niż osiemnaście lat. Tak jakbym widziała moment jego przeistoczenia się w mężczyznę, i ten mężczyzna mi się podobał. Wysoki, jasnowłosy, z wyraźnie zarysowanymi kośćmi policzkowymi, zdecydowanym podbródkiem. Nawet z daleka można było dostrzec, że ma gęste rzęsy, zadziwiająco ciemne jak na blondyna, okalające łagodne piwne oczy, które tak dobrze znałam.

Wtedy, jakby i on poczuł moje spojrzenie, odwrócił wzrok od słupa latarni i napotkał mój wzrok. Patrzyłam, jak zesztywniał, a zaraz potem jego ciałem wstrząsnął silny dreszcz, jakby powiało na niego mroźne powietrze.

Powinnam była wstać i schronić się w kawiarni, gdzie panował gwar rozgadanych i śmiejących się ludzi i gdzie nie moglibyśmy znaleźć dla siebie odosobnienia. Ale tak nie zrobiłam. Siedziałam nieporuszona, kiedy wypuścił z rąk ulotki. Pofrunęły wokół i opadły na ziemię jak martwe ptaki, podczas gdy on szybko podszedł do mnie. Stanął przy stoliku i nie odzywał się ani słowem, co wydawało się trwać wiecznie. Nie wiedziałam, jak się zachować, zwłaszcza że ogarnęło mnie zdenerwowanie. W końcu nie mogłam dłużej znieść przedłużającego się milczenia.

— Cześć, Heath — odezwałam się pierwsza.

Wzdrygnął się, jakby ktoś głośno zatrzasnął drzwi tuż za jego plecami i śmiertelnie go wystraszył.

— Cholera! — zawołał. — Ty naprawdę tu jesteś!

Zmarszczyłam brwi. Nigdy nie był specjalnie błyskotliwy, ale nawet jak na niego uwaga wydawała się beznadziejna.

— Jasne, że tu jestem. A co myślałeś? Że to mój duch?

Opadł na sąsiednie krzesło, jakby nie miał siły ustać dłużej na nogach.

— Tak. Nie. Nie wiem. To dlatego, że ciągle cię widzę, ale w rzeczywistości ciebie nie ma. Myślałem, że to znów złudzenie.

— Heath, co ty wygadujesz? — Popatrzyłam na niego spod zmrużonych powiek i pociągnęłam wymownie nosem. — Jesteś pijany?

Potrząsnął głową.

— Na haju?

— Nie. Od miesiąca nie piję. Rzuciłem też palenie.

To co powiedział, było jasne i proste, ale zamrugałam gwałtownie, jakbym nadal nie mogła pojąć, co on mówi.

— Rzuciłeś picie?

— I palenie. Wszystko rzuciłem. Między innymi dlatego tyle razy do ciebie dzwoniłem. Chciałem, abyś wiedziała, że się zmieniłem.

Trudno mi było zdobyć się na jakąś odpowiedź.

— No to, eee... cieszę się — wyjąkałam w końcu. Wiem, że nie zabrzmiało to zbyt mądrze, ale zbijał mnie też z tropu jego palący wzrok. I coś jeszcze. Czułam jego zapach. Nie był to aromat wody kolońskiej ani woń męskiego potu. Był to uwodzicielski zapach, który kojarzył mi się z upałem, blaskiem księżyca i erotycznymi marzeniami. Emanował z każdego cala jego skóry, wydzielał się wszystkimi porami, sprawiał, że chciałam natychmiast przysunąć krzesło, by znaleźć się bliżej niego.

— Dlaczego do mnie nie oddzwoniłaś? Nie wysłałaś też SMS-a.

Znów zamrugałam, starając się nie poddawać sile jego przyciągania i zacząć myśleć jasno.

— Heath, bo to nie ma sensu. Nic nie może się dziać między nami — powiedziałam rozsądnie.

— Przecież wiesz, że już coś zaszło między nami.

Potrząsnęłam głową i już otwierałam usta, by mu wytłumaczyć, dlaczego się myli, ale nie dopuścił mnie do słowa.

— Co się stało z twoim Znakiem? Zniknął!

Nie podobał mi się ten podekscytowany ton, naskoczyłam na niego.

— Heath, znowu nie masz racji! Znak nie zniknął. Jest po prostu przykryty, a to dlatego, żeby głupi ludzie nie panikowali. — Udałam, że nie widzę wyrazu przykrości, jaki pojawił się na jego twarzy, przez co straciła swój dojrzały wygląd i ukazała znane mi oblicze fajnego chłopaka, za którym kiedyś szalałam. — Heath — powiedziałam tym razem łagodnie. — Mój Znak nigdy nie zniknie. W ciągu najbliższych trzech lat albo stanę się wampirem, albo umrę. Istnieją tylko te dwie możliwości. Nigdy już nie będę taka jak przedtem. I między nami też nie będzie tak, jak było. — Zamilkłam, ale zaraz dodałam: — Przykro mi.

— Zo, ja to rozumiem. Ale nie rozumiem, dlaczego ma to oznaczać dla nas koniec.

— Heath, skończyliśmy ze sobą, jeszcze zanim zostałam Naznaczona. Nie pamiętasz?

Zamiast upierać się przy swoim, jak to miał w zwyczaju, teraz, nadal patrząc mi w oczy, poważny i trzeźwy, odpowiedział:

— To dlatego, że zachowywałem się jak idiota. Ty nie znosiłaś, jak byłem pijany czy na haju. I miałaś rację. Więc przestałem pić i palić. Obecnie koncentruję się na grze w piłkę, na stopniach, bo chcę się dostać na OSU. — Uśmiechnął się do mnie z wdziękiem małego chłopca, co zawsze, od trzeciej klasy, mnie rozbrajało. — Tam wybiera się też moja dziewczyna. Będzie weterynarką. Wampirką weterynarką.

— Heath, ja... — Zawahałam się, z trudem próbując przełknąć gulę, która nagle stanęła mi w gardle, sprawiając, że zachciało mi się płakać. — Nie jestem pewna, czy nadal chcę zostać weterynarką, a jeśli nawet, to wcale nie znaczy, że będziemy mogli być razem.

— Spotykasz się z kimś — powiedział bez złości, ale z bezbrzeżnym smutkiem. — Niewiele zapamiętałem z tamtej nocy. Za każdym razem kiedy staram się sobie przypomnieć szczegóły, wszystko się zlewa w jeden niewyraźny koszmar, z którego nie daje się nic sensownego wyłowić, poza tym zawsze wtedy dostaję silnego bólu głowy.

Siedziałam nieporuszona. Wiedziałam, że ma na myśli obchody święta Samhain, kiedy przyszedł tam za mną, a Afrodyta straciła kontrolę nad duchami. Heath wtedy omal nie umarł. Erik też tam był i zachował się niczym prawdziwy wojownik (tak powiedziała Neferet), gdy stanął w obronie Heatha i pokonał widma, dając mi czas na utworzenie kręgu i odesłanie duchów tam, skąd przyszły. Kiedy ostatnio widziałam Heatha, był nieprzytomny i krwawił z powodu licznych ran. Neferet zapewniła mnie, że go uleczy i sprawi, iż wspomnienia tej nocy będzie miał zasnute mgłą. Jak się okazało, była to całkiem gęsta mgła.

— Heath, zapomnij o tej nocy. Było, minęło, lepiej, żebyś...

— Wtedy ktoś był tam z tobą — przerwał mi. — Chodzisz z nim?

Westchnęłam.

— Tak.

— Zo, daj mi szansę, bym cię odzyskał.

Potrząsnęłam głową, mimo że słowa te zapadły mi w serce.

— Nie, Heath, to niemożliwe.

— Ale dlaczego? — Wyciągnął do mnie rękę przez stół i nakrył nią moją dłoń. — Nie interesuje mnie cała ta wampirologia. Dla mnie nadal jesteś Zoey, tą samą Zoey, jaką znam od zawsze. Pierwszą dziewczyną, którą pocałowałem. Zoey, która zna mnie lepiej niż ktokolwiek inny na świecie. Zoey, o której śnię co noc.

Doszedł mnie zapach jego ręki, nęcący, wspaniały. Poczułam pod swoimi palcami jego tętno. Nie chciałam mu tego mówić, ale musiałam. Spojrzałam mu prosto w oczy i powiedziałam:

— Nie zapomniałeś o mnie tylko dlatego, że posmakowałam twojej krwi wtedy, pod murem naszej szkoły, i zostaliśmy Skojarzeni ze sobą. Pragniesz mnie teraz, ponieważ tak się zawsze dzieje, kiedy wampir albo, jak się okazuje, nawet adept, spróbuje krwi ludzkiej ofiary. Neferet, nasza starsza kapłanka, twierdzi, że nie całkiem zostałeś jeszcze Skojarzony ze mną i jeśli będę się trzymała z daleka od ciebie, w końcu zauroczenie minie, staniesz się na powrót normalny i zapomnisz o mnie. Dlatego tak postępuję — dokończyłam pospiesznie. Spodziewałam się, że spanikuje, nazwie mnie potworem albo jakoś tak, nie miałam jednak wyboru, a teraz kiedy już wiedział, mógł spojrzeć na wszystko z innej perspektywy.

Jego głośny śmiech przerwał moje spekulacje. Odrzucił głowę do tyłu i śmiał się serdecznie, jak to on potrafił, całym sobą, co mnie znów wzruszyło. Uśmiechnęłam się do niego.

— O co chodzi? — zapytałam, starając się przybrać poważną minę.

— Oj, Zo, nie rozśmieszaj mnie. — Ścisnął mocniej moją rękę. — Szaleję za tobą, od kiedy skończyłem osiem lat. Jak to może mieć cokolwiek wspólnego z tym, że spróbowałaś mojej krwi?

— Heath, uwierz mi, że jesteśmy Skojarzeni.

— No i fajnie. — Uśmiechnął się do mnie szeroko.

— Też będzie fajnie, kiedy przeżyję cię o kilkaset lat? Lekko błaznując, poruszył kilkakrotnie jedną brwią.

— To chyba nie takie znów nieszczęście, kiedy facet, powiedzmy, pięćdziesięcioletni, może się pochwalić, że jego dziewczyna to młoda, atrakcyjna, seksowna wampirzyca.

Wzniosłam oczy do nieba. Ależ z niego dzieciak.

— Wiele innych rzeczy trzeba jeszcze wziąć pod uwagę. Kciukiem pocierał wierzch mojej dłoni.

— Zawsze wszystko komplikujesz. Ja i ty, cóż więcej trzeba brać pod uwagę?

— Jest jeszcze parę spraw, nad którymi należy się zastanowić, Heath. — Coś przyszło mi do głowy, więc zmieniając temat, zapytałam z pozornie niewinną minką: — A jak się ma moja była najlepsza przyjaciółka, Kayla?

Nie zrobiło to na nim najmniejszego wrażenia. Wzruszył ramionami.

— Pojęcia nie mam. Prawie już jej nie widuję.

— Dlaczego? — Wydało mi się to dziwne. Nawet jeśli nie umawiał się z Kaylą, to należeli oboje do tej samej paczki, do której i ja należałam, spotykającej się od lat.

— Bo to już nie to, co było. Nie podoba mi się, co ona opowiada. — Nie patrzył na mnie.

— Na mój temat? — chciałam się upewnić.

Kiwnął głową.

— A co ona mówi? — Nie byłam pewna, czy bardziej mnie to bulwersowało czy sprawiało przykrość.

— Takie tam rzeczy... — Nadal na mnie nie patrzył.

Zmrużyłam oczy.

— Pewnie myśli, że mam coś wspólnego ze śmiercią Chrisa.

Wzruszył bezradnie ramionami.

— Nie że ty, w każdym razie wyraźnie tego nie powiedziała. Uważa, że to sprawka wampirów, ale wielu ludzi tak myśli.

— A ty? — zapytałam łagodnie.

Teraz na mnie spojrzał, i to ostro.

— W żadnym wypadku! Ale dzieje się coś niedobrego. Ktoś porywa naszych graczy. Dlatego tutaj przyszedłem. Rozklejam ulotki ze zdjęciem Brada. Może ktoś widział, jak go porywano.

— Przykro mi z powodu Chrisa. — Oplotłam palcami jego rękę. — Wiem, że się przyjaźniliście.

— Cholera! Nie mogę uwierzyć, że on nie żyje. — Przełknął z trudnością, wiedziałam, że stara się nie rozpłakać. — Myślę, że Brad też nie żyje.

Również tak uważałam, ale nie chciałam tego głośno mówić.

— Może nie. Może go znajdą.

— Cóż, może... Zaczekaj, pogrzeb Chrisa odbędzie się w poniedziałek. Pójdziesz ze mną?

— Heath, nie mogę. Czy wiesz, co by się działo, gdyby adeptka pokazała się na pogrzebie ludzkiego młodziaka, zabitego, jak większość myśli, przez wampiry?

— Chyba źle by się działo.

— Tak, masz rację. I to właśnie staram się ci uświadomić. Gdybyśmy byli ze sobą, mielibyśmy do czynienia z takimi problemami przez cały czas.

— Ale nie poza szkołą. Mogłabyś wtedy stosować ten maskujący krem, tak że nikt by się nie domyślił, kim jesteś.

To co mówił, właściwie mogłoby mnie wkurzyć, ale Heath był tak poważny, tak pewien tego, że wystarczy nałożyć trochę mazidła na mój tatuaż i wszystko będzie jak kiedyś, że nawet się na niego nie wściekałam, bo bardzo pragnął, żeby tak było. A czy ja czasem nie robiłam tego samego? Czy nie próbowałam właśnie przywrócić choć części swojej przeszłości?

Jednakże to nie byłam już ja i w głębi duszy wcale nie chciałam powrotu do dawnego życia. Podobało mi się moje nowe wcielenie, nawet jeśli pożegnanie dawnej Zoey okazało się nie tylko trochę bolesne, ale i trochę smutne.

— Heath, ja nie chcę skrywać swojego Znaku. Wtedy nie byłabym sobą. — Westchnęłam ciężko i mówiłam dalej: — Zostałam wyróżniona tym Znakiem przez boginię Nyks, która poza tym obdarzyła mnie też niezwykłymi zdolnościami. Nie mogłabym udawać, że jestem człowiekiem, nawet jakbym chciała. A wcale nie chcę.

Poszukał wzrokiem mojego spojrzenia.

— Okay, niech będzie tak, jak ty chcesz, a komu to się nie podoba, niech idzie do diabła.

— To nie będzie tak, jak ja chcę, Heath. Ja...

— Zaczekaj, nie musisz teraz niczego mówić. Zastanów się. Możemy się tu spotkać za kilka dni. — Uśmiechnął się do mnie. — Mogę nawet przyjść w nocy.

Powiedzenie mu, że już się więcej nie zobaczymy, okazało się znacznie trudniejsze, niż sobie wyobrażałam. W gruncie rzeczy nawet nie myślałam, że będę przeprowadzała z nim taką rozmowę. Uważałam, że skończyliśmy ze sobą. Miałam dziwne uczucie, że przebywanie z nim, i to tak blisko, było czymś nierealnym, a jednocześnie zupełnie normalnym. I to właściwie dobrze określało nasze kontakty. Znów westchnęłam i spojrzałam na nasze splecione dłonie, a wtedy zobaczyłam, która godzina.

— O cholera! — Wyrwałam rękę i chwyciłam swoją torebkę i pakunek z zakupami z American Eagle. Było piętnaście po drugiej. Za piętnaście minut muszę zadzwonić do FBI. Niech to diabli! — Heath, muszę iść. Naprawdę już jestem spóźniona do szkoły. Zadzwonię do ciebie później.

Ruszyłam szybkim krokiem, ale wcale się nie zdziwiłam, widząc, że on za mną idzie. Zaczęłam go odpędzać, ale się nie dał.

— Odprowadzę cię do samochodu — powiedział.

Nie protestowałam. Znałam ten ton. Mimo że narwany i uparty, Heath był jednak dobrze wychowany. Już w trzeciej klasie zachowywał się jak dżentelmen, otwierał przede mną drzwi, nosił moje książki, nawet jeśli koledzy go wyśmiewali z tego powodu. Odprowadzenie mnie do auta należało do jego dobrych obyczajów. Kropka.

Mój volkswagen nadal stał samotnie pod dużym drzewem, tam, gdzie go zaparkowałam. Heath jak zwykle otworzył przede mną drzwi. Nie mogłam powstrzymać uśmiechu. W końcu musiał być jakiś powód, dla którego lubiłam go przez wszystkie te lata. Naprawdę to był kochany chłopak.

Podziękowałam mu i wślizgnęłam się na miejsce kierowcy. Zamierzałam opuścić szybę i powiedzieć mu do widzenia, ale zdążył okrążyć auto i po kilku sekundach już siedział przy mnie szeroko uśmiechnięty.

— Nie możesz jechać ze mną — powiedziałam. — A ja się naprawdę śpieszę, więc nigdzie cię nie podwiozę.

— Wiem. Nie chcę, żebyś mnie gdzieś podwoziła. Mam swoją ciężarówkę.

— No dobrze. W takim razie do widzenia. Później do ciebie zadzwonię.

Nie ruszał się z miejsca.

— Heath, musisz...

— Zo, muszę ci coś pokazać.

— A możesz to zrobić szybko? — Nie chciałam być dla niego niemiła, ale rzeczywiście powinnam zaraz wracać do szkoły i zadzwonić do FBI. Cholera, szkoda, że nie wzięłam ze sobą komórki Damiena. Poklepywałam niecierpliwie kierownicę, podczas gdy Heath włożył rękę do kieszeni i grzebał w niej, gorączkowo czegoś szukając.

— O, jest... Od kilku tygodni noszę to ze sobą. — Wyciągnął z kieszeni jakiś przedmiot mały, płaski, długości może jednego cala, zawinięty w coś, co przypominało złożoną tekturkę.

— Heath, naprawdę już muszę iść, a ty... — urwałam, zdumienie odebrało mi mowę. W wątłym świetle ostrze żyletki połyskiwało kusząco. Chciałam coś powiedzieć, ale całkiem zaschło mi w gardle.

— Chcę, żebyś napiła się mojej krwi — powiedział zwyczajnie.

Dreszcz pragnienia przeniknął mnie całą. Z całej siły złapałam się kierownicy, żeby nie zauważył, jak drżą mi ręce, a raczej żebym nie złapała żyletki i nie zatopiła jej w jego ciepłej, pachnącej skórze, tak by pokazała się słodka krew, którą mogłabym spijać...

— Nie! — zawołałam, z przykrością widząc, jak wzdryga się od ostrego tonu mojego głosu. Przełknęłam i opanowałam się. — Odłóż to, Heath, i wysiądź z samochodu.

— Zo, ja się nie boję.

— Ale ja się boję! — odpowiedziałam, niemal płacząc.

— Nie masz się czego obawiać. To ja i ty, tacy sami jak zawsze.

— Heath, nawet nie wiesz, co robisz. — Bałam się patrzeć w jego stronę. Bałam się, że gdy spojrzę na niego, nie będę mogła dłużej się opierać.

— Wiem. Wtedy, tamtej nocy, spróbowałaś mojej krwi. To było... to było niesamowite. Ciągle o tym myślę.

Chciało mi się krzyczeć z tajonej frustracji. Bo ja też ciągle o tym myślałam, mimo że starałam się zapomnieć. Nie mogłam jednak mu tego powiedzieć. W końcu zmusiłam się, by na niego spojrzeć, udało mi się nawet opanować drżenie rąk. Już sama myśl o spróbowaniu jego krwi przyprawiała mnie o dreszcz podniecenia.

— Heath, idź już sobie. To nie jest normalne.

— Zo, mnie nie obchodzi, co jest dla kogoś normalne, a co nie. Ja ciebie kocham.

I zanim zdołałam go powstrzymać, wziął do ręki żyletkę i przejechał nią po szyi. Urzeczona patrzyłam na cienką czerwoną linię, która pojawiła się natychmiast na jego białej skórze.

Wtedy poczułam ten zapach — upojny, nieodparcie nęcący. Słodszy od czekolady, ciemniejszy od niej. W mgnieniu oka aromat krwi napełnił wnętrze mojego autka. Przyciągał mnie z taką siłą, jakiej jeszcze nigdy nie zaznałam. Nie tylko już c h c i a ł a m jej spróbować. Ja m u s i a ł a m jej się napić.

Nawet nie zauważyłam, kiedy przysunęłam się do niego, gdy jeszcze coś mówił; jego krew zadziałała na mnie jak magnes.

— Tak, Zoey, chcę, żebyś to zrobiła — powiedział Heath nieswoim głosem, zachrypniętym i niskim, jakby brakowało mu tchu.

— Ja też chcę... chcę jej spróbować.

— Wiem, mała. Śmiało — szepnął.

Nie mogłam się powstrzymać. Wysunęłam język i zaczęłam zlizywać krew z jego szyi.

ROZDZIAŁ TRZYNASTY

Jego krew wzburzyła się w moich ustach. W zetknięciu ze śliną ranka zaczęła obficiej krwawić, krew płynąć szybciej. Z jękiem, w którym nie potrafiłam rozpoznać swojego głosu, przytknęłam usta do jego skóry, liżąc szkarłatną smakowitą kreskę. Poczułam, jak Heath otacza mnie ramieniem, tak abym mogła mocniej się przyssać do jego szyi. Odrzucił głowę do tyłu i jęczał: „Tak, tak". Jedną ręką złapał mnie za pupę, drugą wsunął mi pod bluzkę i objął mą pierś.

Jego dotyk rozpalił żar w moim ciele. Rękę, jakby kierowaną przez jakieś nieznane mi siły, zsunęłam z jego ramienia w dół, aż do twardej wypukłości rysującej się z przodu dżinsów. Przyssałam się do jego szyi. Cały mój rozsądek gdzieś uleciał. Wszystkie doznania sprowadziły się do smakowania, czucia i dotyku. Gdzieś na dnie świadomości kołatała się myśl, że moje reakcje są na poziomie zwierzęcego zaspokajania potrzeb, ale niewiele mnie to obchodziło. Pragnęłam Heatha. Pragnęłam go, jak jeszcze nigdy nikogo i niczego na świecie.

— Och, Zoey, tak, tak — jęknął, poruszając się jednocześnie w rytm ruchów mojej ręki.

Rozległo się bębnienie w szybę.

— Ej, wy tam, tutaj nie można się gzić!

Czyjś głos raził mnie jak grom, tłumiąc żar rozpalony w moim ciele. Zobaczyłam mundur strażnika, na ten widok odsunęłam się od Heatha, ale on przycisnął mi głowę do swojej szyi i odwrócił się w taki sposób do strażnika, że ten, stojąc od strony pasażera, nie mógł mnie dobrze widzieć, tak jak nie mógł widzieć krwi nadal sączącej się z szyi Heatha.

— Słyszeliście, co powiedziałem? — grzmiał facet. — Zabierajcie się stąd, i to zaraz, żebym nie musiał was spisywać i powiadamiać waszych rodziców.

— Nie ma sprawy, proszę pana — odpowiedział grzecznie Heath. — Zaraz odjeżdżamy. — Mówił głosem tylko leciutko zdyszanym, ale poza tym brzmiącym najzupełniej normalnie.

— Lepiej się pospieszcie. Mam was na oku. Cholerni smarkacze... — mruczał jeszcze, odchodząc.

— W porządku — uspokoił mnie Heath. — Odszedł na tyle daleko, że nie może zobaczyć krwi — zapewnił mnie, zwalniając uścisk.

Natychmiast odskoczyłam od niego, niemal przyklejając się do drzwi, starając się odsunąć jak najdalej. Drżącymi rękami odsunęłam zamek torebki, skąd wyciągnęłam chusteczki higieniczne i podałam Heathowi.

— Przyłóż je do szyi, żeby zatamować krwawienie.

Zrobił, jak mu kazałam.

Opuściłam szybę, zacisnęłam dłonie i zaczęłam głęboko wdychać świeże powietrze, aby nie reagować dłużej na zapach ciała i krwi Heatha.

— Zoey, spójrz na mnie.

— Heath, po prostu nie mogę — odpowiedziałam, starając się nie rozpłakać. — Najlepiej idź już.

— Nie, najpierw musisz na mnie popatrzyć i posłuchać, co chcę ci powiedzieć.

Odwróciłam głowę w jego stronę i popatrzyłam na niego.

— Jak ty to robisz, do diabła, że jesteś taki spokojny i opanowany?

Nadal przyciskał chusteczkę do szyi. Policzki miał zaczerwienione, a włosy potargane. Uśmiechnął się do mnie, a ja pomyślałam wtedy, że nie znam nikogo, kto byłby bardziej uroczy niż on.

— To nic trudnego. Pieszczenie się z tobą to dla mnie normalka. Od lat szaleję za tobą.

Kiedy miałam piętnaście lat, a on szesnaście, przeprowadziliśmy ze sobą rozmowę, której głównym motywem była myśl, że nie jestem jeszcze gotowa na seks. Odpowiedział, że rozumie i gotów jest poczekać — oczywiście nie znaczyło to, że w ogóle mieliśmy się nie podpieszczać, ale to co zaszło dziś w samochodzie, było zupełnie inne od dotychczasowych doświadczeń. Więcej w tym było namiętności, pożądania. Wiedziałam, że jeśli nadal się będę z nim spotykać, to już wkrótce przestanę być dziewicą, i wcale nie dlatego, że Heath mógłby bardziej nalegać. Raczej dlatego, że nie zdołam zapanować nad pożądaniem jego krwi. Ta myśl w równym stopniu mnie przeraziła, co zafascynowała. Zamknęłam oczy i potarłam czoło. Ból głowy powrócił. Znów.

— Czy boli cię szyja? — zapytałam, zerkając na niego spod palców jak dzieciak oglądający horror, który go przerażał.

— Nie, Zo. Nic mi nie jest. — Wyciągnął rękę w moją stronę i odgiął mi palce. — Wszystko będzie dobrze. Przestań się ciągle martwić.

Chciałam mu wierzyć. Chciałam też, co sobie właśnie uświadomiłam, nadal się z nim spotykać. Westchnęłam.

— Spróbuję. Ale teraz naprawdę muszę już iść. Nie mogę się spóźnić do szkoły.

Ujął mnie za ręce. Poczułam jego tętno, wiedziałam, że bije w tym samym rytmie co moje serce, jakbyśmy oboje zsynchronizowali się na zawsze.

— Obiecaj, że zadzwonisz do mnie — poprosił.

— Obiecuję.

— I spotkasz się ze mną tutaj w przyszłym tygodniu.

— Nie wiem, kiedy będę mogła wyjść. Ten tydzień będzie dla mnie trudny.

Spodziewałam się, że będzie się targował, ale on tylko skinął głową i ścisnął moją dłoń.

— Dobrze. Rozumiem. Przebywanie w szkole na okrągło musi być upierdliwe. A może zrobimy tak: w piątek gramy na naszym boisku z Germańcami, może moglibyśmy się spotkać w Starbucksie po meczu?

— Może.

— Postarasz się?

— Tak.

Nachylił się i pocałował mnie.

— Moja Zo! W takim razie do piątku. — Wysiadł z samochodu i zanim zamknął drzwi, wsadził głowę do auta i powiedział: — Kocham cię, Zo.

Kiedy odjeżdżałam, widziałam go jeszcze we wstecznym lusterku. Stał na środku parkingu, przyciskał chusteczkę do szyi i machał do mnie na pożegnanie.

— Nie wiesz, co robisz, Zoey Redbird — powiedziałam do siebie głośno, a wtedy szare niebo się otworzyło i zimne strugi deszczu spadły na ziemię.

Była druga trzydzieści pięć, kiedy wróciłam cichutko do swojego pokoju. Właściwie dobrze się stało, że miałam tak mało czasu, bo nie mogłam zastanawiać się dłużej nad tym, co powinnam zrobić. Stevie Rae i Nala nadal smacznie spały. Nala nie została w moim pustym łóżku, tylko przeniosła się do Stevie Rae, gdzie zwinięta w kłębek ułożyła się tuż przy jej głowie. Uśmiechnęłam się na ten widok. Nala to niepoprawny poduszkowiec. Ostrożnie otworzyłam górną szufladę swojego komputerowego biurka i wyciągnęłam stamtąd telefon Damiena i kartkę papieru, na której nagryzmoliłam numer telefonu FBI. Z tym ekwipunkiem w ręku udałam się do łazienki.

Zrobiłam kilka głębokich wdechów, pamiętając o przestrogach Damiena, by się streszczać. Mam zrobić wrażenie osoby rozeźlonej, może nawet niespełna rozumu, ale nie wolno mi się zachowywać niepoważnie jak podfruwajka. Wybrałam numer. Kiedy zgłosił się dyżurny oficer, mówiąc: „Federalne Biuro Śledcze, w czym mogę pomóc?", nastroiłam swój głos na niskie tony i ucinając końcówki słów, jakbym połykała je, dusząc się od kipiącej we mnie złości, powiedziałam:

— Chcę powiadomić o podłożeniu bomby. — Rada, że tak właśnie powinnam się zachować, pochodziła od Erin, która całkiem niespodziewanie objawiła polityczną orientację. Mówiłam bez przerwy, by nie dać mu okazji do przerwania mojej wypowiedzi, ale słowa artykułowałam powoli i wyraźnie, wiedząc, że są nagrywane. — Moje ugrupowanie, Dżihad Przyrody (ta nazwa to pomysł Shaunee), podłożyło ją tuż pod powierzchnią wody przy jednym z pylonów (to słowo to wkład Damiena) na moście na rzece Arkansas w pobliżu Webber's Fall. Zapalnik nastawiony został na piętnastą piętnaście (użycie wojskowych określeń czasu pochodziło również do Damiena). Bierzemy na siebie pełną odpowiedzialność za niesubordynację obywatelską (to następny wkład Erin, chociaż twierdziła, że terroryzm właściwie nie jest niesubordynacją obywatelską, że to całkiem coś innego), protestując w ten sposób przeciwko ingerencji rządu w nasze życie oraz przeciwko zanieczyszczeniu wód amerykańskich rzek. Ostrzegamy, że jest to nasz pierwszy akt sprzeciwu. — Rozłączyłam się. Po czym chwyciłam kartkę, na której po drugiej stronie zapisałam następny numer, i wystukałam go na klawiaturze komórki.

— Fox News Tulsa — odezwał się rezolutny damski głos.

Ta część działania była moim pomysłem. Doszłam do wniosku, że jeśli powiadomimy miejscową rozgłośnię, bardziej prawdopodobne stanie się szybkie podanie tej informacji do wiadomości publicznej, a wtedy jeśli będziemy śledzili aktualne doniesienia radiowe, dowiemy się od razu, czy powiódł się nasz plan zamknięcia mostu.

— Grupa Terrorystów zwana Dżihadem Przyrody powiadomiła FBI o podłożeniu bomby na trasie I-40 pod mostem na rzece Arkansas przy Webber's Falls. Ma wybuchnąć dziś po południu o piętnastej piętnaście.

Popełniłam błąd, robiąc przerwę w swoim meldunku, którą wykorzystała moja rozmówczyni nie sprawiająca już wrażenia takiej rezolutnej, kiedy zapytała:

— Kim pani jest i od kogo otrzymała tę informację?

— Precz z wtrącaniem się rządu i z zanieczyszczaniem, niech żyje władza ludowa! — wrzasnęłam i wyłączyłam komórkę. Poczułam wielką słabość w kolanach i z ulgą osunęłam się na klapę sedesu. Już po wszystkim. Zrobiłam to.

Rozległo się delikatne pukanie do drzwi łazienki, a po chwili usłyszałam pytanie zadane ze śpiewnym oklahomskim akcentem:

— Zoey? Nic ci nie jest?

— Nie — odpowiedziałam słabym głosem. Zmusiłam się, by wstać i otworzyć drzwi łazienki. Za nimi stała Stevie Rae, zaspana i węsząca jak króliczek.

— Zadzwoniłaś do nich? — zapytała szeptem.

— Aha. Nie musisz mówić szeptem. Jesteśmy tu tylko my dwie. — W tym momencie Nala ziewnęła przeciągle, nadal leżąc na poduszce Stevie Rae. — No i Nala — dodałam.

— Jak poszło? Mówili coś?

— Nic oprócz: „Tu FBI". Pamiętasz, jak Damien radził, żebym nie dała im szansy na wtrącenie się?

— Powiedziałaś im, że jesteśmy Dżihadem Przyrody?

— Stevie Rae, my nie jesteśmy Dżihadem Przyrody. My tylko udajemy.

— No dobrze, ale usłyszałam, jak krzyczysz: precz z rządem i zanieczyszczaniem, więc pomyślałam... może... właściwie nie wiem, co pomyślałam. Akurat natrafiłam na ten moment.

Wzniosłam oczy ku górze.

— Stevie Rae, ja tylko odgrywałam taką rolę. Facetka od wiadomości zapytała mnie, kim jestem, i chyba wtedy spanikowałam. Ale poza tym powiedziałam im wszystko, co sobie zaplanowaliśmy. Mam nadzieję, że to zadziała. — Ściągnęłam z siebie przemoczoną bluzę z kapturem i powiesiłam na krześle, by wyschła.

Dopiero teraz Stevie Rae zauważyła, że mam mokre włosy i zamaskowany Znak, o czym zupełnie zapomniałam, spiesząc się, by zdążyć wszędzie zatelefonować. Cholera!

— Wychodziłaś gdzieś?

— Tak — przyznałam niechętnie. — Nie mogłam spać, poszłam więc na Utica Square do American Eagle i kupiłam sobie nowy sweter. — Wskazałam przemoczoną firmową torbę, którą cisnęłam w kąt.

— Trzeba było mnie zbudzić, to bym z tobą poszła.

Najwyraźniej było jej przykro, a ja, chcąc zatrzeć to wrażenie, nie zastanawiałam się, ile mogę jej powiedzieć, i wypaliłam:

— Spotkałam swojego byłego chłopaka!

— Rany koguta! Opowiadaj! — Klapnęła na łóżko gotowa wysłuchać rewelacji, oczy jej płonęły z ciekawości.

Nala burknęła niezadowolona i przeskoczyła z powrotem na moją poduszkę. Sięgnęłam po ręcznik i zaczęłam osuszać nim włosy.

— Poszłam do Starbucksa. A on rozlepiał ulotki ze zdjęciem Brada.

— No i co dalej? Co zrobił, jak cię zobaczył?

— Rozmawialiśmy ze sobą.

Wymownie wzniosła oczy do nieba.

— Ale co dalej? Mów!

— Rzucił palenie i picie.

— No. To już jest coś. Czy rzucił palenie i picie, żeby móc się z tobą znowu spotykać?

— Aha.

— A co z nim i tą małpą Kaylą?

— Heath twierdzi, że się z nią nie widuje, ponieważ ona rozpowiada różne rzeczy o wampirach.

— A widzisz! Mieliśmy rację, że to przez nią gliniarze tu przyszli, aby cię przesłuchać — przypomniała Stevie Rae.

— Na to wygląda.

Stevie przyglądała mi się badawczo.

— Ty nadal jesteś z nim, co?

— To nie takie proste.

— Wiesz, po części to jest proste. Bo gdyby ci się nie podobał, tobyś się z nim nie spotykała. Proste. — Stevie Rae rozumowała logicznie.

— Nadal mi się podoba — przyznałam.

— Wiedziałam! — zawołała triumfalnie Stevie Rae. — O rany, ty masz chłopaków na pęczki! I co z tym zrobisz?

— Pojęcia nie mam — odpowiedziałam.

— Jutro wraca Erik z konkursu szekspirowskiego.

— Wiem. Neferet mówiła, że Loren pojechał wspierać Erika i pozostałych naszych uczniów, w takim razie on też jutro wróci. Obiecałam też Heathowi, że się z nim spotkam w piątek po południu po meczu.

— Powiesz o nim Erikowi?

— Bo ja wiem...

— Wolisz Heatha czy Erika?

— Bo ja wiem...

— A co z Lorenem?

— Stevie Rae, nie wiem. — Potarłam czoło, bo ból głowy zdawał się mnie nie opuszczać. — Czy mogłybyśmy nie rozmawiać na ten temat przez jakiś czas, przynajmniej dopóki czegoś nie wymyślę?

— Okay. Chodźmy.

— Dokąd? — Przetarłam oczy całkiem zdezorientowana. Przerzucała się od Heatha do Erika, a potem do Lorena w takim tempie, że nie mogłam za nią nadążyć.

— Ty musisz zjeść swoje Count Chocula, a ja Lucky Charms. A potem obie powinnyśmy posłuchać wiadomości CNN i lokalnej rozgłośni.

Powlokłam się do drzwi. Nala przeciągnęła się, miauknęła kapryśnie, po czym niechętnie poszła w moje ślady.

— I trochę browaru — dodałam.

Stevie Rae skrzywiła się, jakby spróbowała cytryny.

— Na śniadanie?

— Czuję, że mamy odpowiedni dzień na browarek na śniadanie.

ROZDZIAŁ CZTERNASTY

Na szczęście nie musiałyśmy długo czekać na nowiny. Stevie Rae, Bliźniaczki i ja oglądałyśmy *Show doktora Phila*, (ja ze Stevie Rae kończyłyśmy już drugą porcję płatków, przy czym ja upajałam się trzecim piwkiem), kiedy przerwano Show, by podać pilną wiadomość z ostatniej chwili.

Tu Chera Kimiko. Właśnie dowiedzieliśmy się, że tuż po drugiej trzydzieści oddział FBI w Oklahomie otrzymał informację o podłożeniu bomby przez grupę terrorystów, którzy podają się za Dżihad Przyrody. Nasza rozgłośnia dowiedziała się ponadto, że zgodnie z oświadczeniem grupy bomba została podłożona pod mostem na rzece Arkansas na trasie I-40 niedaleko Webber's Falls. Łączymy się z Hanną Downs, która dostarczy nam najświeższych informacji na ten temat.

Cała nasza czwórka zastygła w oczekiwaniu na filmową relację. Na ekranie ukazała się młoda dziennikarka stojąca przed mostem, który wyglądałby całkiem zwyczajnie, gdyby nie roiło się na nim od umundurowanych policjantów. Odetchnęłam z ulgą. Oznaczało to, że most został zamknięty dla ruchu.

Dziękuję, Chero. Jak widać, most został zamknięty przez FBI i miejscową policję przy wsparciu licznego personelu ATF z Tulsy. Trwają poszukiwania owej bomby.

— Hanno, czy coś już znaleziono? — zapytała Chera.

— Za wcześnie, by cokolwiek pewnego można było powiedzieć. Niedawno zostały spuszczone na wodę łodzie należące do FBI.

— Dziękuję, Hanno. — Obecnie ujęcie kamery pokazywało studio telewizyjne. — Będziemy informować was na bieżąco o rozwoju wydarzeń, kiedy zdobędziemy więcej informacji na temat podłożonej bomby oraz grupy terrorystów. A zatem do usłyszenia...

— Podłożona bomba. Sprytne.

Te słowa zostały wypowiedziane dość cicho, a ja byłam jeszcze tak skoncentrowana na telewizyjnych informacjach, że dobrą chwilę trwało, zanim skojarzyłam, że wypowiedziała je Afrodyta. Wtedy odwróciłam się szybko w jej stronę. Stała tuż za kanapą, na której siedziałyśmy ze Stevie Rae. Spodziewałam się, że ujrzę jej drwiącą minę, tymczasem patrzyła na mnie niemal z szacunkiem.

— A ty czego tu chcesz? — zapytała Stevie Rae ostrym tonem. Dziewczyny oglądające w małych grupkach telewizję podniosły głowy i zaczęły się nam przyglądać. Afrodyta, sądząc ze zmiany jej postawy, musiała też to zauważyć.

— Od ciebie nic, lodówo! — prychnęła wzgardliwie. Poczułam, jak Stevie Rae sztywnieje na tę zniewagę. Wiedziałam, że nie znosiła, jak jej się przypominało o tym, że w ubiegłym miesiącu pozwoliła Afrodycie i jej najbliższym koleżankom użyć swojej krwi do rytuału, który tak fatalnie się skończył. Już samo to, że się służyło za lodówkę, było wystarczająco upokarzające, ale wypominanie tego było obrazą.

— Słuchaj, ty nędzna wiedźmo z piekła rodem — odezwała się Shaunee słodkim tonem. — Właśnie nowy zarząd Cór Ciemności...

— Czyli my, a nie ty i twoje parszywe kolegówny — wtrąciła Erin.

— ...ogłasza nabór na nowe lodówy do jutrzejszego rytuału — ciągnęła Shaunee tym samym niewinnym tonem.

— Aha, a ponieważ gówno teraz znaczysz, to jeśli chcesz wziąć udział w uroczystościach, jedynym sposobem dla ciebie będzie wejść w skład napoju. No to jak? Wchodzisz w to? — zapytała Erin.

— Jeśli tak, to fuj!... Niestety. Bo my nie lubimy paskudztwa — oświadczyła Shaunee.

— Pocałuj mnie w dupę — warknęła Afrodyta.

— A ty mnie — odcięła się Shaunee.

— Tak jest — dokończyła Erin.

Stevie Rae siedziała pobladła, zbyt wzburzona, by się odzywać. Miałam ochotę zderzyć je wszystkie głowami.

— Przestańcie — powiedziałam. Ucichły jak na komendę. Spojrzałam na Afrodytę. — Nigdy więcej nie nazywaj Stevie Rae lodówą. — Następnie zwróciłam się do Bliźniaczek: — Pierwsze, z czym zamierzam skończyć, to z wykorzystywaniem adeptów do sporządzania rytualnego napoju. Tak więc nie potrzebujemy więcej żadnych tego typu ofiar. — Mimo że nie mówiłam podniesionym głosem, obie spojrzały na mnie z urazą. Westchnęłam ciężko. — Wszystkie tutaj jesteśmy na tych samych prawach — powiedziałam, starając się, by mój głos brzmiał normalnie. — Więc może by tak zrezygnować ze sprzeczek?

— Chyba żartujesz. Nie jesteśmy na tych samych prawach, nawet w przybliżeniu — oświadczyła z sarkastycznym śmiechem Afrodyta, po czym odeszła z wyniosłą miną.

Patrzyłam za nią, jak odchodzi. Kiedy była już przy drzwiach, odwróciła się jeszcze do mnie, a napotkawszy mój wzrok, puściła do mnie oko.

Co to miało znaczyć? Wyglądała na niemal rozbawioną, jakbyśmy były w najlepszej komitywie i rozgrywały jakąś grę, bawiły się razem. Ale to przecież niemożliwe. Czy jednak na pewno?

— Na jej widok dostaję gęsiej skórki — wzdrygnęła się Stevie Rae.

— Afrodyta ma problemy — powiedziałam, a cała trójka spojrzała na mnie w taki sposób, jakbym oświadczyła, że Hitler nie był znowu taki zły. — Słuchajcie, chcę, żeby odmienione Córy Ciemności naprawdę łączyły nas, a nie stanowiły elitarną organizację dla wybranych. — Nadal gapiły się na mnie oniemiałe. — Ona mnie ostrzegła i w ten sposób ocaliła dzisiaj moją Babcię i jeszcze parę osób.

— Powiedziała ci o tym, bo chciała coś w zamian uzyskać. To wstrętna baba, Zoey. Czy ty tego nie widzisz? — odezwała się Erin.

— Chyba nie chcesz powiedzieć, że zamierzasz przyjąć ją do Cór Ciemności? — upewniała się Stevie Rae.

Potrząsnęłam głową.

— Nawet gdybym chciała, a nie chcę — zastrzegłam się natychmiast — to zgodnie z nowymi zasadami ona się nie kwalifikuje. Członkowie Cór i Synów Ciemności muszą potwierdzać swoim zachowaniem wyznawanie pewnych ideałów.

Shaunee prychnęła wzgardliwie.

— Przecież ta wiedźma z piekła rodem za cholerę nie będzie prawdomówna, wierna, otwarta na innych, zacna i dobra. Dla niej liczą się tylko jej wredne zamiary.

— I żeby wszystkimi rządzić — dodała Erin.

— One wcale nie przesadzają — poparła je Stevie Rae.

— Stevie Rae, ona nie jest moją przyjaciółką, tylko... bo ja wiem?... — Grałam na zwłokę, nie mogąc znaleźć dobrej odpowiedzi i czekając, aż instynkt coś mi podszepnie i ubierze w słowa to, co powinnam zrobić. — Chyba rzeczywiście czasami jest mi jej żal. Może też trochę ją rozumiem. Afrodyta chciałaby, żeby ją inni akceptowali, ale źle się do tego zabiera. Myśli, że kłamstwa i manipulowanie ludźmi zmuszą ich do tego, by ją lubili. To wyniosła z domu, tak ją rodzice ukształtowali.

— Bardzo cię przepraszam, Zoey, ale opowiadasz głupstwa — uznała Shaunee. — Ona już jest za stara na to, by postępować tak, jakby jej wszystko było wolno, tylko dlatego, że ma popieprzoną mamuśkę.

— No nie, dajcie spokój z tym schematem: może i jestem straszna małpa, ale to wszystko przez mamę — zirytowała się Erin.

— Nie gniewaj się, Zoey, ale ty przecież też masz popieprzoną mamuśkę, a nie pozwoliłaś, by ona czy ten twój ojciach namieszali ci w głowie — powiedziała Stevie Rae.

— Damien też ma matkę, która go już nie lubi, bo on jest gejem.

— Właśnie, a on nie stał się przez to jakimś potworem. On jest... on jest jak... — Shaunee zawahała się, nie mogąc sobie czegoś przypomnieć, więc zwróciła się do Erin o pomoc: — Bliźniaczko, jak się nazywa bohaterka filmu *Dźwięki muzyki*, którą gra Julie Andrews?

— Maria. Muszę ci przyznać rację, Bliźniaczko. Damien jest jak niewinna zakonniczka. Musi trochę poluzować, bo inaczej nikogo sobie nie przygrucha.

— Nie do wiary! Omawiacie moje życie intymne — odezwał się niespodziewanie Damien.

Zaskoczył nas.

— Przepraszam — wymamrotała każda z nas speszona.

Potrząsnął głową z wyrazem dezaprobaty, a ja i Stevie Rae skwapliwie zrobiłyśmy mu miejsce obok siebie.

— Trzeba wam wiedzieć — powiedział — że nie chcę sobie nikogo przygruchać, jak to paskudnie określiłyście. Chciałbym mieć trwały związek z kimś, na kim by mi naprawdę zależało, a na to jestem gotów zaczekać.

— *Ja, Fräulein* — szepnęła Shaunee.

— Maria — mruknęła Erin.

Stevie Rae usiłowała kaszlem pokryć swój śmiech, którego nie mogła opanować.

Damien popatrzył na nie spod zmrużonych powiek. Uznałam, że pora, bym się włączyła.

— Nasz plan wypalił — powiedziałam spokojnie. — Most został zamknięty. — Wyciągnęłam z kieszeni jego komórkę i oddałam mu ją. Sprawdził, czy jest wyłączona, i kiwnął głową.

— Wiem. Oglądałem wiadomości i zaraz tu zszedłem. — Rzucił okiem na zegar cyfrowy umieszczony na odtwarzaczu DVD, który stanowił komplet wraz z telewizorem stojącym w sali rekreacyjnej, i uśmiechnął się do mnie. — Jest dwadzieścia po trzeciej. Udało nam się.

Cała nasza piątka uśmiechnęła się z ulgą. Rzeczywiście, ja też odczuwałam ulgę, mimo to jednak nie mogłam się pozbyć niejasnego wrażenia, które nie było tylko martwieniem się o Heatha. Może potrzebowałam czwartego piwka.

— No dobrze, w takim razie sprawa załatwiona. Dlaczego więc siedzimy tu i omawiamy moje życie uczuciowe? — zauważył Damien.

— Albo jego brak — szepnęła Shaunee do Erin, która usiłowała (bez powodzenia) nie wybuchnąć śmiechem.

Ignorując je, Damien wstał i zwrócił się do mnie:

— Idziemy.

— Co?

Wzniósł oczy do góry, jakby przywołując niebo na świadka swojej anielskiej cierpliwości.

— Czy ja muszę o wszystkim pamiętać? Masz jutro przeprowadzić rytualne uroczystości, a to oznacza, że powinniśmy przygotować do tego salę. Chyba się nie spodziewasz, że Afrodyta zgłosi się na ochotnika, by to zrobić za ciebie?

— Rzeczywiście, nie pomyślałam o tym — przyznałam się. Kiedyż miałabym to zrobić?

— W takim razie teraz o tym pomyśl. — Szarpnął mnie za rękę i pociągnął, bym wstała. — Jest robota do zrobienia.

Złapałam swój browarek i wyszliśmy wszyscy za Damienem. Było bardzo zimne i pochmurne sobotnie popołudnie. Deszcz już nie padał, ale zrobiło się jeszcze ciemniej niż przedtem.

— Wygląda na to, że spadnie śnieg — powiedziałam, mrużąc oczy od szarego nieba.

— Ojejku, żeby padał! — wykrzyknęła Stevie Rae. — Tak bym chciała, uwielbiam śnieg! — Zachowywała się jak mała dziewczynka, gdy wykonała piruet i wyciągnęła przed siebie ręce.

— Powinnaś się przenieść do Connecticut — zauważyła Shaunee. — Wtedy byś miała więcej śniegu, niżbyś sobie życzyła. Kiedy przez kilka miesięcy jest zimno i mokro, to w końcu ma się tego dość. Dlatego ludzie z północnego wschodu są tacy gderliwi — przyznała w końcu.

— Nieważne. Mnie to nie przeszkadza. Śnieg ma w sobie jakąś magię, czar. Kiedy napada go sporo, wygląda, jakby cała ziemia pokryta była białym puszystym kocem. — Rozłożyła szeroko ręce i zawołała: — Chcę, żeby spadł śnieg!

— A ja chcę mieć te haftowane dżinsy za czterysta pięćdziesiąt dolarów, które zobaczyłam w nowym katalogu Victoria Secret — powiedziała Erin. — A to znaczy, że nie zawsze możemy dostać to, czego chcemy, wszystko jedno, czy marzy się nam śnieg czy bajeranckie dżinsy.

— Ojej, Bliźniaczko, może zostaną przecenione. Nie ma co rezygnować, są świetne.

— W takim razie dlaczego nie weźmiesz swoich ulubionych dżinsów i nie spróbujesz sama wyhaftować na nich tego wzoru? To wcale nie takie trudne, przekonasz się — powiedział Damien logicznie (i jak typowy gej).

Już otwierałam usta, by go poprzeć, kiedy poczułam na czole pierwsze płatki śniegu.

— Widzisz, Stevie Rae? Twoje życzenie się spełniło. Pada śnieg.

Stevie Rae pisnęła ze szczęścia.

— Aha! I to coraz gęstszy!

Bez wątpienia jej życzenie się spełniło. Zanim dotarliśmy do sali rekreacyjnej, wielkie płatki śniegu pokryły ziemię. Rzeczywiście Stevie Rae miała rację. Wyglądało to, jakby ziemię otulił czarodziejski koc. Wszystko stało się miękkie i białe i nawet Shaunee ze śnieżnego Connecticut, zamieszkanego przez ponuraków, śmiała się i na wysunięty język próbowała łapać płatki śniegu.

Rozchichotani weszliśmy do sali rekreacyjnej. Siedziało już tam kilkoro młodziaków. Jedni grali w bilard, inni tkwili przy wyglądających na zabytkowe szafach zaabsorbowani grami wideo. Nasze śmiechy i otrząsanie śniegu z ubrań oderwały ich od zajęć, parę osób podeszło do okien, by odciągnąć grube zasłony odgradzające nas od światła dziennego.

— Aha! Pada śnieg! — wykrzyknęła Stevie Rae, choć wszyscy już to wiedzieli.

Uśmiechnęłam się i ruszyłam w stronę kuchni znajdującej się z tyłu budynku, a za mną cała nasza gromadka: Damien, Bliźniaczki i mająca bzika na punkcie śniegu Stevie Rae. Wiedziałam, że za kuchnią znajduje się spiżarnia, gdzie Córy Ciemności trzymają rekwizyty do swoich rytuałów. Mogłabym zacząć przygotowania, udając, że wszystko mam przemyślane.

Usłyszałam trzask otwieranych i zamykanych drzwi, a zaraz potem głos Neferet.

— Śnieg rzeczywiście jest uroczy, prawda?

Młodziaki stojące przy oknie zgodnym chórem przytaknęły. Zaskoczyła mnie nuta zniecierpliwienia, którą posłyszałam w głosie Neferet, ale zaraz stłumiłam to wrażenie, kiedy odwróciłam się, by przywitać swoją mentorkę. Za mną gęsiego jak świeżo wyklute pisklęta podążyła grupka moich przyjaciół.

— O, Zoey, dobrze, że cię tu widzę. — Słowa te Neferet wypowiedziała z taką sympatią, że zniecierpliwienie, którego doszukałam się w jej głosie przed chwilą, uznałam za złudzenie. Neferet była dla mnie kimś więcej niż tylko mentorką. Była dla mnie jak matka, a ja powinnam się wstydzić, że mogłam jej mieć za złe, że za mną tu przyszła.

— Witaj, Neferet — powiedziałam serdecznie. — Właśnie zaczęliśmy przygotowywać salę do jutrzejszej uroczystości.

— Doskonale! To jeden z powodów, dla których chciałam się z tobą zobaczyć. Jeśli potrzebujesz czegoś do przeprowadzenia rytuału, nie krępuj się i proś. Ja na pewno przyjdę tu jutro, ale nie martw się — znów się do mnie uśmiechnęła — nie zostanę na całej uroczystości, tylko tak długo, by pokazać swoje poparcie dla twojej koncepcji odnowienia organizacji Cór Ciemności. Potem zostawię Córy i Synów Ciemności w twoich dobrych rękach.

— Dziękuję, Neferet — odpowiedziałam.

— Drugi powód, dla którego chciałam zobaczyć się z tobą i twoimi przyjaciółmi — tu posłała im swój uroczy uśmiech — to że chciałam wam przedstawić naszego nowego ucznia. — Skinęła ręką i na ten znak z wolna wynurzył się z mroku jasnowłosy chłopak. Wyglądał naprawdę sympatycznie ze zmierzwioną czupryną płowych włosów i miłym wejrzeniem błękitnych oczu. Z pewnością należał do indywidualistów, ale tych powszechnie lubianych, trochę wygłup, ale niezłośliwy, abnegat, ale cywilizowany (czyli myje zęby, kąpie się i nie ubiera się niechlujnie). — Poznajcie się, to jest Jack Twist. Jack, to moja adeptka, Zoey Redbird, która przewodniczy Córom Ciemności, a wokół niej członkowie rady: Erin Bates, Shaunee Cole, Stevie Rae Johnson i Damien Maslin.

Neferet wskazywała każdego po kolei, czemu towarzyszyło nieodmienne „cześć". Nowy uczeń wyglądał na lekko speszonego, był blady, ale poza tym uśmiechał się sympatycznie i nie robił wrażenia osoby społecznie niedostosowanej. Już zaczęłam się zastanawiać, dlaczego Neferet specjalnie mnie szukała, żeby przedstawić nowego ucznia, ale ona zaraz zaczęła to wyjaśniać.

— Jack jest poetą i pisarzem, a Loren Blake będzie jego mentorem, ale niestety dopiero jutro wróci z podróży do wschodnich stanów. Jack będzie mieszkał z Erikiem Nightem, a Erika też nie ma w szkole aż do jutra. Pomyślałam więc, że dobrze byłoby, gdyby wasza piątka oprowadziła Jacka po naszej szkole, tak by nie czuł się dziś zagubiony.

— Oczywiście, zrobimy to z przyjemnością — odpowiedziałam bez wahania. Wiedziałam, że to nic przyjemnego być nowym.

— Damien, pokażesz Jackowi jego pokój, który będzie dzielił z Erikiem, dobrze?

— Jasne, nie ma problemu — zgodził się skwapliwie Damien.

— Wiedziałam, że na przyjaciołach Zoey można polegać. — Neferet uśmiechała się urzekająco. Od jej uśmiechu robiło się jaśniej w całym pomieszczeniu, poczułam się dumna, widząc, jak pozostali uczniowie gapią się na nas i widzą, że niewątpliwie nas wyróżnia. — Pamiętaj, że gdybyś potrzebowała czegokolwiek na jutrzejsze obchody, zaraz mi o tym mów. Aha, jeszcze jedno. Ponieważ będzie to twoja pierwsza uroczystość, poprosiłam w kuchni, żeby przygotowali coś dobrego dla was jako specjalny poczęstunek po rytualnych obchodach. Zoey, na pewno wszystko pójdzie jak z płatka.

Byłam pod wrażeniem jej troskliwości, nie mogłam się powstrzymać, żeby nie porównać jej stosunku do mnie z obojętnością mojej mamy. Mama w ogóle już się mną nie przejmowała. Widziałam ją tylko raz, kiedy ten jej niewydarzony facio urządził scenę z Neferet, i nie wyglądało na to, żeby się tu znów wybierała. Czy mnie to obeszło? Nie. Nie, dopóki otaczali mnie przyjaciele i moja wspaniała mentorka, Neferet.

— Naprawdę jestem ci bardzo wdzięczna, Neferet — powiedziałam ze ściśniętym gardłem.

— Cała przyjemność po mojej stronie, przynajmniej tyle mogę zrobić dla swojej adeptki, która po raz pierwszy jako przewodnicząca Cór i Synów Ciemności będzie odprawiać rytuał obchodów Pełni Księżyca. — Uścisnęła mnie na pożegnanie, po czym wyszła, skinąwszy głową reszcie zgromadzonych, którzy odpowiedzieli jej pełnym szacunku ukłonem.

— No, no — odezwał się Jack. — Ona jest niesamowita.

— Na pewno — przytaknęłam. Potem uśmiechnęłam się do swoich przyjaciół i nowego kolegi. — To jak, gotowi do pracy? Mnóstwo rzeczy trzeba będzie stąd zabrać. — Zauważyłam, że nowy wygląda na całkiem zdezorientowanego. — Damien, zrób Jackowi krótkie wprowadzenie do rytuałów odprawianych przez wampiry, bo bez tego będzie się czuł zagubiony. — Ruszyłam z powrotem do kuchni, słysząc po drodze, jak Damien udziela swojemu podopiecznemu pierwszej lekcji na temat rytuału Pełni Księżyca.

— Cześć, Zoey, może w czymś ci pomożemy?

Obejrzałam się. W barczystym chłopaku rozpoznałam Drew Partina, uczęszczaliśmy razem na lekcje szermierki (był znakomity, niemal równie dobry jak Damien, a to już jest duży komplement). Stał wraz z grupą kolegów pod ścianą z zasłoniętymi na czarno oknami. Uśmiechał się do mnie, ale zauważyłam, że stale zerka na Stevie Rae. — Trzeba przenieść wiele rzeczy — powiedział. — Wiem, bo zawsze pomagamy Afrodycie przygotować salę do obchodów.

— No pewnie — mruknęła pod nosem Shaunee, więc zanim Erin zdążyła dodać ze swej strony coś ironicznego, odpowiedziałam szybko:

— Tak, chętnie skorzystamy z waszej pomocy. — I żeby go sprawdzić, dodałam też: — Tylko że mój rytuał będzie wyglądał trochę inaczej. Damien pokaże ci, o co mi chodzi.

Czekałam na lekceważące miny i gesty, jakimi zazwyczaj chłopaki obdarzały Damiena i kilku innych gejów, ale Drew tylko wzruszył ramionami i odpowiedział:

— Bez różnicy. Chcę tylko wiedzieć, co mamy robić. — Uśmiechnął się i puścił oko do Stevie Rae, która zaczerwieniła się i zachichotała.

— Damien, masz ich do swojej dyspozycji.

— Chyba piekło zaczęło zamarzać — odpowiedział niemal bezgłośnie, po czym zaraz dodał normalnym głosem: — Zacznijmy od tego, że Zoey nie lubi, żeby sala wyglądała jak kostnica z szafami odsuniętymi pod ściany i przykrytymi czarnymi płachtami. Spróbujmy więc je przenieść do kuchni i na korytarz.

Drew i jego kompania wraz z nowym uczniem wzięli się do roboty, podczas której Damien wrócił do rozpoczętej lekcji.

— Weźmiemy świece i wyniesiemy stąd stoły — zarządziłam i dałam znać Bliźniaczkom i Stevie Rae, żeby poszły za mną.

— Damien umarł i poszedł wprost do gejowskiego nieba — powiedziała Shaunee, kiedy oddaliłyśmy się na bezpieczną odległość.

— Może już czas, żeby przestali się zachowywać jak ciołki i zaczęli postępować normalnie — odpowiedziałam.

— Nie o to chodzi — sprostowała Erin. — Shaunee miała na myśli, że Jack Twist jest ślicznym chłopaczkiem gejaczkiem.

— Skąd ci przyszło do głowy, że Jack też jest gejem? — zapytała Stevie Rae.

— Stevie Rae, pora, byś poszerzyła nieco swoje horyzonty myślowe, dziewczyno — zauważyła Shaunee.

— Dobra, ale ja też nie chwytam. Dlaczego myślisz, że Jack jest gejem?

Sahunee i Erin wymieniły długie znaczące spojrzenia, po czym Erin wyjaśniła:

— Jack Twist jest kochasiem Jake'a Gyllenhaalla z *Brokeback Mountain*.

— A poza tym musisz wiedzieć, że jak ktoś ma wygląd takiego miłego zucha, musi grać w tej samej co Damien drużynie.

— Aha — zgodziłam się.

— Ja też nie miałam pojęcia — przyznała Stevie Rae. — Nigdy nie widziałam tego filmu. Nie wyświetlali go Cinema 8 w Henrietcie.

— Nie mów! — zdumiała się Shaunee.

— Zaskakujesz mnie — zawtórowała Erin.

— W takim razie, Stevie Rae, najwyższy czas, żebyś zobaczyła ten świetny film na DVD — oświadczyła Shaunee.

— Chłopaki się w nim całują? — dopytywała się Stevie Rae.

— Z języczkiem — odpowiedziały chórem Shaunee i Erin.

Na widok miny Stevie Rae nie mogłam się powstrzymać od śmiechu.

ROZDZIAŁ PIĘTNASTY

Prawie już skończyliśmy przygotowywanie sali na niedzielne uroczystości, kiedy ktoś nastawił wieczorny dziennik na telewizorze z dużym ekranem, który musieliśmy zostawić na miejscu. Cała nasza piątka wymieniła porozumiewawcze spojrzenia; oczywiście głównym motywem wiadomości była historia z bombą podłożoną przez Dżihad Przyrody. Wiedziałam, że nie zostanę zidentyfikowana jako nadawca informacji: zauważyłam, jak Damien niby to niechcący upuścił telefon, potem na niego nadepnął, czym go zniszczył doszczętnie, a mimo to odetchnęłam z ulgą, słysząc, że jak dotąd policja nie wpadła na trop grupy terrorystów.

Nadano też inną związaną z głównym wątkiem informację: tego wieczoru niejaki Samuel Johnson, kapitan rzecznej żeglugi dowodzący barką towarową, podczas pilotowania jednostki dostał ataku serca. Szczęśliwym dla niego zbiegiem okoliczności ruch na moście został wstrzymany, a policja i służby medyczne znajdowały się w pobliżu. W ten sposób jego uratowano, a most ani żadna barka nie doznały uszczerbku.

— Więc tak to się miało stać! — zawołał Damien. — Dostał zawału i barka uderzyła w most.

W milczeniu skinęłam głową.

— Co dowodzi, że wizja Afrodyty była prawdziwa.

— A to już nie jest dobra wiadomość — orzekła Stevie Rae.

— Moim zdaniem jest — odrzekłam. — Dopóki Afrodyta będzie nas informować o swoich wizjach, dopóty musimy pamiętać, że powinniśmy je traktować poważnie.

Damien potrząsnął głową.

— Z jakiegoś powodu Neferet nabrała przekonania, że Nyks odebrała Afrodycie swój dar. Szkoda, że musimy milczeć, w przeciwnym razie Neferet by nam wyjaśniła, o co w tym wszystkim chodzi albo zmieniłaby zdanie co do Afrodyty.

— Nie. Dałam jej słowo, że o niczym nie powiem.

— Gdyby Afrodyta zmieniła się i przestała być wiedźmą z piekła rodem, toby sama poszła do Neferet i opowiedziała jej, co się stało — powiedziała Shaunee.

— Może powinnaś jej to podsunąć — zaproponowała Erin.

Stevie Rae skwitowała to ordynarnym odgłosem.

Zgromiłam ją wzrokiem, ale nawet tego nie zauważyła, bo Drew właśnie szczerzył się do nas w uśmiechu, a ona zaczerwieniona po uszy nie zwracała na mnie uwagi.

— Jak to teraz wygląda, Zoey? — zapytał, nie odrywając wzroku od Stevie Rae.

Wygląda, że czujesz miętę do mojej współmieszkanki, to właśnie chciałam powiedzieć, ale w gruncie rzeczy nie miałam nic przeciwko temu, a zresztą rumieniec Stevie Rae wyraźnie mówił to samo, więc w końcu postanowiłam jej darować.

— Dobrze wygląda — odpowiedziałam.

— Nieźle — pochwaliła umiarkowanie Shaunee, mierząc go wzrokiem od stóp do głów.

— Ditto, Bliźniaczko — potwierdziła Erin, unosząc kilkakrotnie brew w górę i w dół, patrząc jednocześnie na Drew.

Chłopak nie zauważył gestów żadnej z nich. Widział tylko Stevie Rae.

— Umieram z głodu — wyznał.

— Ja też — zawtórowała Stevie Rae.

— To może pójdziemy coś zjeść? — zwrócił się do niej Drew.

— Okay — zgodziła się natychmiast Stevie Rae, ale pewnie zaraz uświadomiła sobie, że stoimy wokół nich i ich obserwujemy, bo zaczerwieniła się jeszcze bardziej.

— O rany, przecież to pora obiadu. Chodźmy wszyscy coś zjeść. — Nerwowo przeciągnęła palcami po swojej krótkiej czuprynce i zawołała do Damiena, który w drugim końcu sali pochłonięty był rozmową z Jackiem. — Damien, idziemy jeść. Nie jesteście głodni, ty i Jack?

Jack i Damien porozumieli się wzrokiem, po czym Damien odkrzyknął:

— Tak, my też idziemy!

— Ekstra — odpowiedziała Stevie Rae, śmiejąc się do Drew. — Chyba wszyscy jesteśmy głodni.

Shaunee westchnęła i ruszyła do wyjścia.

— Jak słowo. Już mnie głowa rozbolała, tyle hormonów w tym pomieszczeniu.

— A ja się czuję, jakbym bez przerwy oglądała film *Lifetime*. Zaczekaj na mnie, Bliźniaczko — poprosiła Erin.

— Dlaczego Bliźniaczki wyrażają się tak cynicznie o miłości? — zapytałam Damiena, kiedy wraz z Jackiem dołączył do nas.

— Nie są cyniczne, tylko wściekłe, bo ostatnich kilku chłopaków, z którymi się umawiały, szybko się zniechęciło.

Już całą grupą wyszliśmy na dwór, zanurzając się w magii listopadowego zaśnieżonego wieczoru. Płatki śniegu były teraz mniejsze, ale nadal padały bez przerwy, sprawiając, że Dom Nocy wyglądał jeszcze bardziej tajemniczo i jeszcze bardziej niż zwykle przypominał stare zamczysko.

— Tak. Bliźniaczki są trudnymi partnerkami, prześcigają chłopaków we wszystkim — przyznała Stevie Rae.

Zauważyłam, że trzyma się bardzo blisko Drew Partina, tak że idąc, ocierają się ramionami.

Usłyszałam zgodne pomruki chłopaków, którzy pomagali nam przesuwać meble w sali rekreacyjnej. Wyobraziłam sobie któregokolwiek z nich, jak umawia się z jedną czy drugą Bliźniaczką, one naprawdę działają onieśmielająco (na wampira czy niewampira).

— Pamiętasz, jak Thor chciał się umówić z Erin? — zapytał jeden z kolegów Drew o imieniu bodajże Keith.

— Tak. Nazywała go lemurem, wiesz, jak te głupkowate lemury z filmu Disneya — odpowiedziała ze śmiechem Stevie Rae.

— A Walter umówił się z Shaunee raptem dwa i pół raza. W połowie trzeciej randki, kiedy siedzieli na kawie w Starbucksie, nazwała go procesorem Pentium 3 — przypomniał Damien.

Spojrzałam na niego nierozumiejącym wzrokiem.

— Zoey, jesteśmy teraz na etapie procesorów Pentium 5.

— Aha.

— Erin do tej pory przy każdej okazji nazywa go opóźnionym w rozwoju — dodała Stevie Rae.

— W takim razie trzeba kogoś naprawdę wyjątkowego, żeby mógł się z nimi umawiać — orzekłam.

— Myślę, że każdy ma swoją parę — odezwał się nieoczekiwanie Jack.

Wszyscy odwrócili się do niego i Jack się zaczerwienił. Zanim ktokolwiek zdążył parsknąć śmiechem, powiedziałam:

— Sądzę, że on ma rację. — A w myślach dodałam jeszcze: Tyle że trudno się zorientować, kto ma być tą parą.

— Całkowitą — zgodziła się entuzjastycznie Stevie Rae.

— W stu procentach — dorzucił uśmiechnięty Damien, mrugając do mnie. Odpowiedziałam mu uśmiechem.

— Ej — wyskoczyła zza drzewa Shaunee. — Właściwie o czym wy mówicie?

— O twoim nieistniejącym życiu uczuciowym — odpowiedział niespeszony Damien.

— Naprawdę? — zdziwiła się.

— Naprawdę — przyznał Damien.

— To może porozmawiacie teraz o tym, jacy jesteście zmarznięci i mokrzy? — zaproponowała Shaunee.

Damien nachmurzył się.

— Mnie nie jest zimno ani mokro.

Erin wyskoczyła z drugiej strony drzewa ze śnieżką w ręce.

— Ale zaraz ci będzie! — wykrzyknęła, rzucając w niego śnieżką i trafiając go prosto w tors.

Zaczęła się bitwa na śnieżki. Dzieciaki piszczały, kryły się, ale zaraz nabierały garściami śniegu na nowe kule i rzucały nimi, celując w Erin i Shaunee. Zaczęłam się z wolna wycofywać.

— Mówiłam wam, że śnieg jest świetny! — przypomniała Stevie Rae.

— Miejmy nadzieję, że będzie zamieć — krzyknął Damien, mierząc w Erin. — Mnóstwo śniegu i wiatr, idealne warunki na bitwę śnieżną! — Cisnął śnieżką, ale Erin była szybsza i w ostatniej chwili zdążyła się uchylić, tak że kula nie trafiła jej w głowę.

— Dokąd idziesz, Z? — zapytała Stevie Rae, wychylając się zza ozdobnego krzaka. Zauważyłam, że Drew stał obok niej, mierząc śnieżką w Shaunee.

— Do centrum informacji, muszę opracować odpowiednie słownictwo na jutrzejsze obchody, zjem coś po powrocie do internatu. — Wycofywałam się z pola bitwy coraz szybciej. — Strasznie żałuję, że omija mnie ta zabawa, ale...

— Wpadłam w najbliższe drzwi, a gdy tylko zatrzasnęłam je za sobą, usłyszałam trzy miękkie plaśnięcia, kiedy trafiły w nie śnieżne kule.

Nie była to czcza wymówka, by uniknąć zabawy na śniegu, faktycznie już wcześniej zamierzałam zrezygnować z obiadu i zakopać się na kilka godzin w bibliotece. Nazajutrz miałam utworzyć swój krąg i poprowadzić uroczystości obrzędowe odwieczne jak księżyc.

Nie wiedziałam, co zrobię.

Owszem, raz, przed miesiącem, utworzyłam krąg z przyjaciółmi, głównie by sprawdzić, czy rzeczywiście mam związek z żywiołami czy też ulegałam iluzji. Dopóki nie poczułam raz jeszcze mocy wiatru, ognia, wody, ziemi i ducha, czego świadkiem byli moi przyjaciele, przysięgłabym, że poprzednio uległam złudzeniu. Nie jestem cyniczna ani nic w tym rodzaju, ale jak słowo... (że zacytuję Bliźniaczki). Współgranie z żywiołami jest czymś naprawdę dziwnym. W końcu moje życie nie było jak z filmowej opowieści o X-menach (choć nie miałabym nic przeciwko temu, żeby spędzić trochę czasu z Wolverinem).

Tak jak się spodziewałam, centrum informacji świeciło pustkami. W końcu był to sobotni wieczór. Tylko ktoś całkiem porąbany może spędzać sobotni wieczór w bibliotece. Ale ja wiedziałam dokładnie, po co tu przyszłam. Wyszukałam w komputerze kartę katalogową, na której mogłam znaleźć książki ze starymi zaklęciami i opisami dawnych rytuałów; nowsze publikacje mnie nie interesowały. Moją uwagę zwróciła zwłaszcza książka Fiony *Mistyczne obrzędy Kryształowego Księżyca*. Z trudem skojarzyłam sobie, że Fiona zdobyła Laur Poetycki Wampirów na początku dziewiętnastego wieku (w internacie wisiał jej portret). Zapisałam sobie numer katalogowy książki, którą znalazłam na odległej półce pokrytej kurzem — widocznie rzadko odwiedzanej.

Uznałam, że to dobry znak, bo źródło, jakiego szukałam, powinno tak wyglądać — stare tomisko oprawione w skórę, jak to się dawniej robiło. Potrzebne mi były odwieczne zasady i tradycje, aby pod moim kierownictwem Córy Ciemności dowiedziały się czegoś więcej o naszej historii, a nie starały się być supernowoczesne, do czego dążyła Afrodyta.

Otworzyłam notes i wyciągnęłam swoje ulubione pióro, które od razu przypomniało mi Lorena i jego powiedzenie, że woli pisać wiersze odręcznie niż na komputerze... Zaraz moja myśl powędrowała do wspomnienia, jak gładził mnie po twarzy... i po plecach... i do wrażenia rodzącego się między nami związku. Uśmiechnęłam się na to wspomnienie, dotknęłam swego policzka — wydał mi się cieplejszy niż zazwyczaj — po czym zaraz uświadomiłam sobie, że oto siedzę sama i uśmiecham się do siebie jak kretynka, rozgrzana myślą o facecie, który jest dla mnie za stary, a do tego jest wampirem. Oba fakty wprawiły mnie w zdenerwowanie (tak być powinno). Przyznaję, że Loren jest wspaniały, ale przecież ma dwadzieścia kilka lat. To prawdziwy dorosły, który zna wszystkie tajemnice wampirów, wie o pragnieniu krwi i pragnieniu w ogóle. Niestety, czyniło go to tym bardziej pożądanym, zwłaszcza po moim krótkim, ale jakże smakowitym doświadczeniu ze spijaniem krwi Heatha i podpieszczaniem się z nim.

Postukałam piórem w pustą kartkę notesu. Owszem, w ostatnim miesiącu całowałam się też trochę z Erikiem i to mi się podobało. Nie posunęliśmy się za daleko. Po pierwsze: mimo że ostatnie doświadczenia tego nie potwierdzają, na ogół nie zachowuję się wyzywająco. Po drugie: nie mogłam zapomnieć, jak przypadkiem byłam świadkiem sceny, w której Afrodyta, jego zdecydowanie była sympatia, klęczała przed nim, usiłując zrobić mu loda, więc dla kontrastu nie chciałam, by sobie pomyślał, że jestem taką samą latawicą jak ona (usiłowałam nie przypominać sobie sceny z Heathem, jak masowałam mu rosnącą pod rozporkiem wypukłość). Tak więc w jakiś sposób byłam związana z Erikiem, który według powszechnej opinii był moim oficjalnym chłopakiem, mimo że nie zrobiliśmy niczego, co by świadczyło o naszym bliższym związku.

Zaczęłam myśleć o Lorenie. To on obudził we mnie kobietę, kiedy w świetle księżyca odsłoniłam się przed nim, przy nim nie byłam już speszoną, niedoświadczoną dziewczyną, jaką czułam się przy Eriku. Kiedy zobaczyłam pożądanie w oczach Lorena, poczułam, że jestem piękna, silna i bardzo seksowna. Muszę też przyznać, że takie samopoczucie mi się podobało.

Jak do diabła pasował do tego wszystkiego Heath? On wzbudzał we mnie całkiem odmienne uczucia niż Loren czy Erik. Ja i Heath mieliśmy swoją historię. Znaliśmy się od dziecka, chodziliśmy ze sobą z przerwami od dobrych kilku lat. Zawsze mnie ciągnęło do Heatha, parę razy migdaliliśmy się nie na żarty, ale nigdy mnie tak nie podniecił jak wtedy, gdy się skaleczył, bym mogła napić się jego krwi.

Wzdrygnęłam się i bezwiednie oblizałam wargi. Już samo to wspomnienie podnieciło mnie i przeraziło jednocześnie. Zdecydowanie chciałam się z nim jeszcze spotkać. Ale czy dlatego, że nadal mi na nim zależało, czy dlatego, że kierował mną zew krwi?

Nie miałam pojęcia.

Owszem, od lat czułam sympatię do Heatha. Czasami robił wrażenie opóźnionego w rozwoju, ale nawet wtedy był milutki. Zawsze dobrze mnie traktował, lubiłam się z nim spotykać, przynajmniej póki nie zaczął pić i palić. Wtedy jego uzależnienia stały się równoznaczne z głupotą. Przestałam mu ufać. Tymczasem powiedział, że skończył z tym; czy znaczyło to, że stał się na powrót tym samym chłopcem, którego tak bardzo kiedyś lubiłam? A skoro tak, to co mam do diaska zrobić z (1) Erikiem, (2) Lorenem, (3) z faktem, że picie krwi Heatha było sprzeniewierzeniem się zasadom Domu Nocy, oraz (4) z niezłomnym zamiarem ponownego picia jego krwi?

Westchnęłam ciężko, co zabrzmiało jak szloch. Zdecydowanie powinnam z kimś porozmawiać na ten temat.

Z Neferet? W żadnym razie. Nie miałam zamiaru powiedzieć dorosłej wampirzycy o Lorenie. Wiedziałam, że powinnam się przyznać, że napiłam się (znów) krwi Heatha, czym przypuszczalnie wzmocniłam nasz związek krwi i wzajemne uzależnienie. Jednakże nie byłam gotowa na takie wyznania. Jeszcze nie. Może to egoizm z mojej strony, że nie chciałam napytać sobie biedy, zanim nie wzmocnię swojej pozycji liderki Cór Ciemności, ale tak było.

Ze Stevie Rae? Była moją najlepszą przyjaciółką i rzeczywiście miałam ochotę opowiedzieć jej o wszystkim, ale to by znaczyło, że powinnam też powiedzieć o próbowaniu krwi Heatha. I to dwa razy. I że chciałam jeszcze. Przecież to by ją ode mnie odstraszyło. Sama byłam tym wystraszona. Nie mogłam pozwolić na to, by najlepsza przyjaciółka patrzyła na mnie jak na potwora. Poza tym nie sądzę, by mnie całkowicie zrozumiała, nie do końca.

Babci też nie mogłam powiedzieć. Na pewno by jej się nie podobało to, że Loren ma dwadzieścia parę lat. I jakoś nie potrafiłam sobie wyobrazić, jak jej opowiadam o swojej żądzy krwi.

Jak na złość jedyną osobą, która zdawała się nie bać krwi i rozumieć, co znaczy pożądanie, była Afrodyta. W pewnym stopniu nawet chciałabym z nią porozmawiać na ten temat, zwłaszcza kiedy się przekonałam, że jej wizja okazała się prawdziwa. Coś mi mówiło, że można by powiedzieć o niej znacznie więcej niż tylko „wredna małpa". Neferet się na nią wkurzyła, to pewne. Ale też splantowała ją, mówiąc, i to lodowatym, pełnym nienawiści tonem, że Nyks cofnęła swoje łaski, więc odtąd wizje Afrodyty są niewiarygodne. Nie tylko ja się o tym dowiedziałam, ale praktycznie cała szkoła. Tymczasem miałam dowód, że jest inaczej. Cała ta sprawa zaczynała mnie mocno niepokoić, zastanawiałam się, na ile mogę ufać Neferet.

Zmusiłam się, by zająć myśli poszukiwaniem potrzebnych mi materiałów w centrum informacji. Otworzyłam starą księgę, z której wysunęła się kartka. Podniosłam ją, wierząc, że jakiś poprzedni czytelnik zostawił tu swoje notatki. Spojrzałam na nią i... zmartwiałam. Na wierzchu złożonej kartki widniało starannie wykaligrafowane moje imię. Natychmiast rozpoznałam to pismo.

Dla Zoey

Ponętna Kapłanko.
Noc nie skryje twoich szkarłatnych marzeń.
Pójdź za głosem pożądania.

Przeszył mnie dreszcz. Co to wszystko znaczy? Jakim cudem osoba, która powinna przebywać teraz na Wschodnim Wybrzeżu, przewidziała, że zajrzę do tej książki?

Ręce mi się trzęsły, tak że chcąc przeczytać ten wiersz raz jeszcze, musiałam odłożyć kartkę na stół. Mniejsza o piorunujące wrażenie, ale jakie to niesamowicie romantyczne, że poeta, zdobywca Lauru Poetyckiego Wampirów, pisał dla mnie wiersze. Z drugiej strony zaniepokoiło mnie, że haiku znalazło się w tym miejscu. *Noc nie skryje twoich szkarłatnych marzeń.* Czy ja już całkiem oszalałam czy też Loren wie, że poznałam smak krwi? Nagle ten wiersz wydał mi się złowieszczy... niebezpieczny, jakby zawierał ostrzeżenie, które właściwie ostrzeżeniem nie było. Zaczęłam myśleć o autorze. Bo może nie Loren był autorem tego wiersza? Może to haiku napisała Afrodyta? Podsłuchałam jej rozmowę z rodzicami. Miała mnie wykopsać ze stanowiska przewodniczącej

Cór Ciemności. Czy ten wiersz był częścią jej planu? (O rany, zabrzmiało to jak cytat z jakiejś humorystycznej książki).

No dobrze, Afrodyta widziała mnie z Lorenem, ale skąd miałaby się dowiedzieć o wierszu? Poza tym skąd by wiedziała, że wrócę do centrum informacji i zajrzę akurat do tej starej książki? To by raczej wyglądało na działanie jakiegoś dorosłego wampira, ale nie miałam pojęcia, jak by wpadł na ten trop. Przecież dopiero przed chwilą postanowiłam zajrzeć do tej książki.

Nala skoczyła na blat biurka komputerowego, napędzając mi niezłego stracha. Miauknęła z naganą i otarła się o mnie.

— No dobrze już, dobrze, zabieram się do roboty — uspokoiłam ją. Ale mimo że szperałam w starym tomie, szukając dawnych obrzędowych zaklęć, moje myśli nieustannie krążyły wokół wiersza, a niejasne uczucie niepokoju zagnieździło się we mnie na dobre.

ROZDZIAŁ SZESNASTY

Wyszłam z centrum informacji z Nalą na rękach; kocina spała tak mocno, że nawet nie mruknęła, kiedy podniosłam ją z blatu biurka. Wychodząc z czytelni, rzuciłam okiem na zegar — nie mogłam uwierzyć, że spędziłam tam kilka godzin. Dlatego czułam się, jakbym miała ołów w tyłku, kark też mi zdrętwiał. Nie przeszkadzało mi to zbytnio, ponieważ wiedziałam już, jak poprowadzić rytuał Pełni Księżyca. Kamień spadł mi z serca. Nadal jednak byłam podenerwowana, specjalnie się nie przejmując faktem, że uroczystości będę odprawiała przed gromadą młodziaków niekoniecznie zachwyconych, że zajęłam miejsce ich kumpelki, Afrodyty. Powinnam się skupić na samym rytuale, pamiętać, jakie wielkie wrażenie wywierało na mnie współbrzmienie z żywiołami, a reszta jakoś przejdzie.

Pchnęłam ciężkie drzwi frontowe prowadzące do szkoły i znalazłam się w całkiem innym świecie. Musiało padać przez cały czas, kiedy siedziałam w centrum informacji. Puchowa pierzynka pokrywała szczelnie cały teren szkoły. Dął silny wiatr, widoczność była prawie zerowa. Lampy gazowe ledwie znaczyły żółtymi punkcikami szlak pogrążonej w mlecznym mroku ścieżki. Powinnam była iść prosto do internatu, ale przypomniały mi się słowa Stevie Rae, która twierdziła, że śnieg jest pełen magii. I miała rację. Świat pokryty śniegiem wyglądał całkiem inaczej, był cichszy, bardziej tajemniczy. Nawet jako adeptka wzorem dorosłych wampirów odporna byłam na chłód, który dawniej łatwo mnie przenikał. Kojarzył mi się też z istotami umarłymi, które trwają, ponieważ żywią się krwią istot żywych. Przerażające, ale jednocześnie fascynujące zjawisko. Teraz lepiej rozumiałam proces, który we mnie zachodził, bardziej dowodziło to, że mój metabolizm się umacnia, niż że nie jestem nieżywa. Bo wampiry nie są istotami, które zmarły. One tylko przeszły Przemianę. To ludzie podsycali mit o chodzących trupach, co zaczynało mnie coraz bardziej drażnić. W każdym razie coraz bardziej mi się podobało, że mogę sobie spacerować na dworze, gdy szaleje zamieć, i nie bać się, że zamarznę. Nala przytulona do mnie mruczała głośno. Objęłam ją czule. Śnieg tłumił moje kroki, miałam wrażenie, że jego biel i czerń nocy zmieszały się ze sobą, tworząc niepowtarzalny kolor, wyłącznie dla mnie.

Po zaledwie kilku krokach z pewnością stuknęłabym się w czoło, gdybym nie miała rąk zajętych Nalą; przyszło mi bowiem do głowy, że powinnam zdobyć trochę eukaliptusa, który będzie mi potrzebny do odprawienia szkolnych rytuałów. Z tego co wyczytałam w starej księdze, eukaliptus miał właściwości uzdrawiające, ochronne i oczyszczające — bardzo pożądane podczas mojej pierwszej próby. Najpierw pomyślałam, by odłożyć na następny dzień poszukiwanie eukaliptusa, ale później uświadomiłam sobie, że należy go związać w bukiet, którego użyję podczas zaklęć, i dobrze byłoby wcześniej zrobić z tym próbę, bym nie upuściła niczego na ziemię albo by nieoczekiwanie eukaliptus nie rozsypał się podczas wiązania go w pęczek, co mogłoby mnie doprowadzić do płaczu. Już oczyma wyobraźni widziałam, jak czerwona ze wstydu rzucam się na podłogę i w pozycji embrionalnej zalewam się łzami...

Odsunęłam od siebie tę deprymującą wizję, odwróciłam się i zaczęłam truchtać w stronę głównego budynku. I wtedy zobaczyłam jakiś cień. Zwróciłam na niego uwagę nie tylko dlatego, że było mało prawdopodobne, by jakiś adept wyszedł na spacer w taką zamieć. Uderzyło mnie, że ten ktoś (bo z pewnością nie był to kot ani krzak) nie szedł po chodniku, ale kierował się w stronę sali rekreacyjnej na skróty, przez trawnik. Zatrzymałam się i wytężyłam wzrok, bo raził mnie padający śnieg. Zobaczyłam, że osoba ta miała na sobie długi ciemny płaszcz i naciągnięty na głowę kaptur.

Poczułam tak naglący i kategoryczny imperatyw, by iść za nim, że aż zaparło mi dech w piersi. Jakby kierowała mną jakaś siła, a nie moja własna wola, zeszłam z chodnika i podążyłam za tym dziwnym nieznajomym, który dotarł już do szeregu drzew rosnących wzdłuż muru okalającego szkolną posesję.

Patrzyłam szeroko otwartymi oczami. Tajemnicza postać, wszystko jedno, czy to była ona czy on, znalazłszy się w cieniu, nabrała niesamowitej prędkości, jakby rozpostarła skrzydła i dała się nieść śnieżnym podmuchom. Czyżby te skrzydła były czerwone? Czyżbym rzeczywiście widziała szkarłatne przebłyski na tle białej skóry? Śnieg zalepił mi oczy i zamazał obraz, ale przycisnęłam Nalę mocniej do siebie i puściłam się w pogoń, mimo że czułam, iż zmierzam w stronę wschodniego muru, gdzie ukryte były tajemne drzwi. To samo miejsce, gdzie zobaczyłam duchy czy też inne zjawy, jakkolwiek je nazwać. W każdym razie mówię o miejscu, do którego sama wolałabym się nie zbliżać.

Powinnam więc obrócić się na pięcie i jak najszybciej pójść prosto do internatu. Oczywiście tego nie uczyniłam.

Serce waliło mi jak młot, mruczenie Nali stawało się coraz głośniejsze. Kiedy dotarłam do linii drzew, dalej biegłam wzdłuż muru, myśląc jednocześnie, że to szaleństwo z mojej strony uganiać się za dzieciakiem, który próbuje potajemnie wymknąć się ze szkoły, albo co gorsza, za jakimś duchem.

Straciłam tę postać z oczu, ale wiedziałam, że muszę być już blisko zamaskowanych drzwi, więc zwolniłam, pozostając w głębszym cieniu i kryjąc się za kolejnymi drzewami. Padało coraz intensywniej, obie z Nalą wyglądałyśmy jak bałwanki, zaczynało mi być zimno. *Co ja tu robię?* Bez względu na to co podpowiadał mi głos wewnętrzny, rozum mówił mi, że zachowuję się jak wariatka i że powinnam natychmiast wracać wraz z kotką do internatu. Wtrącałam się w nieswoje sprawy. Bo może to któryś z nauczycieli chciał sprawdzić, czy czasem jakiś nieodpowiedzialny adept (jak na przykład ja) nie zawieruszył się gdzieś tutaj podczas zamieci?

A może to ktoś, kto właśnie zabił brutalnie Chrisa Forda i uprowadził Brada Higeonsa, wdarł się na teren szkoły i jeśli się na mnie natknie, zostanę następną ofiarą?

Och, ta moja chora wyobraźnia!...

Nagle usłyszałam jakieś głosy. Cichutko, na palcach podeszłam jak najbliżej i wtedy ich zobaczyłam. Przy otwartej furtce stały dwie postaci. Gwałtownie zamrugałam, starając się lepiej widzieć przez białą zasłonę wirujących płatków. Bliżej furtki stała postać, którą ścigałam. Przedtem pędziła z niewiarygodną prędkością, a teraz stała skulona pokornie. Przeniosłam wzrok na drugą postać. Przeszył mnie dreszcz grozy. To była Neferet.

Wyglądała tajemniczo, a jednocześnie władczo ze złotą aureolą włosów łopoczących na wietrze, w czarnej szacie, na którą opadały białe płatki śniegu. Zwrócona była przodem do mnie, tak że widziałam srogość malującą się na jej twarzy, niemal gniew. Przemawiała do zawoalowanej postaci, energicznie gestykulując. Bezszelestnie podeszłam jeszcze bliżej, zadowolona, że miałam na sobie ciemne odzienie, które zlewało się z mrokiem panującym przy murze. Z tego miejsca mogłam posłyszeć urywki tego, co mówiła Neferet.

— ...musisz być bardziej ostrożny! Ja nie będę... — Kiedy uważnie wsłuchiwałam się w słowa niesione przez zawodzący wiatr, uświadomiłam sobie, że jego porywy przynoszą mi nie tylko strzępki słów, ale jeszcze coś innego. Jakiś zapach, który wyraźnie odcinał się od świeżości śniegu. Zapach stęchlizny, nieprzyjemnie kontrastujący z rześkością zimowej nocy, w tym miejscu zupełnie obcy. — ...to zbyt niebezpieczne — mówiła Neferet. — Bądź posłuszny, bo w przeciwnym razie... — Umknęła mi reszta zdania, po którym nastąpiła chwila ciszy. Zawoalowana postać odpowiedziała pomrukiem bardziej przypominającym odgłosy zwierzęce niż ludzkie.

Nala, która skulona na mojej piersi dotychczas wydawała się pogrążona w głębokim śnie, nagle uniosła gwałtownie łebek i zaczęła groźnie pomrukiwać.

— Ćśś — starałam się ją uciszyć, kuląc się jednocześnie za pniem grubego drzewa. Uspokoiła się, ale poczułam, jak jeży się jej futro na grzbiecie, a oczy zwężają na widok zamaskowanej postaci.

— Obiecałaś!

Gardłowe dźwięki wydawane przez nieznajomego sprawiły, że na mym ciele pojawiła się gęsia skórka. Zerknęłam zza pnia akurat w tym momencie, kiedy Neferet zamierzyła się na swego rozmówcę, jakby chciała go uderzyć. Ten odskoczył, przypadając do muru, a wtedy kaptur zsunął mu się z głowy. Żołądek podszedł mi do gardła, bałam się, że zwymiotuję.

To był Elliott. Zmarły chłopak, którego „duch" miesiąc temu zaatakował mnie i Nalę.

Neferet nie uderzyła go. Wskazała gniewnie w stronę otwartej furtki i zawołała na tyle głośno, że dobiegło mnie każde jej słowo:

— Nie możesz tego robić! Nie czas na to. Nie rozumiesz takich rzeczy i nie wolno ci zadawać mi żadnych pytań. Teraz zostaw to. Jeśli jeszcze raz okażesz nieposłuszeństwo, narazisz się na mój gniew, a gniew bogini może być straszny.

Elliott znów pokornie się skulił.

— Tak, bogini — wyjąkał.

To on, tego byłam pewna. Rozpoznałam jego głos, mimo że był zachrypnięty. Z jakiegoś powodu Elliott nie umarł, chociaż też nie przeszedł Przemiany i nie stał się dorosłym wampirem. Stał się kimś innym. Kimś strasznym.

Chociaż dla mnie był odrażający, Neferet spoglądała teraz na niego łagodnym wzrokiem.

— Nie chcę się gniewać na swoje dzieci. Wiesz, że jesteś moją wielką radością.

Z odrazą patrzyłam, jak Neferet podeszła bliżej do Elliotta i zaczęła gładzić go czule po policzku. Jego oczy nabiegły krwią, nawet z daleka było widać, że drży na całym ciele. Elliott był niskim, pulchnym, nieatrakcyjnym dzieciakiem o zbyt bladej karnacji, rudych jak marchewka włosach, prawie zawsze potarganych. To się nie zmieniło, tyle że wyglądał bardziej żałośnie, jakby skurczył się w sobie. Neferet musiała się pochylić, żeby pocałować go w usta. Przerażona usłyszałam, jak Elliott jęknął z rozkoszy. Neferet wyprostowała się i wybuchnęła śmiechem. Jej śmiech zabrzmiał uwodzicielsko.

— Proszę cię, bogini... — skamlał Elliott.

— Wiesz, że nie zasłużyłeś.

— Bogini, proszę — powtarzał. Trząsł się cały.

— Dobrze, ale pamiętaj. Bogini może coś dać, ale w każdej chwili może też to zabrać.

Nie mogąc oderwać oczu od tej sceny, patrzyłam, jak Neferet podnosi rękę i przejeżdża paznokciem po skórze przedramienia, znacząc go cienką czerwoną kreską, na której natychmiast pojawiły się pęczniejące krople krwi. Jej krew miała przyciągającą moc. Kiedy zapraszającym gestem wyciągnęła ramię w stronę Elliotta, zmusiłam się z trudem, by stać bez ruchu wciśnięta w szorstką korę pnia. Elliott padł przed nią na kolana i jęcząc z rozkoszy, przyssał się do jej ręki. Zwróciłam wzrok na Neferet. Odrzuciła w tył głowę, rozchyliła wargi i zdawała się przeżywać seksualną ekstazę, gdy ten pokurcz, Elliott, pił jej krew.

Gdzieś w środku poczułam podobne pragnienie. Też bym chciała przeciąć komuś skórę i...

Nie! Cofnęłam się za drzewo, by całkiem mnie skrywało i bym dalej już nie patrzyła. Nie chcę stać się potworem. Nie chcę być wariatką. Nie pozwolę, by te rzeczy mną rządziły. Powoli i cichutko zaczęłam się wycofywać, nie patrząc dłużej na tych dwoje.

ROZDZIAŁ SIEDEMNASTY

Kiedy w końcu dotarłam do internatu, czułam się przemarznięta, zdezorientowana i zbierało mi się na mdłości. Grupki przemoczonych młodziaków snuły się po sali telewizyjnej, popijając gorącą czekoladę. Wzięłam ręcznik ze stojaka przy drzwiach, by się osuszyć, i dołączyłam do Stevie Rae, Bliźniaczek i Damiena, którzy w dalszym ciągu siedzieli przed telewizorem i oglądali swój ulubiony program *Project Runway*. Wytarłam też do sucha Nalę, która mruczała podczas tego zabiegu. Stevie Rae początkowo nie zwróciła uwagi na mój niezwykły spokój, zaaferowana opowiadała, jak bitwa na śnieżki przeradzała się w wielką wojnę, kiedy przerwał ją Dragon po tym, jak któraś z kul śnieżnych uderzyła w okno jego biura. Wtedy położył kres zabawie, a nikt nie śmiał lekceważyć słów tego profesora szermierki.

— Dragon zakończył naszą wojnę, ale do tego momentu było świetnie — chichotała Stevie Rae.

— Naprawdę, Z, cholernie dużo straciłaś — zapewniła mnie Erin.

— Damien i jego chłopak nieźle od nas dostali — dodała Shaunee.

— On nie jest moim chłopakiem — zaprotestował Damien, ale z jego uśmiechu można było wnioskować, że raczej chciał powiedzieć: „Jeszcze nie jest".

— Mniejsza...

— ...o to — powiedziały Bliźniaczki.

— Moim zdaniem on jest fajny — uznała Stevie Rae.

— Moim też — odpowiedział Damien, rumieniąc się jak panienka.

— A ty co o nim myślisz, Zoey? — zapytała Stevie Rae.

Zamrugałam nieprzytomnie. Czułam się, jakbym przez cały czas siedziała zamknięta w szczelnym akwarium, całkowicie odizolowana od ich zimowej zabawy.

— Wszystko w porządku, Zoey? — zatroskał się Damien.

— Damien, czy mógłbyś mi przynieść trochę eukaliptusa? — zapytałam, zmieniając temat.

— Eukaliptusa?

Skinęłam głową.

— Tak, trochę eukaliptusa i może też szałwii. Potrzebne mi będą na jutrzejsze uroczystości.

— Oczywiście, nie ma sprawy — zgodził się Damien, bardzo uważnie mi się przyglądając.

— Obmyśliłaś już, jak to poprowadzić? — zapytała Stevie Rae.

— Chyba tak. — Zaczerpnęłam powietrza i napotkałam nadal pytające spojrzenie Damiena. — Damien, powiedz mi, czy spotkałeś się kiedyś z takim przypadkiem, że adept umiera, a potem okazuje się, że żyje?

Na szczęście, co dobrze o nim świadczy, Damien nie zapytał, czy czasem nie zwariowałam, ale Bliźniaczki i Stevie Rae gapiły się na mnie z rozdziawionymi ustami. Nie zwracałam jednak na nie uwagi, tylko patrzyłam wyczekująco na Damiena. Wiadomo było, że poświęcił wiele czasu na naukę i pamiętał dobrze wszystko, co przeczytał. Jeżeli ktoś znał odpowiedź na moje dziwne pytanie, to tylko on.

— Kiedy organizm adepta zaczyna odrzucać Przemianę, jest to proces nieodwracalny. Tak podają wszystkie podręczniki. I tak nam mówiła Neferet. — Po czym zapytał śmiertelnie poważnym tonem: — Zoey, czy coś jest nie tak?

— Ojejku, chyba nie jesteś chora? Powiedz, że nie. — Stevie Rae prawie płakała.

— Nie, nie — zapewniłam ją szybko. — Dobrze się czuję, naprawdę.

— O co chodzi? — chciała wiedzieć Shaunee.

— Aleś nas wystraszyła — dodała Erin.

— Nie chciałam, przepraszam. Wiem, że to dziwnie zabrzmi — zdecydowałam się im powiedzieć — ale wydaje mi się, że widziałam Elliotta.

— Co?! — wykrzyknęły jednocześnie Bliźniaczki.

— Nie rozumiem — rzekł Damien. — Elliott umarł miesiąc temu.

Nagle Stevie Rae otworzyła szeroko oczy.

— Tak jak Elizabeth — wykrzyknęła. I zanim zdążyłam ją powstrzymać, wypaliła: — W zeszłym miesiącu Zoey też się zdawało, że widzi ducha Elizabeth przy wschodniej stronie muru, ale nic wam nie mówiłyśmy, żeby was nie wystraszyć.

Już otwierałam usta, by wyjaśnić im, co zaszło między Elliottem i Neferet, ale szybko je zamknęłam. Powinnam pamiętać, że zanim pisnę słówko na ten temat, nie mogę im powiedzieć niczego o Neferet. Wszystkie wampiry obdarzone były niezwykłą intuicją, ale starsza kapłanka Neferet wielokrotnie przebijała je pod tym względem. I to do tego stopnia, że nieraz wydawało mi się, że potrafiła czytać w cudzych myślach. W żadnym razie nie mogłam dopuścić do sytuacji, by cała czwórka dowiedziała się, że widziałam, jak Neferet pozwoliła nie całkiem martwemu nieudacznikowi, jakim był Elliott, pić jej krew. Neferet zaraz by wyczuła, że oni to wiedzą.

Scenę, której byłam świadkiem, powinnam zachować wyłącznie dla siebie.

— Zoey... — Stevie Rae położyła mi dłoń na ramieniu.
— Nam możesz powiedzieć.

Uśmiechnęłam się do niej, życząc sobie w duchu, bym rzeczywiście mogła to zrobić.

— Faktycznie wydawało mi się w zeszłym miesiącu, że widzę ducha Elizabeth, i teraz też myślę, że zobaczyłam ducha Elliotta — w końcu powiedziałam.

Damien nachmurzył się.

— Skoro widziałaś ich duchy, to dlaczego pytałaś mnie, czy wiem coś o adeptach, którzy przeżywają odrzucenie Przemiany?

Spojrzałam swojemu przyjacielowi w oczy i skłamałam bez zająknienia.

— Ponieważ jest bardziej prawdopodobne, że widziałam duchy niż żywe postacie.

— Jak ja bym zobaczyła ducha, to chybabym umarła ze strachu — stwierdziła Shaunee.

Erin pokiwała energicznie głową na znak, że całkowicie się z nią zgadza.

— To było tak samo jak z Elizabeth? — dopytywała się Stevie Rae.

Przynajmniej teraz nie musiałam kłamać.

— Nie. Tym razem miałam wrażenie, że wszystko jest bardziej rzeczywiste, ale i jedno, i drugie widziałam w tym samym miejscu przy wschodniej stronie muru. I oba duchy miały niesamowite czerwone oczy.

Shaunee wzdrygnęła się.

— Za cholerę bym się więcej nie zbliżyła do wschodniego muru — zapewniła Erin.

Damien, jak zawsze wykazując naukowe podejście, przeciągnął palcami po grdyce.

— Wiesz, Zoey — powiedział poważnym tonem — a może oprócz zdolności kontaktowania się z żywiołami masz również zdolność kontaktu ze zmarłymi adeptami?

Też bym tak mogła pomyśleć, gdybym nie widziała na własne oczy, jak domniemany duch, postać z krwi i kości, chłeptał krew mojej mentorki. Niemniej była to wygodna teoria, która mogła odwrócić uwagę Damiena od innych aspektów.

— Może masz rację — przyznałam.

— Ach — westchnęła Stevie Rae. — Mam nadzieję, że tak nie jest.

— Ja też — zgodziłam się z nią. — Ale na wszelki wypadek, Damien, czy mógłbyś poszperać w źródłach, by dowiedzieć się czegoś więcej na ten temat?

— Jasne. Sprawdzę też, czy nie ma jakichś wzmianek o straszeniu przez adeptów.

— Dziękuję. Będę ci bardzo wdzięczna.

— Wiesz, przypominam sobie, że kiedyś czytałem coś w książkach z historii Grecji o duchach wampirów, które nieustannie kręciły się przy starych grobach...

Przestałam słuchać wykładu Damiena zadowolona, że Stevie Rae i Bliźniaczki ochoczo nadstawiły ucha opowieściom o duchach, dalekie od zadawania mi niewygodnych pytań. Nie lubiłam kłamać, zwłaszcza że naprawdę wolałabym im wszystko opowiedzieć. To co widziałam, napełniło mnie przerażeniem. Jak ja teraz spojrzę Neferet w oczy?

Nala otarła się pyszczkiem o moje policzki, po czym wygodnie usadowiła się na moich kolanach. Zwróciłam wzrok w stronę ekranu telewizora, głaszcząc Nalę, podczas gdy Damien ciągnął swoją opowieść o starożytnych wampirzych duchach. Nagle uświadomiwszy sobie, co pokazują w telewizji, sięgnęłam przez zasłuchaną Stevie Rae po pilota, płosząc Nalę, która z wielkim miaukiem zeskoczyła mi z kolan. Nie miałam czasu, by ją uspokajać, tak pilno mi było, by pogłośnić telewizor.

Znów pokazała się Chera Kimiko, była to powtórka wiadomości i głównego tematu dnia.

Ciało drugiego nastolatka z liceum w Union, Brada Higeonsa, zostało znalezione przez ochronę muzeum dziś wieczorem w strumieniu przepływającym przez teren muzeum Philbrook. Jeszcze za wcześnie na oficjalny komunikat o przyczynach jego śmierci, ale nieoficjalnie mówi się, że zmarł na skutek wielu ran szarpanych.

— Nie... — Poczułam, że dygoczę na całym ciele. W uszach mi huczało.

— To ten sam strumień, przez który przechodziliśmy w drodze na uroczystości Samhain miesiąc temu — przypomniała Stevie Rae.

— To niedaleko stąd — zauważyła Shaunee.

— Córy Ciemności wymykały się tam za każdym razem na obchody święta Samhain — uzupełniła Erin.

Wtedy Damien powiedział to, co każdy z nas myślał:

— Ktoś próbuje wywołać wrażenie, że to wampiry zabijają ludzkie nastolatki.

— Może tak jest — powiedziałam. Nie zamierzałam głośno wypowiadać swoich myśli, ale słowa te nieopatrznie mi się wymknęły.

— Dlaczego tak mówisz? — zapytała zdumiona Stevie Rae.

— Sama nie wiem. Właściwie tak nie myślę — bąkałam, rzeczywiście nie wiedząc, dlaczego to powiedziałam.

— Spanikowałaś, to dlatego — domyśliła się Erin.

— Jasne. Znałaś ich obu — zgodziła się Sahunee. — A ponadto zobaczyłaś dzisiaj tego cholernego ducha.

Damien znów obserwował mnie uważnie.

— Zoey, czy miałaś jakieś przeczucia co do ich śmierci, zanim się o tym dowiedziałaś? — zapytał cicho.

— Tak. Nie. — Westchnęłam. — Jak tylko się dowiedziałam, że zaginął, pomyślałam, że nie żyje — przyznałam.

— Czy doznałaś jeszcze czegoś poza tym przeczuciem? Może wiesz coś więcej na ten temat? — zapytał Damien.

Pytanie Damiena wydobyło z mojej pamięci urywki słów Neferet: *To zbyt niebezpieczne... Nie możesz tego robić... Nie rozumiesz takich rzeczy... Nie wolno ci zadawać mi żadnych pytań.* Dreszcz, jaki mnie przeszedł, nie miał nic wspólnego z zamiecią za oknem.

— Nie, żadnych szczególnych myśli ani odczuć poza tym nie miałam. Muszę już iść do siebie — powiedziałam, raptem nie mając siły przebywać razem z nimi. Nie znosiłam kłamstwa, a nie byłam pewna, czy powstrzymam się przed wyjawieniem im prawdy, jeśli zostanę z nimi trochę dłużej.

— Muszę się jeszcze przygotować do jutrzejszej uroczystości — dodałam słabym głosem. — I ostatnio niewiele spałam. Jestem naprawdę zmęczona.

— Nie ma sprawy. Rozumiemy — powiedział Damien.

Byli tak przejęci moim stanem zdrowia, że nie śmiałam im spojrzeć w oczy.

— Dzięki — bąknęłam, wychodząc z sali. Doszłam już do połowy schodów, gdy dogoniła mnie Stevie Rae.

— Nie masz nic przeciwko temu, żebym z tobą poszła do pokoju? — zapytała. — Boli mnie głowa. Chcę się położyć. Nie będę ci przeszkadzać, jeśli chcesz jeszcze poczytać.

— Pewnie, że nie mam nic przeciwko temu — odpowiedziałam szybko. Popatrzyłam na nią. Była blada. Stevie Rae była bardzo wrażliwa i nawet jeśli nie znała Brada ani Chrisa, ich śmierć nią wstrząsnęła. Do tego jeszcze doszły moje rewelacje o duchach i biedactwo wystraszyło się nie na żarty. Objęłam ją za szyję i uściskałam.

— Nie martw się, wszystko będzie dobrze — pocieszyłam ją.

— Aha, wiem. Po prostu jestem zmęczona. — Uśmiechnęła się do mnie, ale jej zwykła żwawość gdzieś znikła.

Przebierając się do snu, prawie nie zamieniłyśmy ze sobą ani słowa. Nala wemknęła się przez kocie drzwi, wskoczyła na łóżko i natychmiast zasnęła, tak samo jak Stevie Rae, co było dla mnie wielką ulgą, bo nie musiałam już udawać, że piszę na jutro mowę, którą miałam wcześniej przygotowaną. Ale musiałam zrobić jeszcze coś innego, czego nie chciałam ujawniać przed nikim, nawet przed swoją najlepszą przyjaciółką.

ROZDZIAŁ OSIEMNASTY

Podręcznik do socjologii wampirów 415 leżał dokładnie tam, gdzie go zostawiłam, czyli na półce nad stolikiem komputerowym. Był to podręcznik dla klasy najstarszej albo jak tu ją nazywano, szóstego formatowania. Dała mi go Neferet wkrótce po tym, jak tu nastałam, kiedy stało się oczywiste, że moja Przemiana odbywa się w innym tempie niż u pozostałych adeptów. Neferet chciała nawet, żebym na lekcje socjologii chodziła razem z szóstym formatowaniem, ale udało mi się ją przekonać, że lepiej będzie, jak zostanę ze swoją klasą, gdyż i tak dostatecznie wiele mnie różni od reszty adeptów, bym jeszcze dodawała i tę odmienność. Ustaliłyśmy kompromisowe rozwiązanie: miałam sama studiować teksty i w razie niejasności przychodzić do niej z pytaniami.

Szczerze zamierzałam tak robić, ale zaabsorbowana ciągle czymś innym (przejęciem Cór Ciemności, umawianiem się z Erikiem, normalnymi zajęciami w szkole i różnymi innymi sprawami) ledwie tylko rzucałam okiem na półkę, gdzie stał podręcznik.

Z ciężkim westchnieniem, bo też czułam się rzeczywiście skonana, wzięłam książkę do łóżka i spiętrzyłam poduszki, by czytać w wygodnej pozycji. Mimo dramatycznych wydarzeń tego dnia musiałam walczyć z sennością, kiedy przewracałam kartki podręcznika w poszukiwaniu interesującego mnie rozdziału: o łaknieniu krwi.

W indeksie widniało wiele odniesień po tym haśle, zaznaczyłam więc to miejsce i zaczęłam od pierwszego odesłania. Początkowo było tam to, czego mogłam się spodziewać: że w miarę postępowania procesu Przemiany u adepta rozwija się i potęguje apetyt na krew. Najpierw adept odczuwa wstręt do krwi, potem się w niej rozsmakowuje. Kiedy Przemiana jest już zaawansowana, adept potrafi wyczuć zapach krwi na odległość. W procesie tym zmienia się także metabolizm, wskutek czego alkohol i narkotyki mają mniejszy wpływ na organizm adepta, a odpowiednio do tego wzrasta łaknienie krwi.

„Coś takiego", powiedziałam do siebie. Mnie wypicie nawet rozcieńczonej z winem krwi wprawiło w niesamowitą ekstazę. Spróbowanie krwi Heatha wywołało we mnie ognistą i pełną rozkoszy reakcję. Z doświadczenia wiedziałam już, jak smakowita może być krew. Następnie moją uwagę przyciągnął tytuł innego rozdziału.

PRAGNIENIE KRWI A EROTYKA

Mimo że częstotliwość występowania objawów pożądania krwi różni się w zależności od płci, wieku i ogólnej kondycji wampirów, dorosłe osobniki muszą co jakiś czas pożywić się ludzką krwią, by zachować zdrowie ciała i umysłu. Logiczną tego konsekwencją jest fakt, że nasza ukochana bogini Nyks sprawiła, iż cały ten proces nacechowany jest przyjemnością odczuwaną zarówno przez wampiry, jak i ludzkich dawców. Z naszych obserwacji wynika, że ślina wampirów ma właściwości antykoagulacyjne w zetknięciu z ludzką krwią. Do śliny wampirów przechodzą też wytwarzane podczas picia krwi endorfiny, które stymulują powstawanie w mózgu uczucia przyjemności odczuwanej zarówno przez wampira, jak i człowieka, doznania podobnego do orgazmu.

Przetarłam oczy ze zdumienia. O do diabła! To dlatego tak się napaliłam na Heatha. Podniecenie podczas picia krwi było wpisane w proces Przemiany. Zafascynowana czytałam dalej.

Im starszy jest wampir, tym więcej endorfin wydziela jego organizm podczas picia krwi, co z kolei związane jest z bardziej intensywnym doznawaniem przyjemności przez obie strony.
Od stuleci wampiry domyślają się, że obopólna rozkosz przeżywana podczas picia krwi jest główną przyczyną nienawiści ludzi wobec naszego gatunku. Ludzie czują się zagrożeni naszą zdolnością sprawiania im rozkoszy podczas tego aktu, który uznają za groźny i straszny, dlatego też ogłosili nas drapieżcami. Tymczasem prawda jest taka, że potrafimy kontrolować naszą żądzę krwi, a zatem fizyczne zagrożenie dla ludzkich dawców jest niewielkie. Niebezpieczeństwo natomiast istnieje w sytuacji, gdy dochodzi do wzajemnego Skojarzenia, co nieraz się zdarza podczas rytualnego picia krwi.

Pochłonięta lekturą rzuciłam się do czytania następnej partii materiału.

SKOJARZENIE
Nie za każdym razem, kiedy wampir rytualnie spożywa ludzką krew, dochodzi do Skojarzenia. Przeprowadzono wiele badań, by wykazać, dlaczego czasami dochodzi do Skojarzenia, a czasami nie, ale choć istnieje mnogość czynników sprzyjających, takich jak związek emocjonalny, wiek, płeć, wzajemny stosunek partnerów do siebie przed rozpoczęciem procesu Przemiany, nie udało się ustalić z całą pewnością, kiedy dochodzi do wzajemnego Skojarzenia człowieka i wampira.

Dalej następowały rozważania o tym, jakie środki ostrożności powinien przedsięwziąć wampir, gdy pije krew od żyjącego dawcy, oraz omówienie ewentualności korzystania z banku krwi, którego istnienie trzymane jest w ścisłej tajemnicy, dlatego bardzo niewielu ludzi w ogóle o nim wie (zapewne są sowicie opłacani za swoje milczenie). Podręcznik socjologii nie zalecał picia krwi bezpośrednio od dawców i zawierał sporo ostrzeżeń przed Skojarzeniem, zwłaszcza że prowadziło ono do wzajemnych związków, którym podlegali zarówno ludzie, jak i wampiry. To mnie zelektryzowało. Niemal słabo mi się robiło, gdy czytałam o tym, że istnieją takie przypadki Skojarzenia, w których wampir odbiera uczucia człowieka i może wtedy dodatkowo się z nim kontaktować, a nawet śledzić go. Następnie w podręczniku opisano sprawę Brama Stokera, który został Skojarzony przez starszą kapłankę, ale ponieważ nie rozumiał, że dla niej ważniejsza od ich związku była bogini Nyks, w przypływie zazdrości i z chęci zemsty opisał negatywne strony Skojarzenia w swej niesławnej powieści *Dracula*.

— Coś takiego. Nie miałam o tym pojęcia — powiedziałam do siebie. Jak na ironię książka ta była moją ulubioną lekturą, odkąd przeczytałam ją po raz pierwszy, kiedy miałam trzynaście lat. Opuściłam resztę rozważań na ten temat, aż natrafiłam na rozdział, który pochłonął bez reszty moją uwagę.

SKOJARZENIE ADEPTA I WAMPIRA

Jak już zasygnalizowano w poprzednim rozdziale, adeptom nie wolno pić krwi ludzkich dawców, ale zdarza się, że tytułem eksperymentu podejmują takie próby. Zostało udowodnione, że pomiędzy dwojgiem adeptów nie dochodzi do Skojarzenia, istnieje natomiast możliwość Skojarzenia adepta z dorosłym wampirem. Prowadzi to jednak do zakłóceń w sferze emocjonalnej i fizycznej po skończeniu procesu Przemiany u adepta, zawsze dla niego niekorzystnych, nawet gdy stanie się już dorosłym wampirem, dlatego picie krwi wampira przez adepta jest surowo wzbronione.

Pokręciłam głową nadal przejęta sceną, której byłam świadkiem, kiedy Elliott pił krew Neferet. Pomijając kwestię niedoszłej jego śmierci, która w dalszym ciągu napawała mnie przerażeniem, Neferet musiała być kapłanką obdarzoną potężną władzą. W żadnym jednak razie nie powinna była dopuścić do tego, by adept pił jej krew (nawet jeśli był martwy).

Podręcznik zawierał także rozdział na temat zerwania Skojarzenia, zaczęłam go nawet czytać, ale wkrótce przestałam, bo jego lektura była bardzo przygnębiająca. Musiała w tym brać udział starsza kapłanka, z całym tym procesem wiązało się wiele fizycznych cierpień, zwłaszcza dla człowieka, a nawet potem obydwoje musieli uważać, by się nie spotykać, ponieważ Skojarzenie mogło się odnowić.

Nagle poczułam się bardzo zmęczona. Ileż to już godzin nie spałam? Więcej niż dobę. Spojrzałam na budzik. Było dziesięć po szóstej. Wkrótce zacznie się rozwidniać. Zesztywniała podniosłam się z trudem i odłożyłam książkę z powrotem na półkę. Następnie podeszłam do okna i odsunęłam ciężką zasłonę, która całkowicie blokowała dostęp światła do wnętrza pokoju. Nadal padał śnieg, a w wątłym brzasku świat wydawał się niewinny i skłaniający do marzeń. Trudno było uwierzyć, że w tym świecie zdarzały się tak straszne rzeczy, jak zabójstwa nastolatków czy przywrócenie do życia zmarłego adepta. Nie chciałam teraz tego rozpamiętywać. Zbyt byłam zmęczona, zbyt zdezorientowana, niezdolna do szukania i znajdowania odpowiedzi na te wątpliwości, które w końcu musiałam rozwikłać.

Pozwoliłam, by senne myśli swobodnie krążyły mi po głowie. Chciałam się położyć, ale oparłam czoło o chłodną szybę, co dobrze mi zrobiło. Erik powinien niedługo wrócić. Poczułam przypływ radości, ale i nękające poczucie winy, co sprawiło, że zaraz przyszedł mi na myśl Heath.

Przypuszczalnie jesteśmy Skojarzeni. Ta perspektywa wydała mi się przerażająca, ale jednocześnie też kusząca. Co w tym takiego strasznego: być uczuciowo i fizycznie związaną z Heathem, który przestał pić? Zanim poznałam Erika (i Lorena), odpowiedź na to pytanie z pewnością brzmiałaby: nie, nie ma w tym nic strasznego. Teraz gnębiło mnie co innego: to, że musiałam trzymać ten związek w tajemnicy przed wszystkimi. *Zawsze jeszcze pozostaje kłamstwo...* Myśl ta jak trucizna sączyła się i wnikała w mój zmęczony zmartwieniami umysł. Neferet i Erik wiedzą, że przed miesiącem na skutek zbiegu okoliczności napiłam się krwi Heatha, zanim się dowiedziałam czegokolwiek o łaknieniu krwi i Skojarzeniu. *Mogłam udawać, że zostaliśmy Skojarzeni. Wspomniałam już o tym w rozmowie z Neferet. Może znajdę sposób, by nie widywać zarówno Erika, jak i Heatha...*

Wiedziałam, że właściwie nie mam zamiaru tak postępować. A spotkanie się z oboma, z Erikiem i Heathem, byłoby nie fair wobec każdego z nich. Ale czułam się rozdarta. Naprawdę zależało mi na Eriku, poza tym on należał do tego samego świata, w którym i ja przebywałam, rozumiał, czym jest Przemiana i rozpoczęcie całkiem odmiennego od dotychczasowego życia.

Ale myśl o tym, że mogłabym więcej nie zobaczyć Heatha, nie poczuć smaku jego krwi, napawała mnie przerażeniem. Znów ciężko westchnęłam. Jeśli dla mnie sytuacja ta nie była dobra, to dla Heatha musiała być stokroć gorsza. Przecież nie widzieliśmy się przeszło miesiąc, a on przez cały ten czas nosił przy sobie żyletkę na wypadek, gdyby udało mu się gdzieś mnie spotkać. Dla mnie przestał pić i palić. W każdej chwili gotów był się skaleczyć, żebym tylko mogła napić się jego krwi. Gdy rozpamiętywałam taką ewentualność, poczułam przejmujący mnie dreszcz, i to nie z powodu chłodu szyby, o którą nadal opierałam czoło. To był dreszcz podniecenia. Podręcznik socjologii przedstawił powody pożądania w sposób logiczny i beznamiętny, ale taki opis nie mógł oddać całej prawdy.

Picie krwi Heatha było niesłychanie podniecające. Chciałam, żeby to się znów powtórzyło, jeszcze raz i jeszcze raz. Wkrótce. Teraz na przykład. Zacisnęłam zęby, by się powstrzymać od jęku na samo wspomnienie jędrnego ciała Heatha i niesamowitego smaku jego krwi.

Nagle poczułam, że się unoszę, jakby ktoś wypuścił sznurek trzymający na uwięzi balon, w którym siedziałam. Jakaś cząstka mnie krążyła w przestrzeni w poszukiwaniu kogoś, aż wreszcie wpadła do ciemnego pokoju i unosiła się pod sufitem nad czyimś łóżkiem. Wstrzymałam oddech. To był pokój Heatha.

Heath leżał na łóżku na wznak. Jasne włosy miał w nieładzie, co sprawiało, że wyglądał jak mały chłopczyk. Każdy przyzna, że jest przystojny. To znaczy, wampiry są znane ze swej urody, ale nawet w ich skali przystojności Heath musiał zasługiwać na wysoką punktację.

Jakby wyczuwając moją obecność, poruszył się przez sen i odrzucił prześcieradło, pod którym leżał. Miał na sobie tylko niebieskie szorty we wzorek z zielonych żab. Uśmiechnęłam się na ten widok. Ale zaraz uśmiech zamarł na moich ustach, gdy spostrzegłam na jego szyi cienką różową szramę.

Właśnie w tym miejscu skaleczył się żyletką, żebym mogła napić się jego krwi. Niemal poczułam jej smak w ustach, przypominała gorącą czekoladę, tylko była sto razy smaczniejsza.

Z moich ust wydarł się jęk, którego nie mogłam powstrzymać. W tej samej chwili Heath jęknął przez sen.

— Zoey — wymamrotał sennie i poruszył się niespokojnie.

— Ach, Heath — wyszeptałam. — Nie wiem, co mamy zrobić.

Wiedziałam, co c h c i a ł a b y m zrobić. Nie zważając na okropne zmęczenie, chciałabym wsiąść do samochodu i pojechać prosto do domu Heatha, wsmyknąć się przez okno do jego sypialni (nie powiem, żebym przedtem tego nie robiła), otworzyć świeżo zasklepioną rankę na jego szyi, przypiąć się do niej, aby spić jego słodką krew, i przytuliwszy się do niego, kochać się z nim po raz pierwszy w życiu.

— Zoey! — Tym razem zamrugał i otworzył oczy. Znów jęknął, a ręka jego powędrowała w dół do spodenek, gdzie rysowała się twarda wypukłość...

Otworzyłam oczy i znalazłam się znów w swoim pokoju z czołem wspartym o chłodną szybę, ciężko dysząc.

Zadźwięczała moja komórka, sygnalizując otrzymanie nowej wiadomości. Drżącymi rękoma otworzyłam klapkę telefonu i przeczytałam: „Poczułem, że jesteś ze mną. Obiecaj, że spotkamy się w piątek".

Nabrałam powietrza do płuc i przesłałam mu odpowiedź zawierającą się w jednym słowie: „Obiecuję".

Wyłączyłam telefon. Następnie, z trudem odrywając myśli od wizerunku Heatha z cienką szramą na ciepłej, pulsującej namiętnością szyi, bezsprzecznie pożądającego mnie równie mocno jak ja jego, odeszłam od okna i położyłam się do łóżka. Niesamowite, ale budzik wskazywał teraz godzinę ósmą dwadzieścia siedem. Nie do wiary, tkwiłam przy oknie ponad dwie godziny! Nic dziwnego, że czułam się zesztywniała i obolała. Postanowiłam sobie w duchu nie zaglądać więcej do podręcznika socjologii w poszukiwaniu dalszych informacji na temat Skojarzenia oraz związków pomiędzy ludźmi i wampirami, kiedy następnym razem wybiorę się do centrum informacji. Zanim zgasiłam lampkę na nocnym stoliczku, rzuciłam jeszcze okiem na Stevie Rae. Zwinięta w kłębek leżała odwrócona do mnie tyłem, ale jej miarowy oddech świadczył o tym, że pogrążona była w głębokim śnie. No cóż, przynajmniej moi przyjaciele nie wiedzieli jeszcze, jakim stałam się napalonym, żądnym krwi dziwolągiem.

Pragnęłam Heatha.

Potrzebowałam Erika.

Byłam zafascynowana Lorenem.

Nie miałam bladego pojęcia, co zrobić ze swoim życiem, które tak się pokręciło.

Ubiłam poduszkę w kulę. Czułam się nieludzko zmęczona, jakby ktoś mnie naszpikował narkotykami, ale mój umysł nie dał się wygasić. Kiedy się obudzę, zapewne zobaczę Erika, może też Lorena. Będę musiała się zmierzyć z Neferet. Odegrać swój pierwszy w życiu rytuał przed grupą młodziaków, którzy najpewniej nie będą mieli nic przeciwko temu, żeby zobaczyć, jak mi się nie udaje albo przynajmniej jak będę stremowana i niepewna, albo jeszcze lepiej i jedno, i drugie. I do tego ta świadomość, że widziałam ducha Elliotta, który się zachowywał bynajmniej nie jak duch. Nie mówiąc już o tym, że następny ludzki nastolatek został zabity, najprawdopodobniej przez jakiegoś wampira.

Zamknęłam oczy i nakazałam swojemu ciału się zrelaksować, a głowie skupić na czymś przyjemniejszym, na przykład na śniegu...

Z wolna wyczerpanie wzięło górę i w końcu zasnęłam.

ROZDZIAŁ DZIEWIĘTNASTY

Bębnienie do drzwi wyrwało mnie ze snu, akurat kiedy śniły mi się płatki śniegu w kształcie kotów.

— Zoey! Stevie Rae! Spóźnicie się! — Przez zamknięte drzwi głos Shaunee dochodził lekko przytłumiony, ale naglący. Tak jakby ktoś nakrył ręcznikiem budzik, który mimo to dzwonił.

— Dobrze, już dobrze, wstaję — zawołałam, jednocześnie mocując się z kołdrą, podczas gdy Nala miauczała niezadowolona.

Rzuciłam okiem na budzik, którego nawet nie nakręciłam. Cóż, nadchodzący dzień nie wydawał mi się normalnym dniem zajęć lekcyjnych, zresztą zazwyczaj nie spałam dłużej niż osiem czy dziewięć godzin...

— Tam do diabła! — Przetarłam oczy. Do dziesiątej wieczorem brakowało tylko minuty. Czyżbym spała ponad dwanaście godzin? Potykając się, poszłam w stronę drzwi, zatrzymując się po drodze, by potrząsnąć Stevie Rae za nogę. Mruknęła w odpowiedzi.

Otworzyłam drzwi. Shaunee patrzyła na mnie zdumiona.

— Ja cię przepraszam! Przespałaś cały dzień! Nie powinnyście tak długo wysiadywać, jeśli potem nie możecie wstać. Za pół godziny jest występ Erika!

— Holender! — Potarłam twarz, chcąc szybciej się dobudzić. — Na śmierć o tym zapomniałam.

Shaunee przewróciła oczami.

— Lepiej się pospiesz z ubieraniem. I nałóż sobie solidny makijaż, bo jesteś blada jak trup, zrób też coś z włosami. Twój chłopak cały czas rozgląda się za tobą.

— A niech to! Już idę. Mogłabyś z Erin...

Shaunee uniosła w górę rękę, nie dając mi dokończyć.

— Już cię usprawiedliwiłyśmy przed nim. Erin siedzi w audytorium i trzyma dla was miejsca w pierwszym rzędzie, tak jak było powiedziane.

— To ty, mamusiu? Nie chcę iść dziś do szkoły... — mamrotała Stevie Rae jeszcze niedobudzona.

Shaunee parsknęła.

— Pospieszymy się. A wy trzymajcie dla nas te miejsca.

— Szybko zamknęłam za nią drzwi i podbiegłam do Stevie Rae. — Obudź się! — potrząsnęłam ją za ramię. Skrzywiła się i patrzyła na mnie mało przytomnie. — Stevie Rae! Już dziesiąta! Spałyśmy jak zabite. Jesteśmy okropnie spóźnione!

— Co?

— Nie gadaj, tylko wstawaj! — huknęłam na nią, wyładowując w ten sposób złość na siebie, że zaspałam.

— Co ty... — spojrzała na zegarek i w końcu dotarło do niej. — Rany koguta! Jesteśmy spóźnione!

Wzniosłam oczy do nieba.

— Właśnie próbuję ci to powiedzieć. Ja zaraz coś na siebie wrzucę, zrobię coś z włosami i twarzą, a ty tymczasem wskakuj pod prysznic. Wyglądasz okropnie.

— Dobra. — Poczłapała do łazienki.

Wcisnęłam się w dżinsy i czarny sweter, po czym zajęłam się uczesaniem i makijażem. Nie mogłam uwierzyć, że zupełnie wyparowało mi z głowy to, że Erik wrócił z konkursu recytatorskiego poświęconego Szekspirowi. Prawdę mówiąc, nie myślałam o tym, które zajmie miejsce, co niezbyt dobrze o mnie świadczy jako o jego sympatii. Owszem, miałam na głowie mnóstwo innych spraw, ale mimo wszystko... Wszyscy uważali mnie za szczęściarę, bo udało mi się złapać Erika po tym, jak wyrwał się z macek Afrodyty, a mówiąc dokładniej, z jej krocza. Ja też tak myślałam, ale chyba nie wtedy, kiedy ssałam krew Heatha ani gdy flirtowałam z Lorenem.

— Przepraszam, że zaspałam — usprawiedliwiła się Stevie Rae, która zdążyła już wziąć prysznic i teraz wycierała ręcznikiem swoje jasne krótkie loczki. Ubrana była podobnie jak ja, ale musiała być jeszcze nie zanadto dobudzona, ponieważ miała bladą cerę i ogólnie zmęczony wygląd. Ziewnęła szeroko i przeciągnęła się jak kotka.

— Och, to moja wina. — Poczułam wyrzuty sumienia, że tak na nią naskoczyłam. — Wiedząc, jakie miałam zaległości w spaniu, powinnam była nastawić budzik. — Prawdę mówiąc, Stevie Rae też niewiele ostatnio spała. Jesteśmy najlepszymi przyjaciółkami i ona wie, kiedy jestem zestresowana. Obu nam potrzebny był długi, regenerujący siły sen.

— Za sekundę będę gotowa. Jeszcze tylko kapka tuszu i błyszczyku. Włosy same mi wyschną w dwie minuty — powiedziała Stevie Rae.

Po pięciu minutach byłyśmy gotowe. Na śniadanie już czasu nie starczyło. Wypadłyśmy z internatu i puściłyśmy się biegiem do audytorium. Dopadłyśmy naszych miejsc w ostatniej chwili, gdy światła na przemian zapalały się i gasły, co oznaczało, że za dwie minuty program się rozpoczyna.

— Erik cały czas tu czekał na ciebie, wyszedł dopiero przed minutą — poinformował mnie Damien. Z przyjemnością zauważyłam, że obok niego siedział Jack. Ta dwójka tworzyła naprawdę dobraną parę.

— Jest na mnie zły? — zapytałam.

— Raczej speszony — sprecyzowała Shaunee.

— Albo zmartwiony. Tak, wyglądał na zmartwionego — dodała Erin.

Westchnęłam.

— Nie powiedziałyście mu, że zaspałam?

— Dlatego był zmartwiony, jak już powiedziała moja Bliźniaczka — wyjaśniła Shaunee.

— Powiedziałem mu o śmierci twoich dwóch przyjaciół. Erik rozumie, że to dla ciebie musiało być ciężkie przeżycie, i właśnie tym się zmartwił — powiedział Damien, gromiąc wzrokiem Shaunee i Erin.

— No właśnie mówię — nie dawała za wygraną Erin — że Erik jest zbyt seksowny na to, by go wystawiać do wiatru.

— Jasne, Bliźniaczko — zgodziła się Shaunee.

— Przecież ja go nie... — zaczęłam, ale światła przygasły i już było za późno na jakiekolwiek wyjaśnienia.

Profesor Nolan, nauczycielka dramatu, wyszła na scenę i zaczęła wyjaśniać, jak wielka to rzecz uczyć sztuki aktorskiej, a zwłaszcza dramatu klasycznego, oraz jak prestiżową imprezą jest konkurs monologów Szekspirowskich dla wszystkich wampirów na całym świecie. Przypomniała nam, że każdy z dwudziestu pięciu Domów Nocy rozsianych na różnych kontynentach wysłał po pięciu zawodników na ten konkurs, co oznacza, że o palmę pierwszeństwa walczyło stu dwudziestu pięciu utalentowanych adeptów.

— O rany, nie miałam pojęcia, że Erik rywalizował z tyloma uczestnikami — szepnęłam do ucha Stevie Rae.

— On ich wszystkich zakasował — zapewniła mnie Stevie Rae. — Jest niesamowity — dodała, po czym ziewnęła i zaczęła kasleć.

Zasępiłam się. Wyglądała okropnie. Nie powinna już czuć się zmęczona.

— Przepraszam. — Uśmiechnęła się niepewnie. — Chyba mam w gardle żabę.

— Ćśś — uciszyły nas Bliźniaczki.

Znów zaczęłam słuchać z uwagą profesor Nolan.

— Wyniki konkursu trzymane były w tajemnicy aż do obecnej chwili, czyli do czasu powrotu wszystkich uczestników do ich macierzystych szkół. Wyniki naszych uczestników podam do publicznej wiadomości, kiedy ich będę zapowiadała. Każdy z nich zaprezentuje monolog, który brał udział w konkursie. Na początek jednak muszę wam powiedzieć, jak bardzo jestem dumna z naszych reprezentantów. Każdy z nich dokonał czegoś niezwykłego. — Profesor Nolan promieniała. Następnie zapowiedziała pierwszego z wykonawców, czyli Kaci Crump. Kaci uczęszczała na czwarte formatowanie, ale niezbyt dobrze ją znałam, ponieważ w internacie zachowywała się spokojnie i nieśmiało, mimo że wydawała się całkiem miła. Chyba nie należała do Cór Ciemności, zatem zakonotowałam sobie, że zaproszę ją do naszego grona. Profesor Nolan powiedziała, że Kaci zajęła pięćdziesiąte drugie miejsce za monolog Beatrice z *Wiele hałasu o nic*.

Najpierw uważałam, że jest dobra, ale zakasowała ją następna uczestniczka, Cassie Kramme z piątego formatowania, która zajęła dwudzieste piąte miejsce. Zaprezentowała słynną mowę Portii z *Kupca weneckiego*, zaczynającą się od słów: „Dla miłosierdzia nikt przymusu nie ma". Rozpoznałam ten fragment od razu, ponieważ uczyliśmy się go na pamięć w mojej starej szkole. Och, Cassie ze swoją wersją zostawiała mnie daleko w tyle. I ona chyba też nie należała do Cór Ciemności. Ha. Znaczy to, że Afrodyta w dziedzinie przedstawień nie życzyła sobie konfrontacji ani rywalek. Nic dziwnego.

Następnego wykonawcę znałam, ponieważ przyjaźnił się z Erikiem. Cole Clifton był wysokim, bardzo przystojnym blondynem. On uplasował się na dwudziestym drugim miejscu ze swoją interpretacją monologu Romea: „Lecz cicho! Co za blask strzelił tam z okna!...". Był naprawdę dobry. Usłyszałam, jak Shaunee i Erin (zwłaszcza Shaunee) wydawały pełne uznania okrzyki, a gdy skończył, oklaski długo nie milkły... Hm, będę musiała porozmawiać z Erikiem na temat skojarzenia Shaunee z Cole'em. Moim zdaniem więcej białych chłopców powinno się umawiać z kolorowymi dziewczętami. To by im dobrze zrobiło, poszerzyło horyzonty (szczególnie chłopaków pochodzących z Oklahomy).

A skoro mowa o kolorowych dziewczynach, to następną wykonawczynią okazała się Deino. Niesamowitej urody dziewczyna z pysznymi włosami i skórą w kolorze kawy z mlekiem należała do bliskiego kręgu osób otaczających Afrodytę. Ten szczegół należał raczej do przeszłości. Poznałam ją podczas prowadzonego przez Afrodytę rytuału Pełni Księżyca. Deino była jedną z trzech najbliższych przyjaciółek Afrodyty. Wybrały sobie imiona mitologicznych sióstr Gorgon i Scylli — Deino, Enyo, Pemphredo. W tłumaczeniu znaczy to: Straszna, Wojownicza i Osa.

Te imiona bardzo do nich pasowały. Bo to były wstrętne babska, które zostawiły Afrodytę podczas obchodów święta Samhain i — o ile mi wiadomo — od tej pory nie odzywały się do niej. Owszem, Afrodyta była sekutnicą i spieprzyła dokumentnie te obchody, ale gdybym ja okazała się sekutnicą i spieprzyła uroczystość, nie wyobrażam sobie, żeby Stevie Rae, Bliźniaczki czy Damien odwrócili się do mnie plecami. Na pewno byliby na mnie wkurzeni, powiedzieliby, że na głowę upadłam, ale nie odwróciliby się ode mnie, nigdy w życiu.

Profesor Nolan przedstawiła Deino jako laureatkę zaszczytnego jedenastego miejsca, a wtedy Deino zaczęła monolog Kleopatry ze sceną śmierci. Muszę przyznać, że była dobra, naprawdę dobra. Patrzyłam na nią i zastanawiałam się, czy czasem nie stała się wiedźmą z piekła rodem pod wpływem Afrodyty. Od chwili, w której przejęłam prowadzenie Cór Ciemności, żadna z jej przyjaciółek nie sprawiała mi najmniejszego kłopotu. Prawdę mówiąc, wszystkie trzy:

Straszna, Wojownicza i Osa, od tej pory kryły się po kątach. Postanowiłam, że wezmę którąś z dam dworu Afrodyty do nowego zarządu. Może Deino byłaby właściwą kandydatką? Muszę poradzić się w tej kwestii Erika. Pozbawiona złego wpływu Afrodyty Deino otrzymałaby nową szansę (wolałabym też, żeby nosiła imię nie tak jednoznacznie wymowne).

Nadal się zastanawiałam, jak powiedzieć swoim przyjaciołom, którzy poza tym byli członkami rady starszych, że zamierzam dokooptować Straszną do naszego grona, kiedy profesor Nolan powróciła na scenę i czekała, aż zebrani ucichną. Jej oczy błyszczały z dumy i podniecenia, gdy zaczęła mówić. Poczułam też dreszcz emocji, Erik musiał się znaleźć w pierwszej dziesiątce!

— Erik Night wystąpi jako ostatni uczestnik. Kiedy został Naznaczony przed trzema laty, już wykazywał niecodzienny talent. Jestem dumna, że przypadło mi bycie jego nauczycielką i mentorką — mówiła rozpromieniona. — Przyjmijcie go oklaskami, jak się wita powracającego bohatera, Erik bowiem zdobył pierwsze miejsce w Międzynarodowym Konkursie na Monolog Szekspirowski.

Na sali zapanował ogromny entuzjazm, gdy na scenę wszedł uśmiechnięty Erik. Zaparło mi dech w piersi. Jak mogłam nie pamiętać jego niezwykłego uroku i urody? Wysoki — wyższy nawet niż Cole — z czarnymi włosami, które były uroczo poskręcane jak u Supermana, i z niebieskimi oczami w kolorze nieba. Wzorem pozostałych aktorów ubrany był na czarno, tylko na jego lewej piersi widniał emblemat słuchacza piątego formatowania: złoty rydwan Nyks ciągnący kometę gwiazd. Pięknie wyglądał w czerni.

Wszedł na środek sceny i patrząc wprost na mnie, uśmiechnął się i mrugnął porozumiewawczo. Wyglądał zabójczo. Skłonił głowę, a gdy ją podniósł, nie był już tym samym osiemnastoletnim Erikiem Nightem, wampirem adeptem, uczestnikiem piątego formatowania w Domu Nocy. Na naszych oczach przeistoczył się w mauretańskiego wojownika, który próbował przekonać do siebie nieprzychylnych mu ludzi, opowiadając o tym, jak księżniczka wenecka zakochała się w nim, a on w niej.

> *Jej ojciec lubił mnie; często, bywało,*
> *W dom mnie zapraszał, badał mnie o dzieje*
> *Mojego życia w tych a w tych epokach,*
> *O bitwy, szturmy, przebyte koleje.*

Nie mogłam oderwać od niego wzroku, tak jak pozostali słuchacze, widząc, jak przedzierzga się w Otella... Nie mogłam też powstrzymać się przed porównaniem go z Heathem. Na swój sposób Heath był równie uzdolniony jak Erik. Gwiazdor w drużynie Broken Arrow miał na swoim koncie znaczące osiągnięcia i być może przed sobą wielką karierę piłkarską. Obaj byli najlepsi w swojej dziedzinie. Od dzieciństwa śledziłam grę Heatha, cieszyłam się jego sukcesami, byłam z niego dumna, dopingowałam go. Nigdy jednak jego talent nie zachwycał mnie tak jak talent Erika. Ale raz zdarzyło się, że Heath zadziwił mnie do utraty tchu: wtedy gdy się skaleczył i zaofiarował mi swoją krew.

Erik przerwał na chwilę, postąpił krok naprzód i teraz stał na skraju sceny, tak blisko mnie, że mogłam wyciągnąć rękę i dotknąć go. Wtedy spojrzał mi prosto w oczy i dokończył monolog Otella, adresując go do mnie, jak gdybym to ja była tą nieobecną Desdemoną, o której mówił.

> *Że lepiej było jej tego nie słyszeć:*
> *A jednak, jednak chciałaby się była*
> *Urodzić takim mężczyzną, i czule*
> *Podziękowała mi, i oświadczyła,*
> *Że jeśli kiedy kto z moich przyjaciół*

Kochać ją będzie i pozyskać zechce,
Niechby się tylko ode mnie nauczył
Tego opisu, a cel go nie minie.
Taką wskazówkę mając, przemówiłem.
Ona mnie pokochała za przebyte
Niebezpieczeństwa, a jam ją pokochał
Za okazane nad nimi współczucie.

Erik przytknął do ust palce jednej ręki, następnie drugą wskazał w moją stronę, jak gdyby oficjalnie kierował do mnie swój pocałunek, potem przeniósł palce z ust na serce i skłonił głowę. Rozległy się gromkie brawa, zebrani zgotowali mu owację na stojąco. Obok mnie Stevie Rae wiwatowała na jego cześć, ocierając łzy z oczu i śmiejąc się jednocześnie.

— Chyba się posiusiam, takie to romantyczne — zawołała do mnie.

— Ja też — odpowiedziałam.

Wtedy profesor Nolan ponownie weszła na scenę, zamykając występy laureatów i zapraszając wszystkich na przyjęcie składające się z sera i wina, przygotowane w holu.

— Idziemy, Z — zarządziła Erin, łapiąc mnie za jedną rękę.

— Idziemy z tobą — dopowiedziała Shaunee, chwytając mnie za drugą rękę. — Przyjaciel Erika, który grał rolę Romea, jest niesamowicie seksowny. — Bliźniaczki torowały mi drogę w tłumie wysunięte do przodu niczym małe holowniki. Spojrzałam za siebie, szukając wzrokiem Damiena i Stevie Rae. Będą musieli sami przepchać się przez tłum. Bliźniaczki pruły do przodu niepowstrzymywane przez nikogo.

Wysunęłyśmy się przed stłoczoną gromadę uczestników, zanim zakorkowali wejście. Nagle pojawił się Erik, wchodząc do holu wejściem dla aktorów. Nasze oczy się spotkały, Erik urwał w pół słowa rozmowę z Cole'em i podszedł wprost do mnie.

— O rany, jak fajnie — piszczała zachwycona Shaunee.

— Jak zwykle, muszę się z tobą zgodzić, Bliźniaczko.

— Erin westchnęła rozmarzona.

Stałam roześmiana, czekając, aż Erik do nas podejdzie. Z błyskiem w oku ujął mnie za rękę i pocałował, po czym wykonał szarmancki ukłon i nadal deklamatorskim tonem wypowiedział głośno, tak że wszyscy zebrani go usłyszeli:

— Witaj, moja miła Desdemono.

Poczułam, że się czerwienię, zachichotałam jak idiotka. Kiedy Erik przyciągnął mnie do siebie, by uściskać mnie w sposób przyjęty za dopuszczalny w miejscu publicznym, usłyszałam za sobą dobrze mi znany, nienawistny śmiech. Afrodyta, wyglądająca zabójczo w krótkiej czarnej spódniczce, obcisłym sweterku, w butach na wysokich obcasach, mijała nas, maszerując fertycznie i trzęsąc zadkiem, w czym była naprawdę dobra. Zza pleców Erika spojrzałam na nią i posłyszałam, jak mówi głosem, który nawet mógłby brzmieć przyjaźnie, gdyby nie pochodził od niej:

— Skoro on nazywa cię Desdemoną, radzę, byś się miała na baczności. Nawet jeśli tylko wydawać się będzie, żeś nie była mu wierna, i tak cię udusi w twoim łóżku. Ale przecież byłaś mu wierna, prawda? — roześmiała się, odrzuciła do tyłu swoje wspaniałe włosy i odeszła, kręcąc zadkiem, jak to ona.

Przez chwilę nikt się nie odzywał, ale zaraz Bliźniaczki powiedziały jak zwykle jednocześnie:

— Ona ma drobne kłopoty.

I wszyscy się roześmieli.

Wszyscy oprócz mnie. Nie mogłam zapomnieć, że Afrodyta widziała mnie z Lorenem w centrum informacji, co mogło wyglądać na moją niewierność. Czyżby chciała mnie ostrzec, że może powiedzieć o tym Erikowi? Nie bałam się, że on mnie udusi w łóżku, ale czy jej uwierzy? Poza tym idealny wygląd Afrodyty uświadomił mi, że miałam na sobie pomięte dżinsy i pospiesznie narzucony na grzbiet sweter. Włosy i makijaż wyglądały trochę lepiej, ale niewykluczone, że moje policzki nosiły jeszcze ślady odciśnięte przez poduszkę.

— Nie daj się jej — powiedział spokojnie Erik.

Spojrzałam na niego. Trzymał mnie za rękę i uśmiechał się miło. Otrząsnęłam się wewnętrznie.

— Nie ma obawy, nie dam się — odrzekłam pogodnie.

— W końcu kto na nią zwraca uwagę? Ty wygrałeś konkurs! To niesamowite! Taka jestem z ciebie dumna!

Znów go uściskałam, z rozkoszą wdychając jego zapach, czując się przy nim krucha i mała. Wtedy nasza krótka chwila intymności skończyła się, bo do audytorium zaczęło napływać coraz więcej osób.

— Erik, fajnie, że wygrałeś — zawołała Erin. — Co nas zresztą wcale nie dziwi. Dałeś czadu!

— Ale ich wymiotłeś! I ten koleś też! — Shaunee ruchem głowy wskazała na Cole'a. — Świetny z niego Romeo.

Erik uśmiechnął się szeroko.

— Powiem mu, że ty tak uważasz.

— Powiedz mu też, że jeśli chce dodać swojej Julii trochę opalenizny, to nie musi daleko szukać. — Wskazała na siebie i wymownie zakołysała biodrami.

— Wiesz, Bliźniaczko, gdyby Julia była kolorowa, z pewnością ich romans nie zakończyłby się tak parszywie. My okazujemy więcej zdrowego rozsądku i stać nas na coś lepszego niż wypicie trutki tylko dlatego, że nasi starzy mają jakieś problemy.

— No właśnie — zgodziła się Shaunee.

Nikt z nas nie powiedział rzeczy oczywistej, mianowicie że Erin ze swoimi jasnymi włosami i niebieskimi oczami ponad wszelką wątpliwość nie była k o l o r o w a. Tak bardzo przyzwyczailiśmy się do tego, że ona i Shaunee są jak rzeczywiste bliźniaczki, że nawet nie zdziwiła nas niezwykłość jej oświadczenia.

— Erik, byłeś niezrównany! — wykrzyknął Damien, który zdążył do nas dotrzeć wraz z podążającym za nim Jackiem.

— Moje gratulacje — powiedział Jack trochę nieśmiało, ale z widocznym entuzjazmem.

Erik uśmiechnął się do nich.

— Dziękuję, chłopcy. Jak się masz, Jack. Byłem zbyt przejęty konkursem, żeby ci powiedzieć, że cieszę się z twojego przybycia. Będzie mi miło mieć ciebie za współmieszkańca.

Ładna twarzyczka Jacka rozpromieniła się, na ten widok ścisnęłam dłoń Erika. Między innymi dlatego go polubiłam. Facet był nie tylko naprawdę bardzo przystojny i utalentowany, ale też autentycznie miły. Mnóstwo chłopaków na jego miejscu (czyli będąc tak popularnym jak on i mając na swym koncie takie sukcesy) nie zawracałoby sobie głowy młodocianym trzecioformatowcem albo nawet okazywałoby niezadowolenie, że muszą dzielić pokój z jakimś pedzikiem. Erik taki nie był, znów chcąc nie chcąc porównałam go do Heatha, który przypuszczalnie wydziwiałby, że ma mieszkać razem z chłopakiem o gejowskich skłonnościach. Z Heatha był dobry dzieciak, ale pozostawał typowym nastolatkiem z Oklahomy, czyli z klapkami na oczach i homofobią. To mi uświadomiło, że nigdy nie zapytałam Erika, skąd pochodzi. Niezbyt dobrze to o mnie świadczyło, jeśli miałam uchodzić za jego dziewczynę.

— Zoey, słyszysz, co mówię?

— Co? — Pytanie Damiena przerwało moje bujanie w obłokach, ale nie dosłyszałam, co mówił.

— Hej. Wracaj na ziemię! Pytałem cię, czy wiesz, która jest godzina. I czy pamiętasz, że o północy zaczynają się obchody Pełni Księżyca.

Spojrzałam na zegar ścienny.

— Do diabła! — Było pięć po jedenastej. A ja jeszcze musiałam się przebrać, potem przyjść przed wszystkimi do sali rekreacyjnej, sprawdzić, czy świece, którymi będę przywoływać pięć żywiołów, znajdują się na swoim miejscu i czy nakryty jest stół dla bogini. — Erik, bardzo cię przepraszam, ale powinnam już iść. Muszę jeszcze zrobić milion rzeczy, zanim zaczną się obchody. — Wymieniłam spojrzenia z czwórką swoich przyjaciół. — A wy musicie pójść ze mną. — Pokiwali głowami jak chińskie laleczki. — Przyjdziesz na obchody, prawda? — zapytałam Erika.

— Tak. À propos, coś mi się przypomniało. Mam coś dla ciebie. Poczekaj chwileczkę.

Wybiegł z audytorium przez wejście dla aktorów.

— Słowo daję, on jest za dobry, żeby był prawdziwy — powiedziała Erin.

— Miejmy nadzieję, że jego przyjaciel też taki jest — dodała Shaunee, uśmiechając się zalotnie do Cole'a, który stał w przeciwległym końcu sali. Widać jednak było, że uśmiechnął się do niej w taki sam sposób.

— Damien, przyniosłeś mi eukaliptus i szałwię? — zapytałam już lekko zdenerwowana. Holender! Nic nie jadłam. Miałam pusty żołądek, który skurczami dopominał się o swoje prawa.

— Nie martw się, Zoey — zapewnił mnie Damien. — Przyniosłem eukaliptus i nawet go splotłem z szałwią.

— Wszystko będzie dobrze, zobaczysz — uspokoiła mnie Stevie Rae.

— Nie masz się czym denerwować — powiedziała Shaunee.

— Będziemy przy tobie — dodała Erin.

Uśmiechnęłam się do nich szczęśliwa, że byli moimi przyjaciółmi. Tymczasem wrócił Erik. Wręczył mi duże białe pudło. Zawahałam się, zanim je otworzyłam, ale Shaunee mnie zdopingowała, mówiąc:

— Jeśli ty go zaraz nie otworzysz, ja to zrobię za ciebie.

— Święta racja — poparła ją Erin.

Skwapliwie rozplątałam ozdobny sznureczek i zdjęłam wieko. Okrzyk zachwytu wydarł się z piersi moich i pozostałych świadków, którzy stali przy mnie. W pudle spoczywała najpiękniejsza suknia, jaką kiedykolwiek w życiu widziałam. Czarna, ale przetykana srebrną nitką, która rzucała świetlne refleksy, gdy tylko padło na nią światło, migocząc i mieniąc się tysiącem błysków niczym rozgwieżdżone nocne niebo.

— Erik, jaka piękna — wykrztusiłam ze ściśniętym gardłem, ponieważ usiłowałam nie wygłupić się i nie rozpłakać przy wszystkich ze szczęścia.

— Chciałem, żebyś miała coś wyjątkowego na uroczystość prowadzoną przez ciebie po raz pierwszy w roli przewodniczącej Cór Ciemności — powiedział.

Znów padliśmy sobie w objęcia w obecności moich przyjaciół, po czym musiałam zaraz biec do sali rekreacyjnej. Przyciskałam do serca nową suknię, próbując odsunąć od siebie myśl, że podczas gdy Erik kupował dla mnie ten niesamowity prezent, ja albo wysysałam krew Heatha, albo flirtowałam z Lorenem. Tłumiąc tę myśl, próbowałam jednocześnie zignorować inną, która kołatała mi w głowie: *Nie jesteś go warta... Nie jesteś go warta... Nie jesteś go warta...*

ROZDZIAŁ DWUDZIESTY

— Shaunee, Erin i Stevie Rae, zacznijcie zapalać świece.
A ty, Damien, jeśli jeszcze umieścisz na miejscu kolorowe
świece przypisane żywiołom, ja sprawdzę, czy na stole Nyks
jest wszystko co trzeba.

— Kaszka... — zaczęła Shaunee.

— ...z mleczkiem. — dokończyła Erin.

— I rodzynkami — uzupełniła Stevie Rae, na co Bliźniaczki z cierpiętniczą miną wzniosły oczy do nieba.

— Czy świece są jeszcze w magazynie? — zapytał Damien.

— Aha — zawołałam w drodze do kuchni.

Dobrze, że zdążyłam wcześniej uszykować dużą tacę ze
świeżymi owocami, serami i mięsem przeznaczonymi na
stół bogini. Teraz wystarczyło tylko przynieść ją z lodów-
ki, do tego butelkę wina. I wszystko ułożyć ładnie na stole
w otoczeniu białych świec. Stał tam już ozdobny puchar,
a także piękny posążek wyobrażający boginię, długa ele-
gancka zapalniczka i fioletowa świeca symbolizująca ducha,
czyli ostatni żywioł, który na koniec miałam przywołać do
kręgu. Obfitość stołu symbolizowała bogactwo łask, jakimi
Nyks obdarzała swoje dzieci, wampiry i adeptów. Z przyjemnością nakrywałam stół bogini. To mnie uspokajało, co
szczególnie tego wieczoru było mi bardzo potrzebne. Usta-

wiłam jadło i wino, przepowiadając sobie bez przerwy słowa, których miałam użyć podczas odprawiania rytuału, co miało nastąpić — zerknęłam na zegar i aż jęknęłam — za kwadrans. Adepci zaczęli już przybywać do sali rekreacyjnej, ale gromadzili się po kątach grupkami i zachowywali cicho, obserwując, jak Stevie Rae i Bliźniaczki zapalają białe świece, które utworzą obwód kręgu. Może nie byłam jedyną osobą mającą tego dnia tremę. Dla niektórych osób zmiana przewodniczącej była znacząca. Afrodyta przez ostatnie dwa lata przewodniczyła Córom Ciemności i w ciągu tego czasu grupa ta stała się organizacją snobistyczną, a osoby spoza niej traktowane były z góry, wykorzystywane i wyśmiewane.

Tego wieczoru wszystko to miało się zmienić.

Rzuciłam okiem na przyjaciół. Musieliśmy jeszcze popędzić do pokojów, by się przebrać na uroczystość. Każdy wybrał głęboką czerń swego ubioru, by pasowała do wspaniałej sukni, jaką Erik przywiózł mi w prezencie z Nowego Jorku. Przeglądałam się raz po raz, ciągle nienasycona widokiem tej kreacji. Suknia była prosta, ale idealna. Miała okrągły dekolt, ale nie aż tak głęboki jak wyzywająca suknia, którą Afrodyta wkładała na te uroczystości. Z długimi rękawami, obcisła do pasa, od talii w dół spływała swobodnie do ziemi, układając się w miękkie fałdy. Srebrne punkciki, którymi była usiana, migotały w świetle świec przy każdym moim ruchu. Migotał także naszyjnik, który zawiesiłam na szyi na srebrnym łańcuszku. Podobny naszyjnik miała każda Córa Ciemności, mój jednak, przewodniczącej, różnił się od pozostałych dwoma szczegółami: po pierwsze, potrójny księżyc wysadzany był granatami, po drugie mój naszyjnik został znaleziony przy ciele martwego chłopca. No dobrze, to nie był m ó j naszyjnik, tylko taki sam jak mój.

Och, nie powinnam teraz myśleć o smutnych rzeczach. Powinnam się skoncentrować na pozytywach, przygotować się na swoje pierwsze publiczne przewodzenie uroczystościom i tworzenie własnego kręgu. Damien powrócił do głównej sali z tacą, na której chybotały się cztery świece symbolizujące cztery żywioły: żółta — powietrze, czerwona — ogień, niebieska — wodę i zielona — ziemię. Fioletowa świeca oznaczająca ducha stała już na stole Nyks. Uśmiechnęłam się na widok swoich przyjaciół szykownie ubranych na czarno, ze srebrnymi naszyjnikami, które oznaczały przynależność organizacyjną. Stevie Rae zajęła już swoje miejsce na najdalej wysuniętym na północ miejscu kręgu, gdzie powinna znajdować się ziemia. Damien podał jej zieloną świecę. Akurat na nich patrzyłam, więc byłam świadkiem tego, co się stało. Gdy Stevie Rae dotknęła świecy, otworzyła szeroko oczy i wydała dziwny okrzyk, który wyrażał przerażenie pomieszane z bezgranicznym zdumieniem. Damien cofnął się tak gwałtownie, że świece niechybnie by pospadały z tacy, gdyby ich w porę nie złapał.

— Czułeś? — zapytała Stevie Rae nieswoim głosem, przytłumionym, ale jednak dobrze słyszalnym.

Damien, dygocząc, skinął głową i odpowiedział:

— Tak, i poczułem też zapach.

Obydwoje odwrócili się w moją stronę.

— Zoey, czy możesz przyjść tu do nas na chwilkę? — zapytał Damien. Jego głos brzmiał już normalnie i gdybym nie widziała całego zdarzenia, mogłabym pomyśleć, że nic szczególnego się nie dzieje i że najwyżej potrzebują mojej pomocy przy świecach.

Ponieważ jednak widziałam, nie zawołałam do nich przez całą długość sali, czego chcą. Podbiegłam szybko i zapytałam przyciszonym głosem:

— Co się dzieje?

— Powiedz jej — zwrócił się Damien do Stevie Rae.

Nadal pobladła i z rozszerzonymi źrenicami Stevie Rae odpowiedziała pytaniem:

— Nie czujesz tego zapachu?

Zmarszczyłam czoło.

— Jakiego zapachu? — I wtedy poczułam zapach świeżo skoszonej trawy, lonicery i czegoś jeszcze, co mi się kojarzyło z dopiero co przeoraną ziemią na lawendowym poletku Babci. — Czuję — odpowiedziałam spłoszona. — Ale ja przecież nie przywoływałam jeszcze ziemi do kręgu. — Moja zdolność kontaktowania się z żywiołami, moc nadana mi przez Nyks, polegała na ich materializowaniu się. Nawet po upływie miesiąca nie wiedziałam, jakie uprawnienia daje mi ta moc, jedno natomiast wiedziałam na pewno: za każdym razem gdy przywoływałam kolejny żywioł, fizycznie manifestował swoją obecność. Tak więc kiedy przywoływałam powietrze, czułam podmuchy wiatru wokół siebie. Ogień sprawiał, że twarz mi pałała, oblewało mnie gorąco i zaczynałam się pocić (to fakt!). Woda manifestowała swoją obecność chłodną nadmorską bryzą. Kiedy zaś przywoływałam ziemię, czułam ziemskie zapachy, a pod stopami miękkość trawy (nawet jeśli miałam na sobie buty).

Ale jak powiedziałam, jeszcze nie zaczęłam przywoływać żadnego żywiołu, a jednak nie tylko ja, bo też Stevie Rae i Damien czuli wyraźnie zapachy ziemi.

Wtedy Damien ze świstem wciągnął powietrze, szeroki uśmiech rozjaśnił mu twarz.

— Stevie Rae ma zdolność odczuwania żywiołu ziemi!

— Co? — zapytałam inteligentnie.

— W żadnym razie — zarzekła się Stevie Rae.

— Spróbuj tak zrobić — mówił rozgorączkowany Damien. — Stevie Rae, zamknij oczy i skup się przez chwilę, myśląc wyłącznie o ziemi. — Spojrzał teraz na mnie. — A ty nie myśl o tym.

— Dobra — zgodziłam się szybko. Udzieliło mi się jego podekscytowanie. Byłoby wspaniale, gdyby i Stevie Rae miała dar współgrania z żywiołem ziemi. Zdolność bliskiego odbierania żywiołów była wielkim darem Nyks, byłabym szczęśliwa, gdyby moja najlepsza przyjaciółka została w ten sposób wyróżniona przez naszą boginię.

— Okay — zgodziła się Stevie Rae. Wstrzymała oddech i zamknęła oczy.

— Co się dzieje? — zapytała Erin.

— Dlaczego ona ma zamknięte oczy? — chciała wiedzieć Shaunee. I zaraz pociągnęła nosem. — Dlaczego tu pachnie sianem? Stevie Rae, jeżeli wypróbowujesz na nas jakieś wieśniackie perfumy, to przysięgam, że cię rąbnę.

— Ćś! — Damien położył palec na ustach, by ją uciszyć.

— Wydaje nam się, że u Stevie Rae rozwinęła się zdolność kontaktowania z żywiołem ziemi.

Shaunee przetarła oczy.

— Nie mów.

— Coś ty! — zdziwiła się Erin.

— Jak mam się skoncentrować, kiedy bez przerwy gadacie? — zdenerwowała się Stevie Rae i zgromiła wzrokiem Bliźniaczki.

— Przepraszam — mruknęły obie.

— Spróbuj jeszcze raz — poradziłam jej.

Kiwnęła głową na znak zgody. Znów zamknęła oczy i zmarszczyła czoło dla lepszej koncentracji, myśląc intensywnie o ziemi. Ja starałam się wyłączyć myślenie na ten temat, co wcale nie było łatwe, gdyż w jednej chwili powietrze zaczęło pachnieć świeżo skoszoną trawą i kwiatami, a ptaki ćwierkać jak oszalałe...

— O matko!... Stevie Rae kontaktuje z żywiołem ziemi! — wybuchnęłam.

Stevie Rae gwałtownie otworzyła oczy i przytknęła obie dłonie do ust, zaszokowana i zachwycona.

— Stevie Rae, to niesamowite! — orzekł Damien, a po chwili wszyscy rzuciliśmy się do niej z gratulacjami. Stevie Rae chichotała, ocierając jednocześnie łzy szczęścia.

Wtedy rozpoznałam wyraźnie przeczucie. Tym razem było to przeczucie czegoś dobrego.

— Damien, Erin, Shaunee, zajmijcie teraz swoje miejsca w kręgu.

Popatrzyli na mnie pytająco, ale poznali po moim tonie, że mają natychmiast wykonać, co im poleciłam. Oficjalnie nie byłam ich przełożoną, ale moi przyjaciele odnosili się z respektem do tego, że przygotowuję się do objęcia pewnego dnia pozycji starszej kapłanki. Bez szemrania więc poszli zająć wyznaczone im miejsca w kręgu, które określiłam jeszcze przed kilkoma tygodniami, kiedy tylko w piątkę tworzyliśmy krąg na próbę, bo chciałam się przekonać, czy rzeczywiście otrzymałam od bogini dar kontaktowania się z żywiołami, czy też był to wynik mojej bujnej wyobraźni.

Kiedy zajęli już swoje miejsca, rozejrzałam się po sali. Ewidentnie potrzebna mi była pomoc z zewnątrz. Wtedy zobaczyłam Erika, jak wchodzi do sali rekreacyjnej wraz z Jackiem. Uśmiechnęłam się do nich i przywołałam do nas wymownym gestem.

— Co się stało, Z? — zapytał Erik. — Wyglądasz, jakbyś za chwilę miała pęknąć z wrażenia. — Nachylił się do mnie i przyciszonym głosem, przeznaczonym tylko dla moich uszu, dodał: — Świetnie wyglądasz w tej sukni, tak jak myślałem.

— Dziękuję! Bardzo mi się podoba! — Obróciłam się wokół zalotnie, tak by suknia zawirowała, szczęśliwa również z powodu czegoś, co za chwilę miało się wydarzyć, tego byłam pewna. — Jack, czy mógłbyś podejść do Damiena, wziąć od niego tacę ze świecami i przynieść je tu, na środek kręgu?

— Aha — odpowiedział ochoczo Jack i pogalopował zrobić to, o co go prosiłam. Może nie dosłownie pogalopował, ale ruszał się bardzo energicznie.

— Co się dzieje? — zapytał Erik.

— Zobaczysz — odpowiedziałam z tajemniczym uśmiechem, podekscytowana do granic możliwości.

Kiedy Jack wrócił ze świecami, odłożyłam tacę na stół Nyks. Skupiłam się, by posłyszeć, co podpowiada mi instynkt, i po chwili już wiedziałam, że ogień będzie najbardziej odpowiednim żywiołem. Sięgnęłam po czerwoną świecę i podałam ją Erikowi.

— Okay, podaj ją Shaunee.

Erik zmarszczył czoło.

— Podaj ją Shaunee? Tylko tyle?

— Tak. Daj jej tę świecę i patrz, co się stanie.

— Co się ma stać?

— Na razie nie powiem.

Wzruszył ramionami z miną, która mówiła, że choć uważa, iż wyglądam seksownie w tej sukni, to również uważa, że mogłam postradać zmysły. Niemniej spełnił moje życzenie: podszedł do najbardziej wysuniętej na południe części kręgu, czyli do miejsca, skąd przyzywałam żywioł ognia. Tam się zatrzymał. Shaunee spojrzała znad jego ramienia na mnie.

— Weź od niego świecę — zawołałam do niej ze środka kręgu, świadomie koncentrując swoje myśli wokół atrakcyjnego wyglądu Erika, byleby nie myśleć o ogniu.

— Okay — zgodziła się Erin.

Wzięła czerwoną świecę z rąk Erika. Uważnie jej się przyglądałam, ale nawet nie było takiej potrzeby. To co nastąpiło, było tak oczywiste, że stojący najbliżej kręgu razem z Shaunee jęknęli zdumieni. Gdy tylko dotknęła świecy, zaszumiało, jakby ogień zassał powietrze i rozpalił się. Jej długie włosy rozwiały się z cichym trzaskiem niczym naelektryzowane, a policzki koloru czekolady nabrały różowego blasku jakby rozpalone od wewnątrz.

— Wiedziałam, że tak będzie! — krzyknęłam, podskakując z radości i podniecenia.

Shaunee odwróciła wzrok od swego pałającego ciała i spojrzała na mnie.

— To ja tak robię, prawda?

— Prawda!

— Współgram z ogniem!

— Tak! Odbierasz ten żywioł! — zawołałam, nie posiadając się z radości.

Otoczyło nas mnóstwo osób, zewsząd rozległy się ochy i achy, wciąż przybywali nowi adepci, ale nie miałam jeszcze dla nich czasu. Posłuszna podszeptom swojej intuicji kiwnęłam na Erika, żeby wrócił do kręgu. Zaraz się pojawił roześmiany od ucha do ucha.

— To chyba najfajniejsza rzecz, jaką w życiu widziałem — przyznał.

— Czekaj, to nie wszystko, jeżeli się nie mylę. — Podałam mu niebieską świecę. — Daj Erin tę świecę.

— Twoja prośba jest dla mnie rozkazem — powiedział szarmancko, składając staroświeckim obyczajem głęboki ukłon.

Gdyby ktoś inny tak się zachował, uznano by go za kompletnego świra. Tymczasem Erik wyglądał jak wcielenie męskiego seksapilu, połączenie dżentelmena z łobuziakiem. Właśnie rozmyślałam, jaki jest apetyczny, kiedy moje rozmarzenie przerwały piski Erin i Shaunee.

— Patrzcie na podłogę! — Erin wskazywała kafelki, którymi wyłożona była posadzka sali rekreacyjnej. Tam gdzie stała, zarys kafelków falował, jakby pokryte były warstwą wody, miało się wrażenie, że chlupocze pod stopami, chociaż buty pozostawały suche. Wyglądało to tak, jakby Erin stała na brzegu ducha oceanu. Rozpromieniona podniosła na mnie oczy.

— Z! Woda jest moim żywiołem.

— Tak, zgadza się! — odpowiedziałam uradowana.

Erik już stał przy mnie. Tym razem nie musiałam go długo namawiać, by wziął żółtą świecę.

— Teraz Damien, tak? — upewnił się.

— Tak.

Podszedł do Damiena, który dreptał na wysuniętej na wschód części kręgu, gdzie powinien się objawić żywioł powietrza. Erik podał Damienowi żółtą świecę, ale on nie od razu ją przyjął. Poszukał mego wzroku. Był przerażony.

— W porządku. Możesz ją wziąć — uspokoiłam go.

— Jesteś pewna, że nic się nie stanie? — Rozejrzał się nerwowo po sali wypełnionej tłumem adeptów, którzy patrzyli na niego wyczekująco.

Wiedziałam, o co mu chodzi. Bał się, że zawiedzie, że magia zarezerwowana dla dziewcząt w jego przypadku nie zadziała. Wyczytałam w podręczniku socjologii wampirów, że tak ważny dar jak współgranie z żywiołami zastrzeżony jest wyłącznie dla płci żeńskiej. Wyróżnieni przez Nyks męscy osobnicy obdarzani byli siłą fizyczną, a ich zdolności dotyczyły cech również fizycznych, jak szybkość, zręczność, tężyzna. Na przykład Dragon, nasz instruktor szermierki, dysponował niezwykłym refleksem i dokładnością. Powietrze było żywiołem, który powinien przyciągać istotę żeńską, ale Nyks na pewno mogłaby obdarzyć Damiena zdolnością współgrania z nim. Byłam dziwnie spokojna, że tak się stanie. Z daleka starałam się przekazać mu wiarę, że się uda.

— Jestem pewna, nie bój się. Będę myślała o Eriku i jego urodzie, a ty przez ten czas przywołasz żywioł powietrza — powiedziałam.

Erik cały czas zerkał na mnie szeroko uśmiechnięty, a Damien w końcu zebrał się na odwagę i z miną, jakby sięgał po bombę, wziął wreszcie świecę z rąk Erika.

— Wspaniale! Cudownie! Pysznie! — Damien zaprezentował wachlarz swojego bogatego słownictwa, kiedy jego kasztanowe włosy zburzył podmuch, a poły marynarki załopotały na wietrze, który się nagle zerwał wokół niego. Kiedy spojrzał na mnie, zobaczyłam, jak łzy szczęścia spływają mu po policzkach. — Nyks obdarzyła mnie swoim darem. Mnie! — oświadczył z wahaniem. Wiedziałam, co chciał powiedzieć przez to jedno słowo: „mnie". Nyks uznała, że wart jest jej wyróżnienia, podczas gdy rodzice go odrzucili, a większość ludzi, z którymi miał do czynienia, naśmiewała się z niego, ponieważ lubił chłopców. Musiałam mocno zaciskać powieki, by nie rozryczeć się jak małe dziecko.

— Właśnie ciebie — powiedziałam z mocą.

— Masz niezwykłych przyjaciół, Zoey. — Głos Neferet unosił się nad gwarem tłumnie zgromadzonych adeptów, którzy zbiegli się podziwiać nowo objawione talenty.

Nie wiem, jak długo starsza kapłanka stała w drzwiach prowadzących do sali rekreacyjnej. Widziałam tylko, że wraz z nią stało kilkoro profesorów, ale nie rozpoznałam dokładnie kto, gdyż skrywał ich mrok. *Okay, dasz sobie radę. Możesz spojrzeć jej prosto w twarz.* Odchrząknęłam i spróbowałam skupić uwagę na przyjaciołach i cudzie, jaki się właśnie na nich dokonał.

— Tak, mam niezwykłych przyjaciół — odpowiedziałam z entuzjazmem.

— Nyks w swej nieskończonej mądrości obdarzyła ciebie, adeptkę wykazującą niezwykłe przymioty, gronem przyjaciół również obdarzonych niezwykłymi przymiotami. — Wyciągnęła ramiona teatralnym gestem. — Przepowiadam, że ta grupa adeptów odegra historyczne role. Nigdy przedtem nie zdarzyło się, by dary spadły na tyle osób w jednym czasie i w jednym miejscu. — Uśmiechnęła się do nas jak kochająca mateczka. Pewnie i mnie ujęłaby jej uroda i bijące od niej ciepło, gdyby nie to, że kątem oka zauważyłam świeżą rankę po skaleczeniu widoczną na jej przedramieniu. Z trudem odwróciłam wzrok od dowodów zdarzenia, którego byłam świadkiem, teraz już ponad wszelką wątpliwość nie było to wytworem mojej wyobraźni.

225

Na szczęście Neferet zwróciła się teraz do mnie:

— Zoey, uważam, że to najlepsza pora, by zapowiedzieć twoje plany związane z odnowieniem Cór i Synów Ciemności. — Już otworzyłam usta, by zacząć wyjaśniać, jakie są moje zamierzenia (chociaż nie planowałam omawiać projektowanych zmian przed odprawieniem całego obrzędu, tak by „starzy" członkowie mogli najpierw się przekonać o moich niezwykłych darach otrzymanych od Nyks), nikt jednak nie zwracał teraz na mnie uwagi. Wszyscy patrzyli na Neferet, gdy majestatycznie weszła do sali i zatrzymała się obok Shaunee, której współgranie z ogniem sprawiło, że żar przeszedł na kapłankę, rozświetlając ją, jakby stanęła w świetle reflektorów. Tym samym tonem, władczym i uwodzicielskim, jakiego używała podczas obrzędów, Neferet przemówiła. Tyle że teraz posługiwała się m o i m i słowami, przedstawiała m o j e pomysły.

— Nadeszła pora, by Córy Ciemności zaczęły działać na nowych zasadach. Zostało postanowione, że Zoey Redbird, obejmując przewodnictwo, otworzy nowy rozdział w ich działalności. Utworzy radę starszych składającą się z siedmiu adeptów i stanie na jej czele. Pozostałymi członkami rady będą: Shaunee Cole, Erin Bates, Stevie Rae Johnson, Damien Maslin i Erik Night. Dokooptowana zostanie jeszcze jedna osoba z kręgu osób zbliżonych do Afrodyty, by w ten sposób zamanifestować moją wolę utrzymania jedności wśród adeptów.

J e j w o l ę? Zacisnęłam zęby, próbując znaleźć dla siebie miejsce, podczas gdy Neferet przerwała mowę, by wiwatujące audytorium mogło się uspokoić. (Bliźniaczki, Stevie Rae, Damien, Erik i Jack wiwatowali najgłośniej). O Jezu. Przecież ona najwyraźniej sugerowała, że wszystko to, z czym ja zmagałam się przez kilka tygodni, to jej pomysł!

— Rada starszych będzie odpowiedzialna za działalność odnowionej grupy Cór i Synów Ciemności, a w szczególności ma pilnować, by członkowie spełniali następujące kryteria: byli prawdomówni — to dla żywiołu powietrza, otwarci na innych — jak żywioł ognia, wierni — dla wody, zacni — dla ziemi i dobrzy — dla ducha. Gdy któryś z członków Cór i Synów Ciemności sprzeniewierzy się tym zasadom, wówczas rada zdecyduje, jaką winny poniesie karę, do wykluczenia z organizacji włącznie. — Neferet ponownie przerwała, by się przekonać, jakie wrażenie wywołują jej słowa i czy wszyscy słuchają z należytą uwagą (właśnie to chciałam zrobić, tyle że podczas uroczystości Pełni Księżyca). — Postanowiłam też, że adepci włączą się w życie społeczności zewnętrznej, co powinno okazać się dla nas korzystne. W końcu to niewiedza rodzi strach i nienawiść. Chcę więc, by Córy i Synowie Ciemności zaczęli pracować dla miejscowych ośrodków dobroczynności. Po dłuższych rozważaniach uznałam, że idealną dla nas organizacją będą Uliczne Koty, stowarzyszenie dobroczynne zajmujące się bezdomnymi kotami.

Na te słowa rozległ się śmiech, tak samo zareagowała Neferet, kiedy przedstawiłam jej ten plan. Nie mogłam uwierzyć, że przejęła wszystko, co jej zrelacjonowałam podczas naszej wspólnej kolacji.

— Teraz zostawiam was samych. To rytuał Zoey, ja przybyłam tu tylko po to, by okazać swojej utalentowanej podopiecznej szczere poparcie. — Uśmiechnęła się do mnie miło, a ja odwzajemniłam uśmiech. — Najpierw jednak chcę nowej radzie wręczyć prezent.

Klasnęła w ręce i na ten znak wynurzyło się z cienia czterech wampirów, których nigdy przedtem nie widziałam. Każdy niósł coś w rodzaju prostokątnej płaskiej cegiełki o powierzchni około jednej stopy kwadratowej i grubości może kilku cali. Złożyli je u stóp Neferet i natychmiast zniknęli tam, skąd przyszli. Patrzyłam na te rzeczy. Były kremowego koloru i wyglądały na mokre. Nie miałam pojęcia, co to mogło być. Neferet parsknęła śmiechem. Znów zacisnęłam zęby. Czy nikt nie widzi, że ona traktuje nas z góry?

— Zoey, jestem zdumiona, że nie poznajesz własnego pomysłu!

— Nie, nie poznaję. Nie wiem, co to jest.

— To klocki mokrego betonu. Pamiętam, jak mi mówiłaś, że chciałabyś, aby każdy członek rady zostawił odcisk ręki i został w ten sposób uwieczniony. Dzisiaj sześciu spośród siedmiu członków zarządu może zostawić odciski swoich dłoni.

Popatrzyłam na nią zdumiona. Coś podobnego. Wreszcie gotowa była coś mi przyznać, tymczasem był to pomysł Damiena.

— Dziękuję za prezent — powiedziałam i zaraz dodałam: — A pomysł z odciskami dłoni był Damiena, nie mój.

Uśmiech Neferet był olśniewający, a kiedy zwróciła się do Damiena, nawet nie musiałam patrzeć, by wiedzieć na pewno, że rozpływa się ze szczęścia.

— Damien, to był świetny pomysł — pochwaliła, a potem przemówiła znów do całej sali. — Cieszę się, że Nyks tak hojnie obdarzyła tę grupę. Ja zaś mówię wam wszystkim: bądźcie pozdrowieni. Dobranoc. — Skłoniła się niemal do ziemi w dworskim ukłonie. Następnie, żegnana chóralnie przez adeptów, wyprostowała się, zaszeleściła spódnicą i wyszła godnie niczym królowa.

A ja stałam w środku nieutworzonego kręgu, czując się wystrojona jak na bal, ale nie mając dokąd pójść.

ROZDZIAŁ DWUDZIESTY PIERWSZY

Strasznie długo trwało, zanim wszyscy się usadowili na swoich miejscach. Nie mogłam pokazać, co rzeczywiście czuję, a czułam się po prostu zniesmaczona. Nikt jednak by tego nie zrozumiał, co gorsza, nikt by nie uwierzył w to, co właśnie zaczynałam dostrzegać: że Neferet skrywała jakąś ponurą tajemnicę, że tkwił w niej jakiś pierwiastek zła. Z drugiej strony niby dlaczego ktoś miałby mnie rozumieć czy mi wierzyć? W końcu byłam tylko małolatą. Bez względu na to jaką mocą obdarzyła mnie Nyks, z pewnością nie grałam w tej samej drużynie co starsza kapłanka. Poza tym nikt prócz mnie nie widział tych drobnych elementów układanki, które tworzyły taką właśnie całość.

Afrodyta by mnie zrozumiała i uwierzyła mi. Niemiła mi była ta myśl, ale chyba prawdziwa.

— Zoey, powiedz, kiedy będziesz gotowa, a ja wtedy włączę się z muzyką — zawołał do mnie Jack z drugiego krańca sali rekreacyjnej, gdzie znajdował się cały sprzęt audio. Gdy okazało się, że nowy adept był geniuszem elektroniki, natychmiast zdecydowałam, że będzie się zajmował oprawą muzyczną uroczystości.

— Jeszcze chwileczkę. Kiedy będę gotowa, dam ci znak głową, dobrze?

— Mnie to wystarczy — odpowiedział z uśmiechem.

Cofnęłam się parę kroków, uświadamiając sobie, że — o ironio — właśnie stanęłam dokładnie w tym samym miejscu, gdzie przed chwilą stała Neferet. Uczyniłam wysiłek, by pozbyć się negatywnych myśli i emocji, które jeszcze mnie nie opuściły. Omiotłam spojrzeniem całą salę. Zgromadziło się w niej więcej ludzi, niż podejrzewałam. Stopniowo się uciszali, chociaż nadal atmosfera przesycona była pełnym napięcia oczekiwaniem. Białe świece w szklanych pojemniczkach rzucały jasne, czyste światło. Zobaczyłam, jak czwórka moich przyjaciół stoi na stanowiskach, wyczekując, kiedy rozpocznę uroczystość. Właśnie myślałam, jakimi cudownymi darami zostali obdarzeni, gotowa dać znak Jackowi do rozpoczęcia obchodów, gdy wyrwał mnie z zadumy czyjś głos:

— Pomyślałem sobie, że zaoferuję ci swoją pomoc.

Na dźwięk aksamitnego, głębokiego głosu Lorena podskoczyłam na miejscu i pisnęłam. Stał za mną w przejściu.

— Holender, Loren! Tak mnie wystraszyłeś, że omal się nie zsikałam z wrażenia! — wymsknęło mi się, zanim zdążyłam opanować swój niewyparzony język. Tyle że mówiłam szczerze. Loren naprawdę mnie zaskoczył.

Ale jakoś mu nie przeszkadzało, że nie umiałam poskromić swego języka. Uśmiechnął się do mnie szeroko, uwodzicielsko.

— Myślałem, że wiesz, że tutaj jestem.

— Nie. Trochę jestem rozkojarzona.

— Zestresowana, jak się domyślam. — Dotknął mojej ręki gestem na pozór niewinnym. Takie profesjonalne dodanie otuchy. Ja jednak odebrałam to jako pieszczotę. Jego coraz szerszy uśmiech sprawił, że przypomniałam sobie o nadzwyczajnej intuicji, jaką są obdarzone wampiry. Ja się zabiję, jeżeli on choćby tylko trochę czyta w moich myślach.

— Otóż jestem tu, by pomóc ci znieść ten stres.

Czy on żartuje? Przecież na jego widok kompletnie tracę głowę. Nie czuć żadnego stresu, przebywając w towarzystwie Lorena Blake'a, to czysta utopia.

— Naprawdę? Jak to chcesz zrobić? — zapytałam, uśmiechając się trochę zalotnie, świadoma tego, że cała sala patrzy na nas, nie wyłączając mojego chłopaka.

— Zrobię dla ciebie to, co zwykle robię dla Neferet.

Zapanowało milczenie, podczas którego moja wyobraźnia nurzała się w błocie na myśl, co on mógł robić dla Neferet. Na szczęście Loren nie dopuścił do zbyt długiego taplania się w bagnie.

— Każda starsza kapłanka ma swojego barda, który recytuje dla niej strofy starożytnej poezji, by przywołać Muzy, gdy ona rozpoczyna rytualne obchody. Dziś gotów jestem recytować dla wyjątkowej kandydatki na starszą kapłankę. Poza tym wydaje mi się, że należy położyć kres pewnym nieporozumieniom.

Skrzyżowane palce złożył na piersi, jak to się czyni przy powitaniu Neferet. Zareagowałam nie jak godna szacunku, obiecująca przyszła starsza kapłanka, ale raczej jak idiotka. Po prostu gapiłam się na niego z otwartą buzią. Nie miałam bowiem pojęcia, o czym on mówi. Nieporozumienia? I jak tu ktoś może wierzyć, że ja wiem, co robię?

— Ale potrzebne jest mi twoje pozwolenie — ciągnął Loren. — Nie chciałbym ci przeszkadzać w odprawianiu rytuału.

— Ależ nie! — zaprzeczyłam. I zaraz sobie uświadomiłam, że mógłby opacznie zrozumieć moje początkowe milczenie, a potem wykrzyknik: „O, nie!". Wzięłam się w garść i szybko wyjaśniłam: — Chcę przez to powiedzieć, że nie, nie będziesz mi przeszkadzał, i tak, przyjmuję twoją ofertę. Z wdzięcznością — dodałam na koniec, myśląc jednocześnie, jak to się dzieje, że przy nim zawsze czuję się dorosła i seksowna.

Uśmiechnął się do mnie, a ja rozpłynęłam się w zachwycie.

— Doskonale. Daj mi znać, kiedy mam rozpocząć twój występ. — Rzucił okiem na Jacka, który cały czas się na nas gapił. — Nie będziesz miała nic przeciwko temu, bym zamienił kilka słów z twoim asystentem na temat drobnej zmiany scenariusza?

— Nie — odrzekłam, czując się oderwana od rzeczywistości.

Loren przechodząc obok, otarł się o mnie, co odebrałam jako objaw zbliżenia. Czyżby to było tylko złudzenie, że on się do mnie zaleca? Popatrzyłam na adeptów tworzących krąg, wszyscy się we mnie wpatrywali. Z pewnymi oporami poszukałam wzrokiem Erika, który stał obok Stevie Rae. Uśmiechnął się i puścił do mnie oko. W porządku, zatem Erik nie dostrzegł niczego niewłaściwego w zachowaniu Lorena wobec mnie. Spojrzałam z kolei na Erin i Shaunee. Gapiły się na niego głodnym wzrokiem. Musiały wyczuć, że na nie patrzę, bo z trudem oderwały oczy od jego tyłka. Znacząco poruszyły brwiami w moją stronę i wyszczerzyły się w uśmiechu. One także zachowywały się całkiem normalnie.

Widocznie tylko dla mnie zachowanie Lorena było nieco dziwne.

Weź się w garść, napomniałam sama siebie. Lepiej się skup...

— Zoey, ja jestem gotów, a ty? — zapytał Loren, stojąc już za moimi plecami.

Wciągnęłam powietrze głęboko do płuc, by się uspokoić, i podniosłam głowę.

— Jestem gotowa.

Nasze oczy się spotkały.

— Pamiętaj, by zaufać swojemu instynktowi. Nyks przemawia do serc swoich kapłanek. — Po czym oddalił się w głąb sali. — To jest noc radości! — zapowiedział. Jego głęboki głos nabrał tonów pełnych ekspresji, ale gdy mówił, brzmiało to również jak rozkaz. Miał taką samą jak Erik zdolność skupiania na sobie uwagi za pomocą wyłącznie głosu. Wszyscy natychmiast się uciszyli, wyczekując, co powie dalej. — Trzeba wam jednak wiedzieć, że radość tej nocy wynika nie tylko z hojnych darów, którymi Nyks zamanifestowała swoją łaskę. Dzisiejsza radość ma swe źródło również w decyzji, która zapadła przed dwoma dniami, kiedy wasza nowa liderka zadecydowała o lepszej przyszłości, jaką widzi dla Cór i Synów Ciemności.

Słysząc te słowa, lekko się zdziwiłam. Nie sądzę, by ktokolwiek pojął, o czym on mówi: że to ja, a nie Neferet, wystąpiłam z inicjatywą odnowienia Cór Ciemności, ale doceniłam jego próbę ukazania tego we właściwym świetle.

— By uczcić Zoey Redbird i jej wizję przyszłego kształtu Cór i Synów Ciemności, mam zaszczyt otworzyć obchody święta Pełni Księżyca prowadzone przez nią pierwszy raz w charakterze waszej nowej przewodniczącej i przyszłej starszej kapłanki. Z tej okazji zaprezentuję klasyczny wiersz o narodzinach pierwszej radości, napisany przez mojego imiennika, Williama Blake'a. — Loren spojrzał na mnie i bezgłośnie wyszeptał: „Teraz ty!", po czym skinął na Jacka, który natychmiast rzucił się do aparatury nagłaśniającej.

Salę wypełniły czarowne dźwięki orkiestrowej wersji „Aldebaran" Enyi. Zrzuciłam z siebie ostatki tremy i zaczęłam z wolna przechadzać się na zewnątrz kręgu, tak jak robiły to Neferet i Afrodyta podczas prowadzonych przez siebie uroczystości. Tak jak one starałam się poruszać w takt muzyki, wykonując od czasu do czasu taneczne pas. Bałam się tej części rytuału, bo choć nie jestem niezdarą, nie nadawałabym się jednak na główną cheerleaderkę. Na szczęście okazało się to łatwiejsze, niż sobie wyobrażałam. Wybrałam właśnie tę muzykę ze względu na jej pięknie zaakcentowany rytm oraz dlatego, że — jak się dowiedziałam z Google'a — był to utwór na topie, poza tym piosenka sławiąca nocne niebo wydawała mi się bardzo odpowiednia na nasze święto. Dokonałam trafnego wyboru, ponieważ miałam wrażenie, że muzyka mnie unosi, wdzięcznie poruszałam się po sali, zapomniawszy o początkowej tremie i skrępowaniu. Kiedy Loren zaczął deklamować poemat, on także trzymał się tej samej kadencji muzycznej, w rytm której się kołysałam, dzięki czemu czułam, że razem tworzymy magiczny spektakl.

> *Bezimienna*
> *Mam zaledwie dwa dni.*
> *Jak cię nazwać?*
> *Jestem szczęśliwa,*
> *Radość to moje imię,*
> *Radość niech cię ogarnie!*

Zachwyciły mnie słowa wiersza. Kiedy zmierzałam w stronę środka kręgu, czułam, że dosłownie uosabiam to uczucie.

> *Śliczna radości,*
> *Choć tylko dwudniowa*
> *Uśmiech niech w tobie zagości...*

Posłuszna słowom wiersza uśmiechnęłam się, zachwycona atmosferą magii i tajemnicy, które zdawały się przepełniać całą salę wraz z muzyką i głosem Lorena.

> *Wyśpiewuję tę chwilę,*
> *Niech cię ogarnie słodka radość.*

Loren skończył dokładnie wtedy, gdy zbliżałam się do stołu Nyks znajdującego się w centrum kręgu. Tylko trochę zdyszana uśmiechnęłam się do wszystkich zebranych w kręgu i powiedziałam:

— Witajcie na pierwszej uroczystości Pełni Księżyca w odnowionym składzie Cór i Synów Ciemności.

— Bądź pozdrowiona — odpowiedzieli wszyscy machinalnie.

Nie pozwalając sobie na chwilę wahania, sięgnęłam po ozdobną zapalniczkę używaną do rytualnych uroczystości i nieprzypadkowo stanęłam przed Damienem. Powietrze było pierwszym żywiołem, który się przywoływało, i ostatnim, z którym się żegnało pod koniec rozwiązywania kręgu. Czułam, że Damien jest podekscytowany swoją nową rolą.

Uśmiechnęłam się do niego i odchrząknęłam, by pozbyć się nerwowej chrypki. Kiedy przemówiłam, starałam się modulować głos, tak jak robiła to Neferet. Nie wiem, do jakiego stopnia mi się to udało. Wystarczy powiedzieć, że byłam zadowolona, iż utworzyliśmy stosunkowo niewielki krąg, a sala zachowywała spokój.

— Pierwszym żywiołem, który przywołuję, jest powietrze. Proszę je, by nas pilnie strzegło. Powietrze, przybądź do nas!

Przytknęłam zapalniczkę do świecy Damiena, a ta natychmiast zapłonęła, mimo że staliśmy teraz oboje smagani wiatrem, który burzył nam włosy i łopotał moją piękną spódnicą, jakby się nią bawił. Damien roześmiał się i szepnął do mnie:

— Wybacz, ale wszystko jest dla mnie takie nowe, że nie mogę opanować emocji.

— Doskonale cię rozumiem — odpowiedziałam również szeptem. Następnie zwróciłam się w prawą stronę i zaczęłam iść po obwodzie kręgu, zmierzając do miejsca, w którym stała Shaunee. Minę miała niezwykle poważną, jakby za chwilę miała przystąpić do egzaminu z matematyki. — Wyluzuj... — poradziłam jej szeptem, usiłując nie poruszać ustami.

Kiwnęła głową skwapliwie, ale nadal wyglądała na śmiertelnie przerażoną.

— Przywołuję do naszego kręgu żywioł ognia, proszę, by palił się jasno, płomieniem mocy i namiętności, by nas strzegł i pomagał nam. Ogniu, przybywaj!

Ledwie zbliżyłam zapalniczkę do czerwonej świecy Shaunee, knot natychmiast zajął się trzaskającym płomieniem, który wystrzelił wysoko poza brzeg szklanej osłonki.

— Ojej — speszyła się Shaunee.

Zagryzłam wargi, by się nie roześmiać, i zaraz przeszłam znów na prawo, gdzie stała Erin, trzymając przed sobą kurczowo niebieską świecę, jakby to był ptak gotów w każdej chwili odlecieć.

— Przywołuję wodę do naszego kręgu i proszę, by nas strzegła swoim morzem tajemnicy i majestatu, karmiła nas tak, jak zsyłany przez nią deszcz karmi drzewa i trawy. Przybądź do mnie, wodo!

Zapaliłam niebieską świecę Erin, co wywołało najdziwniejszy efekt. Wydało mi się, że nagle zostałam przeniesiona gdzieś nad brzeg jeziora. Czułam zapach wody, na skórze jej chłód, mimo że stałam przecież pośrodku sali i na pewno nigdzie w pobliżu nie było żadnej wody.

— Chyba powinnam trochę stonować ten efekt — zaproponowała Erin.

— Nie — odpowiedziałam półgłosem. Następnie podeszłam do Stevie Rae. Wyglądała trochę blado, ale uśmiechała się szeroko, kiedy do niej podchodziłam.

— Jestem gotowa — powiedziała na tyle głośno, że parę osób stojących bliżej zachichotało.

— To dobrze — odpowiedziałam. Po czym przywoływałam ziemię i poprosiłam, by nas strzegła swą kamienną mocą i bogactwem pszenicznych pól. — Przybądź do mnie, ziemio! — Zapaliłam zieloną świecę i natychmiast owionął mnie zapach łąk i kwiatów, usłyszałam śpiew ptaków.

— Niesamowite! — cieszyła się Stevie Rae.

— Tak jest — niespodziewanie usłyszałam głos Erika.

Zdziwiona podniosłam głowę, a on wskazał na krąg. Patrząc w tym kierunku, zobaczyłam srebrną nić, która łączyła całą czwórkę, cztery personifikacje żywiołów, zaznaczając w ten sposób granice potęgi wewnątrz kręgu oświetlanego na obwodzie przez świece. Będę musiała potem dowiedzieć się czegoś więcej o tym niezwykłym zjawisku, ale na razie nie chciałam się tym kłopotać.

Wróciłam szybko do stołu Nyks, który stał w samym środku, by dopełnić tworzenie kręgu. Przed sobą miałam teraz fioletową świecę.

— Na koniec przywołuję ducha, niech przybędzie do naszego kręgu i natchnie nas prawdą i szczerością, by Córy i Synowie Ciemności zintegrowali się ze sobą. Duchu, przybywaj! — Zapaliłam świecę.

Niezwykła jasność ogarnęła cały krąg, a powietrze wokół mnie wypełniło się zapachem i odgłosami wszystkich pozostałych żywiołów. We mnie również wniknęły, sprawiając, że poczułam się zarówno silna, jak i uspokojona, mimo że napełniły mnie także energią. Pewnym ruchem wzięłam do rąk wiązkę splecionego eukaliptusa z szałwią. Zapaliłam ją od świecy ducha, pozwoliłam jej chwilkę płonąć, po czym zdmuchnęłam płomień, a wtedy owiał mnie aromatyczny dym. Zwróciłam się twarzą do osób stojących w kręgu i zaczęłam mówić. Od wystąpienia Neferet, która dosłownie ukradła dużą część tego, co zamierzałam powiedzieć, martwiłam się, co zawrę w swojej przemowie. Teraz jednak, stojąc w środku kręgu, napełniona mocą daną mi przez wszystkie żywioły, szybko odzyskałam wiarę w siebie, a gotowe zdania jak na zamówienie powstawały w mojej głowie.

Okadziłam się dymiącą wiązką ziół, wracając na środek kręgu i patrząc wszystkim w oczy, by każdy czuł się mile widziany.

— Chcę dziś wiele zmienić, począwszy od rodzaju palonych ziół, a skończywszy na wykorzystywaniu naszych koleżanek i kolegów. — Mówiłam powoli, czekając, aż moje słowa i dym ziół wnikną do serc i uszu słuchaczy. Wszystkim było wiadomo, że za kadencji Afrodyty podczas rytuału używano sporo marihuany, jak też że sprowadzano młodszych adeptów do roli „lodówek", jak ich nazywano, by ich krew dodawać do wina, którego każdy wypijał po łyku. I to się więcej nie powtórzy, w każdym razie dopóki będę miała coś do powiedzenia na ten temat. — Wybrałam eukaliptus i szałwię jako wonne zioła, które będziemy palić ze względu na ich właściwości. Od wieków Indianie używali eukaliptusa jako rośliny leczniczej, zapobiegającej chorobom i oczyszczającej, w podobnych też celach stosowali szałwię, która odciąga złe duchy, złą energię i złe wpływy. Dziś proszę pięć żywiołów, by jeszcze wzmocniły działanie tych ziół.

Nagle powietrze wokół mnie zawirowało, jakby przemieszała je ręka olbrzyma, wciągnęło dym z ziół i rozprowadziło go po całym kręgu. Rozległ się szmer zadziwionych adeptów siedzących w pierwszych rzędach, a ja zmówiłam po cichu dziękczynną modlitwę do Nyks za to, że mogłam okazać tak wyraźnie otrzymaną od niej moc władania żywiołami.

Kiedy w kręgu zapanował spokój, mówiłam dalej:

— Pełnia księżyca jest czasem magicznym, kiedy zasłona dzieląca znane od niezbadanego staje się wyjątkowo cienka i może nawet być uniesiona. To cudowna tajemnica, dziś jednak chciałabym się skupić na innym aspekcie tego zjawiska, mianowicie że to bardzo stosowna pora na kończenie czegoś i zaczynanie nowego. Dziś chciałabym, aby nastał koniec złej sławy Cór i Synów Ciemności. Niech więc wraz z pełnią księżyca nastanie tego kres, a nowe niech zostanie zapoczątkowane.

Przez cały czas przechadzałam się po obrzeżach kręgu, poruszając się w kierunku przeciwnym do ruchu wskazówek zegara. Starannie dobierając słowa, powiedziałam:

— Od tej chwili Córy i Synowie Ciemności będą grupą kierującą się prawością w działaniu i dążącą do osiągania wytyczonych celów. Wierzę, że wybrani przez Nyks adepci obdarzeni zdolnością kontaktowania się z żywiołami dobrze reprezentują ideały naszej odnowionej grupy. — Uśmiechnęłam się do Damiena, zanim zaczęłam o nim mówić. — Mój przyjaciel Damien jest najbardziej wiarygodną osobą, jaką znam, nawet jeśli wierność sobie była trudna do osiągnięcia. Dobrze reprezentuje żywioł powietrza. — Wiatr zawirował wokół jego głowy, gdy Damien uśmiechnął się do mnie lekko zawstydzony.

Następnie zwróciłam się do Shaunee.

— Moja przyjaciółka Shaunee jest osobą najbardziej godną zaufania, jaką znam. Jeśli stoi przy tobie, to bez względu na to, czy działasz słusznie czy nie. Jeśli działasz niesłusznie, na pewno ci o tym powie, ale cię nie opuści. Dobrze reprezentuje żywioł ognia.

Czekoladowa buzia Shaunee pojaśniała z zadowolenia, a jej cała sylwetka promieniowała.

Podeszłam do Erin.

— Uroda mojej przyjaciółki Erin może czasem wprowadzać w błąd tych, którym się wydaje, że pod pięknymi włosami nie może być wiele rozumu. Ale to nieprawda. To jedna z najmądrzejszych osób, jakie znam. Nyks swoim wyborem dowiodła, że patrzy w głąb duszy, a nie na powierzchowność. Erin dobrze reprezentuje wodę. — Kiedy ją mijałam, usłyszałam szelest fal rozbijających się o brzeg.

Stanęłam przed Stevie Rae. Wyglądała na zmęczoną, miała ciemne podkówki pod oczami. Zanadto się ostatnio o mnie martwiła, to pewne.

— Moja przyjaciółka Stevie Rae zawsze wie, kiedy jestem szczęśliwa, a kiedy smutna, zestresowana czy odprężona. Martwi się o mnie, martwi się o wszystkich swoich przyjaciół, czasem zbyt wiele myśli o innych, więc cieszę się, że teraz ma ziemię, z której może czerpać siły. Dobrze reprezentuje żywioł ziemi.

Uśmiechnęłam się do Stevie Rae, która odpowiedziała mi szerokim uśmiechem, przy czym podejrzanie często mrugała powiekami, najwyraźniej nie chcąc się rozpłakać. Wtedy przeszłam na środek kręgu, gdzie odłożyłam splecione zioła i podniosłam fioletową świecę.

— Nie jestem doskonała i wcale nie udaję, że jest inaczej. Ale przysięgam, że szczerze życzę Córom i Synom Ciemności tego co dla nich najlepsze, podobnie jak wszystkim adeptom Domu Nocy. — Już chciałam powiedzieć, że mam nadzieję, iż będę dobrze reprezentować ducha, kiedy rozległ się głos Erika:

— Zoey dobrze reprezentuje ducha.

Czwórka moich przyjaciół głośno przytaknęła oraz ku mojej radości (i trochę więcej niż lekkiemu zdziwieniu) do ich głosów przyłączyło się też kilkoro adeptów z sali.

ROZDZIAŁ DWUDZIESTY DRUGI

Kiedy znów zaczęłam mówić, wszyscy natychmiast się uciszyli.

— Każdy kto uważa, że potrafi sprostać ideałom Cór i Synów Ciemności, i będzie prawdomówny, wierny, zacny, otwarty na innych i dobry, może pozostać razem z nami. Ale muszę was uprzedzić, że dołączą do nas nowi adepci, których nie będziemy oceniali po wyglądzie ani po tym, z kim się przyjaźnią. Zastanówcie się więc i podejmijcie decyzję, a potem powiadomcie mnie albo kogokolwiek z naszego zarządu, że chcecie zostać w tej grupie. — Pochwyciłam spojrzenia kilku byłych koleżanek Afrodyty i dodałam: — Wasza przeszłość nie będzie miała znaczenia. Liczy się to, jacy będziecie od tej chwili.

Kilka dziewcząt odwróciło ode mnie wzrok z poczuciem winy, a kilka innych wyglądało, jakby się zaraz miały rozpłakać. Ze szczególną przyjemnością napotkałam wzrok Deino, która wytrzymała moje spojrzenie i poważnie pokiwała głową. Cóż, może w końcu nie była taka „Straszna".

Odstawiłam fioletową świecę i sięgnęłam po służący do odprawiania obrzędów wielki puchar, który przedtem napełniłam czerwonym słodkim winem.

— A teraz wypijmy, by uczcić pełnię księżyca i koniec, który oznacza początek nowego.

Kiedy obchodziłam cały krąg, częstując winem każdego adepta, odmawiałam głośno modlitwę na obchody Pełni Księżyca, którą znalazłam w *Mystical Rites of the Crystal Moon* Fiony, właścicielki Lauru Poetyckiego Wampirów z początku dziewiętnastego wieku.

> *Skąpy blasku księżyca*
> *Tajemnico głębi ziemi*
> *Siło toczonych wód*
> *Ciepło płomienia*
> *W imieniu Nyks przyzywamy was!*

Skupiłam się na słowach pięknego dawnego wiersza i naprawdę uwierzyłam, że ta noc będzie początkiem czegoś wyjątkowego.

> *Uzdrawianie chorych*
> *Prawda zamiast fałszu*
> *Oczyszczenie nieczystych*
> *Umiłowanie prawdy*
> *W imieniu Nyks niech się stanie!*

Przechodziłam szybko po obwodzie kręgu, szczęśliwa, że większość młodziaków po wypiciu łyka wina uśmiechała się do mnie i mówiła: „Bądź pozdrowiona". I chyba nikomu nie brakowało w moim winie smaku krwi zwabionego adepta. (Nie chcę nawet myśleć, z jaką przyjemnością skosztowałabym takiego wina zmieszanego z krwią).

> *Wzroku kota*
> *Słuchu delfina*
> *Zręczności węża*

Tajemnico Sfinksa
W imieniu Nyks przyzywam was
Bądźcie pozdrowieni wraz z nami!

Wypiłam resztę wina i odstawiłam puchar na stół. W odwrotnej kolejności podziękowałam wszystkim żywiołom i odesłałam je, skąd przyszły, podczas gdy Stevie Rae, Erin, Shaunee i na końcu Damien kolejno zdmuchiwali swoje świece. Zakończyłam rytuał słowami:

— Uroczystości obchodów Pełni Księżyca dobiegły końca. Bądźcie pozdrowieni.

Adepci odpowiedzieli chórem pożegnalną formułkę: „Bądźcie pozdrowieni".

I tak oto zakończył się mój pierwszy obrzęd, który prowadziłam jako przewodnicząca Cór Ciemności.

Czułam się trochę jak wydrążona w środku, nawet może nieco smutna, tak to jest, kiedy na coś się długo czeka i robi wiele przygotowań, a potem wszystko to mija, zostawiając uczucie pustki. Ale prawdę mówiąc, trwało to najwyżej krótką chwilę, bo zaraz przyjaciele rzucili się do mnie, mówiąc jeden przez drugiego o odciskach dłoni w betonie, który zbyt szybko zaczął wysychać.

— Czekaj. My z Bliźniaczką musimy teraz dodać trochę wody do tego betonu, bo stwardniał, zanim zdążyłyśmy zrobić odciski swoich dłoni — powiedziała przejęta Shaunee.

Erin potaknęła.

— Po to tu jestem, Bliźniaczko. Jak również po to, by świecić przykładem dobrego smaku i wyczucia mody.

— I jedno, i drugie jest równie ważne, Bliźniaczko.

Damien wzniósł oczy do nieba.

— Słuchajcie, zróbmy w końcu te odciski i idźmy stąd. Z głodu rozbolał mnie żołądek i potwornie boli mnie głowa — powiedziała Stevie Rae.

Kiwnęłam głową na znak, że w pełni się z nią zgadzam. Obie poszłyśmy późno spać i nie zdążyłyśmy niczego zjeść przed wyjściem. Ja też umierałam z głodu. I pewnie też rozboli mnie głowa z powodu niedostatku kofeiny, jeśli wkrótce czegoś nie zjem i nie wypiję.

— Stevie Rae ma rację. Pospieszmy się, zróbmy odciski dłoni, a potem dołączymy do reszty na posiłek.

— Neferet zamówiła w kuchni taco. Udało mi się tam zajrzeć, pachnie naprawdę smakowicie — przyznał Damien.

— No to chodźmy wreszcie. Przestańmy bajdurzyć — burknęła Stevie Rae, o mały włos nie rozdeptując betonowej płytki.

— Co się z nią dzieje? — zapytał szeptem Damien.

— Pewnie cierpi na zespół napięcia przedmiesiączkowego — odpowiedziała Shaunee.

— Aha, zauważyłam już przedtem, że jest blada i obrzmiała, ale nie chciałam być złośliwa i nic nie powiedziałam — dodała Erin.

— Więc zróbmy te odciski i chodźmy jeść — zadecydowałam, biorąc swoją cegiełkę zadowolona, że Erik wybrał dla siebie sąsiednią płytkę.

— Wziąłem ręczniki, które zmoczyłem w kuchni, żebyście mogli sobie wytrzeć potem ręce — powiedział Jack, wyglądając wzruszająco, zarumieniony z przejęcia, niosąc stosik mokrych ręczników.

— To naprawdę bardzo ładnie z twojej strony — pochwaliłam go z uśmiechem. — No, do roboty!

Z bliska zauważyłam, że beton został wlany w coś, co przypominało kartonowe wytłoczki, więc uznałam, że najlepiej będzie oderwać karton, kiedy wszystko już zastygnie. Nadal podobał mi się pomysł Damiena, by zostawić nasze ślady na płytkach na dziedzińcu przed jadalnią.

Było wiele śmiechu i zabawy, kiedy wykonywaliśmy odciski rąk w miękkim jeszcze betonie, a potem gdy wydrapywaliśmy w nim nasze imiona patyczkami, po które Jack ochoczo pobiegł (ten dzieciak okazał się naprawdę gotów w każdej chwili do pomocy).

Kiedy wycieraliśmy ręce zabrudzone cementem i przyglądaliśmy się z zadowoleniem własnemu dziełu, Erik nachylił się i wyznał mi do ucha:

— Jestem naprawdę zadowolony, że Neferet wybrała mnie do zarządu.

Zacisnęłam usta i nic nie odpowiedziałam. Gdybym mu powiedziała, że to ja go wybrałam za zgodą Damiena, Stevie Rae i Bliźniaczek, pewnie miałby od razu mniej wiatru w żaglach. Decyzja Neferet to było coś znaczącego. A nikomu nie będzie przeszkadzać (nie licząc mojej zranionej miłości własnej), jeśli Erik będzie trwał w przekonaniu, że to kapłanka go wybrała. Już miałam zmienić temat i dać hasło do pójścia do jadalni, gdy z prawej strony doszedł mnie dziwny odgłos. Kiedy uświadomiłam sobie, co to za odgłos, zmartwiałam.

To Stevie Rae kaszlała.

Damien natychmiast znalazł się przy mnie. Zaraz potem podbiegły Bliźniaczki. Stevie Rae wybrała betonowy klocek leżący najdalej na prawo, a najbliżej wejścia do jadalni. Grupka adeptów już siedziała przy stołach, ale całkiem sporo młodziaków zostało na zewnątrz, by przyglądać się, jak zostawiamy odciski swoich dłoni, tak że kilka osób oddzielało mnie od Stevie Rae, jednak dostrzegłam, że ona nadal klęczy przed swoim betonowym bloczkiem. Musiała wyczuć mój wzrok, bo odchyliła się, przysiadła na piętach i popatrzyła na mnie. Usłyszałam, że stara się odchrząknąć. Uśmiechnęła się do mnie smutno, po czym wzruszyła ramionami i wyartykułowała bezgłośnie: „Mam w gardle żabę". Pamiętam, że użyła tego samego określenia podczas występów uczestników konkursu na najlepiej zaprezentowany monolog. Znów zaniosła się kaszlem.

Nie patrząc na Erika, poleciłam mu:

— Zawołaj szybko Neferet!

Wstałam i zaczęłam iść w kierunku Stevie Rae, która zdążyła już zrobić odcisk swojej dłoni i podpisać go, po czym wycierała palce w ręcznik. Zanim znalazłam się przy niej, dostała ataku kaszlu, który wstrząsał jej ramionami. Przycisnęła ręcznik do ust.

Wtedy poczułam ten zapach. Miałam wrażenie, jakbym się natknęła na niewidzialny mur. Owionął mnie zapach krwi, nęcący, kuszący i straszny. Zatrzymałam się i zamknęłam oczy. Stałam tak nieruchomo, nie otwierając oczu, myśląc, że to senny koszmar, z którego się obudzę, nadal przejęta zbliżającymi się obchodami Pełni Księżyca, z Nalą mruczącą błogo na mojej poduszce i ze Stevie Rae pochrapującą spokojnie na sąsiednim łóżku.

Poczułam na ramieniu czyjąś rękę, ale nadal się nie poruszałam.

— Zoey, ona ciebie potrzebuje — rzekł Damien trochę drżącym głosem.

Otworzyłam oczy i popatrzyłam na niego. Damien płakał.

— Chyba nie mogę — powiedziałam słabo.

Ścisnął mnie mocniej za ramię.

— Możesz. Musisz.

— Zoey! — zaszlochała Stevie Rae.

Niewiele myśląc, wyrwałam się Damienowi i podbiegłam do swojej najlepszej przyjaciółki. Nadal klęczała, przyciskając do piersi skrwawiony ręcznik. Znów zaczęła kaszleć i krztusić się, coraz więcej krwi z jej nosa i ust chlustało na ręcznik.

— Przynieś więcej ręczników! — krzyknęłam do Erin, która pobladła siedziała bez ruchu przy Stevie Rae. Sama zaś kucnęłam przy przyjaciółce. — Wszystko będzie dobrze. Zobaczysz. Obiecuję.

Stevie Rae płakała, a jej łzy już były zabarwione krwią. Potrząsnęła głową.

— Nie będzie — szepnęła słabnącym głosem. — Ja umieram. — Głos miała stłumiony zalewającą jej płuca i gardło krwią.

— Zostanę z tobą. Nie dopuszczę do tego, byś była sama — powiedziałam.

Złapała mnie za rękę. Jej dłoń była przeraźliwie zimna.

— Z, tak się boję — wyznała.

— I ja się boję. Ale obiecuję, że razem przez to przejdziemy.

Erin podała mi stos ręczników. Wyjęłam z rąk Stevie Rae zaplamiony ręcznik i czystym zaczęłam wycierać jej twarz. Ale znów się rozkaszlała i nie mogłam nadążyć, tyle było krwi. Stevie Rae zaczęła tak okropnie się trząść, że sama nie mogła utrzymać ręcznika. Płacząc, przyciągnęłam ją do siebie, wzięłam na kolana i zaczęłam kołysać jak małe dziecko, powtarzając bez przerwy, że wszystko będzie dobrze i że jej nie opuszczę.

— Zoey, może to pomoże.

Zapomniałam, że wokół mnie znajdują się jeszcze inni, więc głos Damiena zaskoczył mnie. Spojrzałam na niego i zobaczyłam, że trzyma zieloną świecę ofiarną, która symbolizowała ziemię. Wtedy nieoczekiwanie odezwał się mój instynkt, a ja, dotąd pogrążona w rozpaczy i roztrzęsiona, naraz się uspokoiłam.

— Chodź tu, Damien. Trzymaj przy niej świecę.

Damien ukląkł i nie bacząc na kałużę krwi, która nas otaczała, przysunął się blisko do Stevie Rae, by trzymać świecę tuż przy jej twarzy. Jeszcze więcej otuchy dodał mi widok Shaunee i Erin, które uklękły przy mnie z obu stron.

— Stevie Rae, kochana, otwórz oczy — poprosiłam łagodnie.

Rzężąc okropnie, Stevie Rae po chwili zatrzepotała powiekami i otworzyła oczy. Białka miała już zupełnie czerwone, po policzkach spływały jej krwawe łzy, ale gdy jej wzrok padł na świecę, nie odwróciła od niej oczu.

— Przywołuję żywioł ziemi, niech do nas zstąpi teraz. — Mówiłam głosem pewnym, mocniejszym niż przed chwilą. — I proszę żywioł, by został przez cały czas z wyjątkową adeptką, która właśnie została obdarzona zdolnością kontaktowania się z tym żywiołem. Ziemia jest naszym domem, naszą żywicielką, ziemia to miejsce, do którego wrócimy pewnego dnia. Dziś proszę ziemię, by pocieszyła Stevie Rae i towarzyszyła jej podczas tej powrotnej drogi do domu.

Powietrze wzburzyło się, naraz owionął nas zapach i odgłosy sadu. Poczułam woń jabłek i siana, usłyszałam bzyczenie pszczół i świergot ptaków.

Stevie Rae poruszyła wargami, które lekko poczerwieniały. Nie odwracając wzroku od świecy, szepnęła:

— Z, już się nie boję.

Nagle rozległ się trzask gwałtownie otwieranych drzwi i po chwili Neferet klęczała obok mnie. Zaczęła odsuwać Damiena i Bliźniaczki, by wziąć z moich kolan Stevie Rae.

— Nie! — krzyknęłam z mocą. Neferet cofnęła się zaskoczona. — Nie. My z nią zostaniemy. Ona potrzebuje swojego żywiołu i nas.

— Bardzo dobrze — odrzekła Neferet. — I tak jest już niemal po wszystkim. Pomóż mi dać jej to lekarstwo, żeby mogła odejść bezboleśnie.

Już miałam wziąć z jej rąk fiolkę z białym płynem, gdy Stevie Rae odezwała się, mówiąc zadziwiająco wyraźnie:

— Nie trzeba. Od kiedy przyszła do mnie ziemia, nic mnie nie boli.

— Oczywiście, dziecino. — Neferet dotknęła umazanego krwią policzka Stevie Rae, która natychmiast się odprężyła i przestała dygotać. — Pomóżcie Zoey przenieść się na nosze. Niech się nie rozłączają. Zabieramy ją do szpitalika — powiedziała już do mnie.

Kiwnęłam głową. Czyjeś silne ręce dźwignęły mnie i Stevie Rae. W otoczeniu Damiena, Bliźniaczek i Erika wyniesiono nas w ciemność nocy. Zapamiętałam wiele szczegółów z tej naszej krótkiej podróży z sali rekreacyjnej do szpitalika: między innymi padający gęsty śnieg, którego płatki jednak zdawały się nas omijać. Wszędzie panowała niesamowita cisza, jakby ziemia ucichła, ponieważ już rozpoczęła żałobę. Nie przestawałam szeptem zapewniać Stevie Rae, że wszystko będzie dobrze i że nie ma się czego bać. Pamiętam, jak wychyliła się z noszy i wymiotowała krwią i jak szkarłatne krople znaczyły biel świeżego śniegu.

Potem znaleźliśmy się w szpitaliku, gdzie przeniesiono nas z noszy na łóżko. Neferet gestem przywołała moich przyjaciół, by podeszli do nas bliżej. Damien przykucnął tuż przy Stevie Rae, nie wypuszczając z rąk zielonej świecy, żeby widziała ją, kiedy znów otworzy oczy. Wciągnęłam powietrze głęboko do płuc. Nadal przesycone było zapachem jabłek i szczebiotem ptaków.

Wtedy Stevie Rae otworzyła oczy. Przez chwilę mrugała zdezorientowana, potem zobaczyła mnie i uśmiechnęła się.

— Powiesz mojej mamie i tacie, że ich kocham?

Zrozumiałam, co mówi, ale głos miała już słabiutki.

— Oczywiście, że powiem — zapewniłam ją.

— Zrobisz coś jeszcze dla mnie?

— Co tylko chcesz.

— Ty właściwie nie masz mamy ani taty, więc może powiesz mojej mamie, że teraz ty będziesz ich córką? Myślę, że mniej się będę o was martwiła, jeśli będę wiedziała, że macie siebie.

Łzy spływały mi po policzkach, musiałam opanować szloch, by odpowiedzieć:

— O nic się nie martw. Powiem im.

Jej powieki zatrzepotały, po czym leciutko się uśmiechnęła.

— To dobrze. Mama upiecze ci czekoladowe ciasteczka. — Z widocznym wysiłkiem otworzyła raz jeszcze oczy i popatrzyła na Damiena, Shaunee i Erin. — Trzymajcie się Zoey. Niech nikt was nie rozłączy.

— Nie martw się — zapewnił ją Damien przez łzy.

— Zajmiemy się nią w twoim imieniu — powiedziała Shaunee z trudem. Erin kurczowo ściskała jej rękę i gorzko płakała, ale skinęła głową na znak potwierdzenia i uśmiechnęła się do Stevie Rae.

— Dobrze — odpowiedziała Stevie Rae. Zamknęła oczy.
— Z, chyba teraz sobie pośpię. Okay?

— Okay, kochanie — odpowiedziałam.

Raz jeszcze uniosła powieki i spojrzała na mnie.

— Zostaniesz ze mną?

Mocniej przytuliłam ją do siebie.

— Nigdzie nie odchodzę. Odpocznij teraz. Wszyscy tu z tobą zostaniemy.

— Okay — odparła cichutko.

Zamknęła oczy. Odetchnęła chrapliwie jeszcze parę razy. Potem poczułam, że leży w moich ramionach zupełnie bezwładna i już nie oddycha. Rozchyliła lekko usta, jakby się uśmiechała. Krew trysnęła jej z ust, oczu, nosa i uszu, ale nie czułam tego zapachu. Tylko zapach ziemi. Potem wraz z potężnym podmuchem wiatru niosącego woń łąk zielona świeca zgasła i moja najlepsza przyjaciółka umarła.

ROZDZIAŁ DWUDZIESTY TRZECI

— Zoey, kochana, musisz pozwolić jej odejść.

Nie całkiem dotarło do mnie, co mówił Damien. Niby słyszałam jego głos, ale sens słów nie docierał do mojej świadomości, jakby mówił w obcym języku. Nie rozumiałam ich.

— Zoey, może razem pójdziemy, co?

To mówiła Shaunee. *Zaraz powinna zawtórować jej Erin.* Ledwo to pomyślałam, odezwała się Erin:

— Tak, Zoey, powinnaś z nami pójść.

Aha, to Erin.

— Ona jest w szoku. Mówcie do niej spokojnie i spróbujcie pomóc jej wypuścić z objęć ciało Stevie Rae — odezwała się Neferet.

Ciało Stevie Rae. Te dziwne słowa odbijały się echem w mojej głowie. Coś obejmowałam, tyle mogłam powiedzieć. Oczy jednak miałam zamknięte i było mi bardzo zimno. Nie chciałam otwierać oczu, nie wydawało mi się też, żeby kiedykolwiek znów mogło mi być ciepło.

— Mam pomysł. — Głos Damiena obijał mi się w czaszce jak piłeczki w maszynie do losowania liczb. — Wprawdzie nie mamy świec ani kręgu, ale przecież Nyks jest gdzieś tutaj wśród nas. Może nasze żywioły nam pomogą. Ja zacznę.

Poczułam, że czyjaś ręka chwyta mnie mocno za ramię, i posłyszałam, jak Damien mruczy coś, przywołując żywioł powietrza, aby rozwiał atmosferę śmierci i rozpaczy. Gdy wiatr zaraz zawiał wokół mojej głowy, zaczęłam drżeć.

— Teraz ja — powiedziała Shaunee. — Wygląda na to, że jest jej zimno.

Poczułam znów czyjś dotyk i po chwili ogarnęło mnie ciepło, jakbym znalazła się blisko kominka.

— Moja kolej — odezwała się Erin. — Przywołuję wodę i proszę, by obmyła moją przyjaciółkę i przyszłą starszą kapłankę ze smutku i bólu, w jakim jest pogrążona. Wiem, że żal nie może całkiem minąć bez śladu, ale proszę, ujmij go tyle, by mogła dalej iść swoją drogą.

Jej słowa dotarły do mnie wyraziściej niż poprzednie, nadal jednak nie miałam ochoty otwierać oczu.

— Pozostał jeszcze jeden żywioł do kręgu.

Ze zdziwieniem rozpoznałam głos Erika. Jakaś moja część chciała otworzyć oczy, ale reszta, ta większa, wolała się nie poruszać.

— Ale Zoey zawsze reprezentuje ducha — przypomniał Damien.

— Zoey nie może teraz reprezentować niczego poza sobą. Musimy jej pomóc. — Czyjeś mocne dłonie chwyciły mnie za ramiona, do nich dołączyły się też inne ręce. — Nie mam daru kontaktować się z żywiołami, ale obchodzi mnie, i to bardzo, co się będzie działo z Zoey. Ona zaś potrafi się dostrajać do wszystkich pięciu żywiołów — powiedział Erik. — Wy wszyscy więc poproście pozostałe żywioły, by pomogły jej obudzić się i przeboleć śmierć najlepszej przyjaciółki.

Jakby pobudzona wstrząsem elektrycznym poczułam, że wróciła mi przeraźliwie trzeźwa przytomność. Pod przymkniętymi jeszcze powiekami zobaczyłam uśmiechniętą Stevie Rae. Na jej twarzy nie było śladów krwi ani bladości, jak wtedy, gdy po raz ostatni uśmiechała się do mnie. Zobaczyłam zdrową i szczęśliwą Stevie Rae, idącą radośnie do pięknej znajomej mi kobiety, która czekała na nią z otwartymi ramionami.

To Nyks, pomyślałam. *Stevie Rae znajduje się w objęciach bogini.*

Wtedy otworzyłam oczy.

— Zoey! Wróciłaś do nas! — zawołał Damien.

— Zoey — przemówił do mnie poważnie Erik. — Będziesz musiała pozwolić jej odejść.

Przeniosłam wzrok z Damiena na Erika. A potem popatrzyłam na Erin i Shaunee. Cała czwórka obejmowała mnie i wszyscy płakali. Wtedy uświadomiłam sobie, co trzymam w objęciach. Powoli spojrzałam w dół.

Na twarzy Stevie Rae malował się spokój. Była bardzo blada, wargi miała sine, ale oczy zamknięte. Mimo śladów krwi na policzkach wydawała się odprężona. Krew już nie kapała jej z oczu ani z nosa, poczułam nieświeży zapach, zapach stęchlizny, trupią woń.

— Z — odezwał się Erik — powinnaś ją puścić.

Nasze spojrzenia się spotkały.

— Ale obiecałam jej, że z nią zostanę. — Mój głos zabrzmiał obco, ochryple.

— Zostałaś z nią. Przez cały czas. Ale teraz ona już odeszła. Już nic dla niej nie możesz zrobić.

— Proszę cię, Zoey — dołączył się Damien.

— Neferet musi ją umyć, żeby mama mogła ją zobaczyć — powiedziała Shaunee.

— Wiesz, ona na pewno by nie chciała, żeby mama i tata zobaczyli ją całą we krwi — dodała Erin.

— No dobrze, tylko że nie wiem, jak ją puścić. — Głos mi się załamał, poczułam, że łzy spływają mi po policzkach.

— Wezmę ją od ciebie, Zoey, ptaszyno — zaofiarowała się Neferet. Wyciągnęła ręce gotowa przejąć ode mnie dziecko.

Była tak smutna, a jednocześnie tak piękna i silna, zupełnie jak dawniej, że natychmiast zapomniałam o wszelkich zastrzeżeniach, jakie wobec niej miałam. Kiwnęłam posłusznie głową i odchyliłam się, by mogła wziąć ode mnie ciało Stevie Rae. Neferet podłożyła ręce pod jej plecy i wysunęła ją z moich objęć, po czym złożyła na sąsiednim pustym łóżku.

Popatrzyłam na siebie. Moja nowa czarna suknia tak była przesiąknięta krwią, która zaczęła zasychać, że stała się sztywna. Srebrne nici nadal usiłowały migotać, ale splamione krwią rzucały tylko rdzawe refleksy. Nie mogłam na nie patrzeć. Zapragnęłam wydostać się stamtąd i czym prędzej zdjąć tę suknię. Spuściłam nogi z łóżka, chcąc stanąć na podłodze, ale zakręciło mi się w głowie, cały pokój zawirował przed oczami. Znów poczułam na ramionach mocne ręce swoich przyjaciół, którzy nie pozwolili mi upaść. Ciepło ich rąk sprawiło, że stanęłam pewnie na ziemi.

— Zaprowadźcie ją do pokoju. Pomóżcie jej zdjąć suknię i umyć się. Upewnijcie się, czy pójdzie do łóżka, i niech pobędzie w cieple i spokoju. — Neferet mówiła tak, jakby mnie nie było wśród nich, ale niewiele mnie to obeszło. Chciałam stąd wyjść. Chciałam zostawić to wszystko za sobą. — Dajcie jej to do wypicia, zanim się położy. To pomoże jej zasnąć i nie mieć koszmarów. — Poczułam na swoim policzku ciepłą dłoń Neferet. Ciepło pochodzące od niej wniknęło w moje ciało, co odebrałam jako szok. Cofnęłam się gwałtownie. — Miej się dobrze — powiedziała łagodnym tonem Neferet. — Obiecuję ci, że wkrótce odzyskasz siły. — Nie patrzyłam na nią, ale domyśliłam się, że zwraca się teraz do moich przyjaciół. — Pójdźcie z nią do internatu.

Szłam przed siebie. Z jednej mojej strony szedł Erik, na wszelki wypadek trzymając mnie za łokieć, z drugiej Damien, też służąc mi za asekurację. Tuż za nami szły Bliźniaczki. Kiedy wychodziliśmy, nikt nie odezwał się ani jednym słowem. Obejrzałam się jeszcze za siebie, by po raz ostatni zobaczyć martwe ciało Stevie Rae spoczywające na łóżku. Wyglądała niemal na śpiącą, wiedziałam jednak, że tak nie jest. Wiedziałam, że ona nie żyje.

W piątkę wyszliśmy ze szpitalika i zatopiliśmy się w śnieżnej nocy. Trzęsłam się z zimna, więc zatrzymaliśmy się na chwilę, bo Erik postanowił okryć mnie swoją marynarką. Podobał mi się jej zapach, starałam się zatrzymać myśli właśnie na tym, a nie na adeptach, którzy cichli na nasz widok, i bez względu na to czy szli w pojedynkę czy grupkami, ustępowali nam miejsca, schodząc z chodnika, schylając głowy i w milczeniu przykładając do piersi zwinięte w pięść dłonie gestem pozdrowienia.

Wydawało się, że minęło zaledwie kilka sekund, a doszliśmy do internatu. Kiedy znaleźliśmy się w głównej sali, w której dziewczęta oglądały telewizję, zapadła całkowita cisza. Nie spojrzałam w ich stronę. Erik i Damien podprowadzili mnie do schodów, ale drogę zastąpiła nam Afrodyta. Kilkakrotnie zacisnęłam i otwarłam powieki, by widzieć ją wyraźnie. Wyglądała na zmęczoną.

— Przykro mi, że Stevie Rae umarła. Nie życzyłam jej śmierci — powiedziała.

— Nie zawracaj dupy, ty pieprzona wiedźmo — warknęła Shaunee. Obie z Erin postąpiły naprzód, co wyglądało, jakby chciały ją pobić.

— Nie, zaczekajcie — zmusiłam się do odezwania, po czym z wahaniem dodałam: — Muszę porozmawiać z Afrodytą.

Przyjaciele popatrzyli na mnie, jakbym postradała zmysły, ale wysunęłam się z ich opiekuńczych objęć i chwiejnym krokiem odeszłam od grupy. Afrodyta po chwili wahania zbliżyła się do mnie.

— Czy wiedziałaś, co się miało stać ze Stevie Rae? — zapytałam przyciszonym głosem. — Czy miałaś jakąś wizję z nią związaną?

Afrodyta wolno pokręciła głową.

— Nie, miałam tylko przeczucie. Wiedziałam, że dziś w nocy stanie się coś strasznego.

— I ja miałam takie przeczucie — powiedziałam cicho.

— Twoje przeczucia dotyczą ludzi i rzeczy?

Skinęłam głową.

— Są trudniejsze niż moje wizje, nie tak dokładne. A ty miałaś jakieś przeczucie dotyczące Stevie Rae? — zapytała Afrodyta.

— Nie, nie miałam pojęcia, chociaż teraz, jak sobie przypominam, były pewne oznaki, że z nią się dzieje coś niedobrego.

Afrodyta spojrzała mi prosto w oczy.

— Nie mogłaś nic zrobić. Nie mogłaś jej ocalić. Nyks nie chciała, byś wiedziała, że to się stanie, ponieważ nie mogłaś temu zapobiec.

— Skąd wiesz? Neferet twierdzi, że Nyks cię opuściła — powiedziałam bez ogródek. Wiedziałam, że mówiąc to, jestem okrutna, ale niewiele mnie to obchodziło. Niech każdy cierpi tak jak ja.

Nadal patrząc mi w oczy, Afrodyta powiedziała:

— Neferet kłamie. — Odwróciła się z zamiarem odejścia, ale rozmyśliła się i wróciła. — Nie pij niczego, co ona ci da — dodała. I dopiero wtedy wyszła z sali.

Erik, Damien i Bliźniaczki natychmiast przypadli do mnie.

— Nie słuchaj niczego, co ta czarownica z piekła rodem ci opowiada — sapnęła Shaunee.

— Jeśli powiedziała coś wrednego o Stevie Rae, dam jej kopa w dupę — zapowiedziała Erin.

— Nie. Nic takiego nie mówiła. Powiedziała tylko, że jest jej przykro. I to wszystko.

— Dlaczego chciałaś z nią rozmawiać? — zapytał Erik.

— Chciałam wiedzieć, czy miała wizję na temat śmierci Stevie Rae — odrzekłam.

— Ale Neferet wyraźnie powiedziała, że Nyks odwróciła się od Afrodyty — przypomniał Damien.

— Mimo wszystko wolałam ją zapytać. — Już miałam dodać, że Afrodyta miała rację co do wypadku, w którym omal nie zginęła moja babcia, ale nie mogłam tego powiedzieć w obecności Erika.

Doszliśmy do drzwi mojego pokoju — n a s z e g o pokoju, Stevie Rae i mojego — i tam się zatrzymałam. Dopiero kiedy Erik je otworzył, weszliśmy do środka.

— Och, nie! — jęknęłam. — Zabrano jej rzeczy! Jak tak można?!

Wszystko co należało do Stevie Rae, zostało wyniesione — lampa w kształcie kowbojskiego buta, plakat Kenny'ego Chesneya, zegar z Elvisem Presleyem. Półki nad komputerowym biurkiem zostały opróżnione. Samego komputera też już nie było. Wiedziałam, że gdy otworzę szafę, nie znajdę tam jej ubrań.

Erik otoczył mnie ramieniem.

— Zawsze tak się robi. Nie martw się, jej rzeczy nie zostały wyrzucone. Zabrano je stąd, żeby cię nie zasmucały. Jeśli chcesz mieć coś po niej, a rodzina się nie sprzeciwi, to ci dadzą.

Nie wiedziałam, co powiedzieć. Nie chciałam r z e c z y Stevie Rae. Ja chciałam, żeby o n a tu była.

— Zoey, powinnaś zdjąć to ubranie i wziąć gorący prysznic — powiedział Damien tonem łagodnej perswazji.

— Okay — zgodziłam się.

— A kiedy będziesz brała prysznic, my przyniesiemy ci coś do jedzenia — obiecała Shaunee.

— Nie jestem głodna.

— Ale powinnaś coś zjeść. Przyniesiemy ci coś lekkiego, na przykład zupę. Dobrze? — prosiła Erin.

Widać było, że jest bardzo przygnębiona i że strasznie chciałaby coś dla mnie zrobić, cokolwiek, byleby poprawić nieco mój nastrój, więc w końcu się zgodziłam. Zresztą byłam zbyt zmęczona, by się przeciwstawić.

— Okay.

— Zostałbym tutaj, ale godzina jest późna i czas wizyt już minął, więc nie mogę o tej porze przebywać w żeńskim internacie — powiedział Erik.

— W porządku. Rozumiem.

— Też bym chciał zostać dłużej, ale cóż, w końcu nie jestem dziewczyną — przyznał Damien.

Chciał mnie choć trochę rozbawić, więc rozciągnęłam wargi w uśmiechu. Pomyślałam, że muszę wyglądać jak smutny klaun, który ma uśmiech wymalowany na twarzy, ale też łzy na policzkach.

Erik uścisnął mnie, Damien zrobił to samo. A potem poszli sobie.

— Chcesz, żeby któraś z nas została z tobą, kiedy będziesz brała prysznic? — zapytała Shaunee.

— Nie, nic mi nie będzie.

— Okay. Dobrze. — Widać było po jego minie, że znów zbiera jej się na płacz.

— Zaraz wrócimy — obiecały obie, po czym wyszły z pokoju.

Poruszałam się w zwolnionym tempie, jakby ktoś przekręcił we mnie pstryczek na działanie na wolnych obrotach. Zdjęłam suknię, biustonosz, majtki i włożyłam je do kosza na śmieci wyłożonego plastikową torbą, który stał w rogu naszego — przepraszam: mojego — pokoju, po czym torbę wystawiłam przed drzwi. Mogłam się spodziewać, że któraś z Bliźniaczek wyrzuci ją za mnie. Weszłam do łazienki i zamierzałam wejść od razu pod prysznic, ale zobaczyłam swoje odbicie w lustrze, które tak jak kiedyś przypominało mi znajomą nieznajomą. Wyglądałam okropnie. Blada, podkrążone oczy. Tatuaż na mojej twarzy, plecach i ramionach ostro kontrastował z białością skóry pokrytej plamami rdzawej krwi. Oczy miałam ogromne i ciemniejsze niż zazwyczaj. Nie zdjęłam naszyjnika Cór Ciemności. Połyskiwał odbitym w srebrnym łańcuszku i granatach światłem, które lśniło i migotało.

— Dlaczego? — szepnęłam. — Dlaczego pozwoliłaś umrzeć Stevie Rae?

Nie spodziewałam się dostać odpowiedzi na swoje pytanie i oczywiście jej nie otrzymałam. Weszłam pod prysznic i długo tam stałam, pozwalając, by łzy spływały mi po policzkach, mieszały się z wodą i krwią, która zmyta z mojej skóry znikała w odpływie.

ROZDZIAŁ DWUDZIESTY CZWARTY

Kiedy wyszłam spod prysznica, Shaunee i Erin siedziały na łóżku Stevie Rae. Trzymały na kolanach tacę, na której była miseczka zupy, kilka krakersów i puszka piwa — niedietetycznego. Rozmawiały ze sobą przyciszonymi głosami, ale na mój widok umilkły.

Z westchnieniem usiadłam na swoim łóżku.

— Jeżeli i wy zaczniecie zachowywać się nienormalnie w moim towarzystwie, to chyba tego nie zniosę.

— Przepraszam — mruknęły unisono, wymieniając spłoszone spojrzenia.

Shaunee podała mi tacę. Popatrzyłam na jedzenie, jakbym zapomniała, do czego ono służy.

— Musisz coś zjeść, by móc potem wziąć to, co Neferet dała nam dla ciebie — powiedziała Erin.

— Poza tym to ci dobrze zrobi — dodała Shaunee.

— Nie wiem, czy kiedykolwiek lepiej się poczuję — wyznałam.

Oczy Erin wypełniły się łzami, które powoli zaczęły spływać jej po policzkach.

— Nie mów tak, Zoey. Jeśli ty nie poczujesz się lepiej, to co dopiero mówić o nas.

— Zoey, musisz się postarać. Stevie Rae byłaby zawiedziona, gdybyś nie spróbowała — powiedziała Shaunee, pociągając nosem i ocierając łzy.

— To prawda — musiałam przyznać.

Wzięłam do ręki łyżkę i zaczęłam jeść zupę. Był to rosół z kurczaka z makaronem. Ciepło jadła przyjemnie rozgrzewało mi gardło i stopniowo rozchodziło się po całym ciele, likwidując dreszcze.

— A kiedy Stevie Rae była wkurzona, traciła kontrolę nad swoim oklahomskim akcentem — przypomniała Shaunee.

Na to wspomnienie uśmiechnęłyśmy się obie z Erin.

— Takie jesteście miiiłe — przeciągała samogłoski Erin, powtarzając słowa, które Stevie Rae mówiła im tysiące razy.

Znów się uśmiechnęłyśmy. Zupa teraz stawała się łatwiejsza do przełknięcia. Kiedy zjadłam już połowę zupy, nagle pewna myśl mi przyszła do głowy. — Czy Stevie Rae nie będzie tu miała pogrzebu albo jakiejś innej ceremonii pożegnalnej?

Bliźniaczki pokręciły głowami.

— Nie — odpowiedziała Shaunee.

— Nigdy nic takiego nie robią — dodała Erin.

— Wiesz, Bliźniaczko, myślę, że niektórzy rodzice to robią, ale w swoich rodzinnych miastach.

— Pewnie tak, Bliźniaczko — zgodziła się Erin. — Ale nie wydaje mi się, żeby ktoś stąd wybierał się do... — zamilkła, starając się coś sobie przypomnieć. — Jak się nazywała ta pipidówka, z której pochodziła Stevie Rae?

— Henrietta — przypomniałam im. — Miasto Walczących Kur.

— Walczących Kur? — zapytały jednocześnie.

Skinęłam głową.

— Tak. Doprowadzało ją to do szału. Nie przeszkadzało jej pochodzenie z pipidówki, ale nigdy nie zaakceptowała Walczących Kur.

— To są walki kur? — zdziwiła się Shaunee.

— Bliźniaczko, a skąd ja mam to wiedzieć? — wzruszyła ramionami Erin.

— Myślałam, że są tylko walki kogutów — przyznałam. Popatrzyłyśmy po sobie, powtórzyłyśmy wszystkie: — Kogutów! — i wybuchnęłyśmy śmiechem, który zaraz zmieszał się ze łzami. — Stevie Rae na pewno by to uznała za niesamowicie śmieszne — powiedziałam, kiedy mogłam już złapać oddech.

— Czy naprawdę wszystko będzie znów dobrze, Zoey? — zapytała Shaunee.

— Jak myślisz? — chciała się upewnić Erin.

— Chyba tak — odpowiedziałam.

— Ale jak? — zapytała Shaunee.

— Naprawdę nie wiem. Spróbujmy na początek przeżyć dzień po dniu.

O dziwo, zjadłam całą zupę. Poczułam się lepiej, bardziej normalnie, poza tym zrobiło mi się cieplej. Ale byłam niewiarygodnie zmęczona. Bliźniaczki musiały zauważyć, że oczy mi się kleją, bo Erin zabrała tacę, a Shaunee podała mi fiolkę z mlecznym płynem, mówiąc:

— Neferet powiedziała, żebyś to wypiła, będziesz po tym lepiej spała, bez koszmarów sennych.

Wzięłam od niej fiolkę, ale odstawiłam ją na bok. Erin i Shaunee patrzyły na mnie wyczekująco.

— Wypiję za chwilę — obiecałam. — Najpierw wezmę prysznic. Zostawcie mi piwo na wypadek, gdyby mikstura paskudnie smakowała.

To je uspokoiło. Zanim wyszły, Shaunee jeszcze zapytała:

— Może przynieść ci coś jeszcze?

— Nie, dziękuję.

— Powiesz, kiedy będziesz coś chciała, dobrze? — upewniła się Erin. — Obiecałyśmy Stevie Rae... — Głos jej się załamał, więc Shaunee dokończyła za nią: — Obiecałyśmy jej, że będziemy się o ciebie troszczyły, a my dotrzymujemy danego słowa.

— Powiem wam — przyrzekłam.

— Okay — zgodziły się. — Dobranoc.

— Dobranoc — odpowiedziałam, zamykając za nimi drzwi.

Gdy tylko wyszły, wylałam zawartość fiolki do umywalki, a samą fiolkę wyrzuciłam.

Zostałam sama. Spojrzałam na budzik: była szósta rano. Zdumiewające, ile rzeczy może się wydarzyć w ciągu zaledwie kilku godzin. Starałam się nie myśleć o tym, ale mimo woli obrazy z ostatnich chwil życia Stevie Rae przemykały mi przez głowę, jakby z odtwarzanego pod powiekami filmu pokazujacego te straszne sceny. Nagle zadźwięczał sygnał mojej komórki, podskoczyłam zaskoczona i zanim odebrałam telefon, sprawdziłam, kto dzwoni. Poznałam numer Babci, co za ulga, że to ona. Otworzyłam klapkę, usiłując nie wybuchnąć płaczem.

— Tak się cieszę, Babciu, że dzwonisz!

— Ptaszynko, śniłaś mi się, właśnie obudziłam się z tego snu. Czy u ciebie wszystko w porządku?

Zmartwiony ton jej głosu wskazywał, że wiedziała, iż nie wszystko u mnie jest w porządku, co mnie zresztą wcale nie zdziwiło. Byłyśmy ze sobą zawsze mocno związane.

— Babciu, nic nie jest w porządku — wyszeptałam i zaczęłam płakać. — Babciu, Stevie Rae właśnie umarła.

— Och, Zoey, tak mi przykro!

— Umarła w moich ramionach, w kilka minut po tym, jak Nyks obdarzyła ją zdolnością odczuwania żywiołu ziemi.

— Musiało być dla niej wielką pociechą, że zostałaś z nią do końca.

Posłyszałam, że Babcia też płacze.

— Wszyscy byliśmy przy niej, ja i moi przyjaciele.

— Nyks też na pewno przy niej była.

— Tak — chlipnęłam. — Myślę, że bogini była przy tym, ale ja nie rozumiem tego, Babciu. Jakiż w tym jest sens: obdarzyć Stevie Rae nadzwyczajną zdolnością, a zaraz potem pozwolić jej umrzeć?

— Śmierć zawsze wydaje się bez sensu, kiedy zdarza się młodym. Ja jednak wierzę, że twoja bogini była przy Stevie Rae, nawet jeśli śmierć ta przyszła przedwcześnie. Stevie Rae na pewno spoczywa w pokoju przy Nyks.

— Mam nadzieję, że tak jest.

— Chciałabym cię odwiedzić, ale teraz drogi są takie ośnieżone i niebezpieczne, że jazda jest po prostu niemożliwa. Co powiesz na to, żebym pomodliła się tutaj za Stevie Rae?

— Dziękuję, Babciu, wiem, że Stevie Rae byłaby ci za to wdzięczna.

— A ty, kochanie, musisz to jakoś przeżyć.

— Ale jak, Babciu?

— Najlepiej uczcisz jej pamięć, żyjąc tak, by ona była z ciebie dumna. Żyj również dla niej.

— To niełatwe, Babciu, zwłaszcza że wampiry chcą, abyśmy szybko zapominali o tych dzieciakach, które umarły. Traktuje się je tutaj jak progi zwalniające na jezdni: trzeba przyhamować na chwilę, a potem jechać dalej.

— Nie chcę się domyślać, co twoja starsza kapłanka czy inne dorosłe wampiry zamierzają przez to osiągnąć, ale wydaje mi się, że to jest krótkowzroczne. Trudniej pogodzić się ze śmiercią, jeśli jej się oficjalnie nie uzna i uda, że nic się nie stało.

— Ja myślę tak samo. Prawdę mówiąc, Stevie Rae też tak sądziła. — W tym momencie wpadł mi do głowy pewien pomysł poparty przekonaniem, że tak powinnam zrobić. — Ja to zmienię. Mając na to zgodę lub nie. Muszę mieć pewność, że śmierć Stevie Rae zostanie uhonorowana. Będzie czymś więcej niż leżącym policjantem.

— Żebyś nie narobiła sobie kłopotów, kochanie.

— Babciu, ja jestem najpotężniejszą adeptką w całej historii wampirów. Wydaje mi się, że nie będę miała nic przeciwko narobieniu sobie kłopotów, jeżeli osiągnę coś, na czym mi bardzo zależy.

Babcia przez chwilę nic nie mówiła, a w końcu powiedziała:

— Myślę, ptaszyno, że możesz mieć rację.

— Kochana jesteś, Babciu.

— Dla mnie też jesteś bardzo kochana, *u-we-tsi a-ge-hu-tsa.* — Słysząc to czirokeskie słowo oznaczające „córka", czułam się kochana i bezpieczna. — A teraz chciałabym, żebyś spróbowała zasnąć. Wiedz, że będę się za ciebie modlić i prosić duchy naszych prababek, by się tobą opiekowały i zesłały ci pocieszenie.

— Dziękuję, Babciu. Dobranoc.

— Dobranoc, ptaszyno.

Zamknęłam delikatnie telefon. Po rozmowie z Babcią poczułam się lepiej. Przedtem miałam wrażenie, że przygniata mnie wielki ciężar, teraz ciężar jakby się zmniejszył, już mogłam przynajmniej oddychać. Zaczęłam szykować się do snu, a Nala wemknęła się do pokoju przez kocią klapkę w drzwiach, wskoczyła na łóżko i zaczęła na mnie miauczeć, jak to ona. Pogłaskałam ją i zapewniłam, jak bardzo się cieszę, że ją widzę, ale wtedy spojrzałam na puste łóżko Stevie Rae. Przypomniało mi się, jak ją bawiło kapryszenie Nali, które kojarzyło jej się ze zrzędzeniem starej kobiety, ale w gruncie rzeczy kochała tę kotkę tak samo jak ja. Łzy znów napłynęły mi do oczu, nie wiedziałam, czy można płakać bez końca. Wtedy z mojej komórki rozległ się sygnał zwiastujący otrzymaną właśnie wiadomość. Szybko wytarłam oczy i otworzyłam z powrotem klapkę komórki.

Co u ciebie? Coś nie tak?

To Heath. Przynajmniej teraz nie miałam wątpliwości, że zostaliśmy Skojarzeni. I do diabła, naprawdę nie miałam pojęcia, co z tym zrobić.

Zły dzień. Umarła moja przyjaciółka — odpowiedziałam mu SMS-em.

Nie nadsyłał odpowiedzi przez dłuższy czas, tak że myślałam już, że się nie odezwie. W końcu telefon znów zabuczał.

Moi przyjaciele też umarli.

Przymknęłam oczy. Jak mogłam zapomnieć, że ostatnio zostali zabici dwaj przyjaciele Heatha!

Bardzo mi przykro — odpowiedziałam.

Mnie też. Czy chcesz, żebym cię odwiedził?

W pierwszym odruchu chciałam odpowiedzieć „tak", ale pomyślałam, że jednak nie powinniśmy się spotykać. Chociaż byłoby cudownie znaleźć ukojenie w ramionach Heatha... I ten nęcący szkarłat jego krwi...

Nie — wystukałam pospiesznie odmowną odpowiedź. *Masz szkołę.*

Nie. Mamy DZIEŃ ŚNIEGU!

Uśmiechnęłam się na to wspomnienie. Przez króciutką chwilę zapragnęłam wrócić do dawnych czasów, kiedy ogłoszenie takiego dnia oznaczało odwołanie lekcji w szkole, spacerowanie z kolegami po skrzypiącym śniegu, a potem oglądanie filmów na wypożyczonych kasetach i jedzenie pizzy. Wtedy telefon znów zasygnalizował następną wiadomość, co przerwało moje wspomnienia.

W piątek poczujesz się lepiej, zadbam o to.

Westchnęłam. Zupełnie zapomniałam o swojej obietnicy, że spotkam się z nim po piątkowym meczu. Nie powinnam się z nim spotykać. Tego byłam pewna. W gruncie rzeczy powinnam pójść do Neferet i wyznać jej całą prawdę, jak to jest ze mną i z Heathem, by mi pomogła się z tego wyzwolić.

Neferet kłamie, przypomniały mi się słowa Afrodyty. Nie, nie mogłam iść do Neferet z innych jeszcze powodów, nie tylko dlatego, że Afrodyta mnie ostrzegła. Coś niedobrego czaiło się za jej zachowaniem. Nie mogłam mieć do niej zaufania. Telefon znów się odezwał.

Zo?

Westchnęłam. Czułam się tak zmęczona, że trudno mi się było skupić. Już zaczęłam wystukiwać odpowiedź odmowną, mimo że miałam wielką ochotę się z nim spotkać, ale raptem usunęłam początek wiadomości i szybko wystukałam krótką odpowiedź: *OK.*

Co jest, do diabła? Wygląda na to, że w moim życiu pękają wszystkie spoiny i za chwilę legnie w gruzach. Nie chciałam odmówić Heathowi ani też martwić się o nasze Skojarzenie; po prostu nie mogłam brać na siebie jeszcze jednego zmartwienia.

OK, szybko odpowiedział.

Z ciężkim westchnieniem wyłączyłam telefon i opadłam bezwładnie na łóżko, głaszcząc Nalę i patrząc przed siebie bez celu. Pomyślałam sobie, jak by to było dobrze cofnąć czas o dzień... może o rok... Nagle błądząc spojrzeniem po pokoju, zauważyłam na łóżku Stevie Rae złożoną w kostkę ręcznie tkaną narzutę, którą wampiry widocznie zapomniały zabrać, kiedy uprzątały wszystkie jej rzeczy. Ułożyłam Nalę na poduszce, wstałam i wzięłam tę narzutę, po czym nakryłyśmy się nią obie z Nalą.

W każdej cząsteczce swojego ciała czułam wielkie zmęczenie, a jednak nie mogłam zasnąć. Brakowało mi cichego posapywania Stevie Rae, doskwierało poczucie samotności. Zalała mnie fala tak bezbrzeżnego smutku, że można by w nim utonąć.

Rozległo się delikatne pukanie, po czym drzwi się uchyliły. Gdy uniosłam się na łóżku, zobaczyłam Erin i Shaunee, obie w kapciach i piżamach, każda z poduszką i kocem.

— Możemy spać u ciebie? — zapytała Erin.

— Nie chcemy być same — dodała Shaunee.

— Pomyślałyśmy też, że może i ty nie chcesz być sama — dokończyła Erin.

— Macie rację. Nie chcę. — Przełknęłam łzy. — Wchodźcie.

Weszły, szurając kapciami, i po krótkiej tylko chwili wahania usadowiły się na łóżku Stevie Rae. Ich długowłosy kot, Belzebub, umościł się między nimi. Nala uniosła łepek znad poduszki, rzuciła na niego okiem i natychmiast zasnęła z powrotem.

Już zaczynałam zasypiać, kiedy usłyszałam następne ciche skrobanie do drzwi. Tym razem same się nie uchyliły, zapytałam więc:

— Kto tam?

— To ja.

Wszystkie trzy popatrzyłyśmy po sobie. Zaraz zerwałam się z łóżka i pobiegłam otworzyć. Na korytarzu stał Damien w piżamie w różowe misie z muszkami pod szyją. Był trochę przemoczony, w jego włosach iskrzyły się nieroztopione jeszcze płatki śniegu. Miał ze sobą śpiwór i poduszkę. Szybko wciągnęłam go do pokoju. Jego pręgowany kot, Cameron, wkroczył zaraz za nim.

— Damien, co ty robisz? Wiesz, że miałbyś kupę kłopotów, gdyby cię tu ktoś nakrył.

— No, już dawno po godzinie policyjnej — zauważyła Erin.

— Mógłbyś znaleźć się tutaj na przykład w celu pozbawienia nas dziewictwa — powiedziała Shaunee.

Wymieniły spojrzenia z Erin i wybuchnęły śmiechem, co sprawiło, że nawet ja się uśmiechnęłam. Dziwne uczucie — roześmiać się beztrosko, będąc pogrążonym w ciężkim smutku. Pewnie dlatego nasz śmiech szybko zamarł.

— Stevie Rae nie chciałaby, żebyśmy rezygnowali z wesołości i szczęścia — powiedział Damien po chwili pełnego skrępowania milczenia. Następnie przeszedł na środek pokoju, gdzie na podłodze rozłożył swój śpiwór. — Przyszedłem tutaj, ponieważ powinniśmy trzymać się razem. Nie dlatego, bym chciał którąś z was pozbawić dziewictwa, nawet jeśli nadal jesteście dziewicami, w każdym razie jednak doceniam wasze słownictwo.

Erin i Shaunee prychnęły w odpowiedzi, ale widać było, że są tym jego oświadczeniem bardziej rozbawione niż obrażone. Zakarbowałam sobie w pamięci, by wypytać je później o doświadczenia seksualne.

— Cieszę się, że przyszedłeś, ale pioruńsko trudno będzie tak to zorganizować, byś mógł wymknąć się stąd niepostrzeżenie, kiedy zacznie się poranna bieganina — powiedziałam, już obmyślając plan jego bezpiecznej ewakuacji.

— Och, o to się nie martw. Wampiry właśnie wywieszają ogłoszenia, że z powodu śniegu lekcje zostaną odwołane. Nie będzie więc porannej bieganiny. Wyjdę razem z wami o dowolnej porze.

— Wywieszają zawiadomienia? — zdziwiłam się. — Chcesz przez to powiedzieć, że najpierw musimy wstać, ubrać się i zejść na dół, by dowiedzieć się, że lekcje są odwołane? Przecież to bez sensu.

Wyczułam rozbawienie w głosie Damiena, gdy odpowiedział:

— Ogłosili to w lokalnej rozgłośni, tak jak pozostałe szkoły. Ale ty i Stevie Rae nie słuchacie wiadomości, kiedy... — urwał speszony, uświadamiając sobie, że mówi o Stevie Rae, jakby jeszcze żyła.

— Nie — odpowiedziałam, chcąc zatuszować jego niezręczność. — Słuchałyśmy na ogół muzyki country. Dlatego zawsze pierwsza się ubierałam, by móc tego uniknąć.

— Roześmieli się cicho na to moje wyznanie. Zaczekałam,

269

aż ucichną, i wtedy powiedziałam: — Nie zamierzam zapomnieć o niej ani udawać, że jej śmierć nie ma dla mnie większego znaczenia.

— Ja też nie — zgodził się ze mną Damien.

— Ani ja — powiedziała Shaunee.

— Ditto, Bliźniaczko — dodała Erin.

Po chwili znów się odezwałam:

— Wydaje mi się, że to nie powinno zdarzyć się adeptce, która została wyróżniona przez Nyks wrażliwością na żywioł. Poza tym nie myślałam, że to się stanie.

— Nikt nie ma gwarancji, że przeżyje Przemianę, nawet osoby obdarzone łaskami przez boginię — zauważył spokojnie Damien.

— A to oznacza, że musimy się trzymać razem — oświadczyła Erin.

— Tylko w ten sposób możemy przez to przejść — podsumowała Shaunee.

— Więc róbmy tak, trzymajmy się razem — powiedziałam zdecydowanie. — Obiecajmy też, że jeśli któreś z nas nie przeżyje Przemiany, pozostali go nie zapomną.

— Obiecuję — uroczyście oświadczyła cała trójka.

Teraz mogliśmy spokojnie ułożyć się do snu. Pokój nie wydawał mi się już tak bardzo opuszczonym miejscem. Zanim zasnęłam, wyszeptałam jeszcze: „Dziękuję, że nie zostałam sama", nie będąc pewna, do kogo się zwracam: do swoich przyjaciół, Stevie Rae czy do bogini.

ROZDZIAŁ DWUDZIESTY PIĄTY

W moim śnie też padał śnieg. Najpierw nawet mi się to podobało, ośnieżony świat wyglądał naprawdę pięknie, jak w Disneylandzie, gdzie nic złego nie może się zdarzyć, a w każdym razie wszystko kończy się dobrze.

Przechadzałam się wolno, nie czując zimna. Chyba zbliżał się świt, ale gdy pada śnieg i niebo jest szare, trudno ocenić porę dnia. Zadarłam głowę, by zobaczyć, jak śnieg oblepił gałęzie dębów, co sprawiło, że wschodni mur wyglądał nie tak ponuro.

Mur od wschodniej strony.

We śnie nie byłam najpierw całkiem pewna, gdzie się znajduję. Ale potem zobaczyłam zakapturzone i zawoalowane sylwetki stojące przed zamaskowaną furtką.

Nie! pomyślałam we śnie. *Nie chcę przebywać w tym miejscu. Nie tak od razu po śmierci Stevie Rae. Za każdym razem kiedy tu byłam, ukazywały mi się duchy adeptów czy może ich ciała nie całkiem nieżywe, nie jestem pewna, jak nazwać ten stan. Nawet jeśli Nyks obdarzyła mnie zdolnością widzenia umarłych. Mam tego dość. Nie chcę...*

Najmniejsza z zawoalowanych postaci odwróciła się, przerywając mój wewnętrzny monolog. To była Stevie Rae! Ona, a jednocześnie nie ona. Bledsza niż zawsze i szczuplej- sza. I jeszcze coś ją odróżniało od dawnej Stevie Rae. Wpatrywałam się w nią intensywnie, moja początkowa niepewność przemieniła się w nieprzepartą ochotę, przymus niemal, by zrozumieć to, co się dzieje. Bo jeżeli to była Stevie Rae, nie miałabym najmniejszego powodu jej się bać. Nawet zmieniona przez śmierć, czyż nie była nadal moją najlepszą przyjaciółką? Coś mnie pchało w ich stronę, zatrzymałam się dopiero kilka kroków przed tą grupą. Wstrzymałam oddech, czekając, aż się do mnie odwrócą, ale nikt mnie nie zauważył. W swoim śnie byłam dla nich niewidzialna. Podeszłam więc jeszcze bliżej, nie mogąc odwrócić wzroku od Stevie Rae. Wyglądała okropnie — upiornie — przy czym cały czas wierciła się niespokojnie, rozglądając się nerwowo, jakby była niezmiernie wystraszona albo zdenerwowana.

— Nie powinniśmy tu stać. Musimy stąd odejść.

Podskoczyłam na dźwięk głosu Stevie Rae. To był jej akcent, ale poza tym nic nie przypominało jej mowy. Ton jej głosu był ostry i pozbawiony jakichkolwiek uczuć z wyjątkiem zwierzęcego strachu.

— Ty za nas nie odpowiadasz — syknęła na nią jedna z postaci, obnażając groźnie kły.

O rany! To był Elliott, ta kreatura. Mimo że dziwnie zgarbiony, przyjął agresywną postawę wobec Stevie Rae. Jego oczy zaczęły połyskiwać brudną czerwienią. Bałam się o nią, ale ona nie dała się zastraszyć, przeciwnie, też obnażyła zęby i warknęła na niego ostrzegawczo, a następnie rzuciła gniewnie:

— Czy ziemia odpowiada na twoje wołania? Nie! — Postąpiła kilka kroków w jego stronę, a on machinalnie się cofnął. — A póki tak się nie stanie, będziesz mnie słuchał! Tak o n a powiedziała.

Namiastka Elliotta wykonała służalczy ukłon, którzy pozostali po nim powtórzyli. Następnie Stevie Rae wskazała otwartą furtkę w murze:

— Teraz szybko tędy!

Zanim jednak ktokolwiek z nich zdążył się poruszyć, z drugiej strony muru rozległ się znajomy głos:

— Ej, wy. Znacie Zoey Redbird? Muszę jej powiedzieć, że jestem tutaj i...

Raptownie zamilkł, kiedy cztery postaci rzuciły się w jego kierunku.

— Zaczekajcie! Co do diabła robicie? — wrzasnęłam i pobiegłam za nimi, w ostatniej chwili dopadając zamykających się sekretnych drzwi.

Od szybkiego biegu serce waliło mi jak oszalałe. Zobaczyłam, jak trójka zakapturzonych postaci dopada Heatha. Usłyszałam jeszcze głos Stevie Rae:

— Widział nas, musi więc zostać z nami.

— Ale ona kazała nam przestać! — odkrzyknął Elliott, łapiąc szamoczącego się Heatha w żelazny uścisk.

— Kiedy on nas widział — powtórzyła Stevie Rae. — Pójdzie z nami, dopóki ona nam nie powie, co z nim zrobić.

Nie sprzeczali się z nią, ale powlekli go z nieludzką siłą. Śnieg stłumił jego krzyki.

Usiadłam na łóżku spocona i rozdygotana, ciężko oddychając. Nala niezadowolona zamruczała. Rozejrzałam się dookoła i poczułam ogarniającą mnie panikę. Byłam w pokoju sama. Czyżby wszystko to, co wydarzyło się poprzedniego dnia, było tylko snem? Zobaczyłam puste łóżko Stevie Rae, jej rzeczy zostały wyniesione. Więc to nie był sen. Moja najlepsza przyjaciółka umarła. Znów ogarnął mnie przytłaczający smutek, który — wiedziałam — przez długi czas mnie nie opuści.

Ale przecież Damien i Bliźniaczki spali ze mną tutaj, w tym pokoju. Ciągle jeszcze zaspana przetarłam oczy i spojrzałam na budzik. Była piąta po południu. Poszłam spać około wpół do siódmej albo siódmej rano. Teraz chyba miałam już dosyć snu. Wstałam, podeszłam do okna, rozsunęłam ciężkie zasłony i wyjrzałam na zewnątrz. Nie do wiary, nadal padał śnieg i mimo że było jeszcze wcześnie, paliły się już gazowe lampy, przebijając się wątłym światłem przez szarówkę, otoczone srebrzystą od płatków śniegu poświatą. Adepci bawili się jak dzieci, lepili bałwana i rzucali w siebie śnieżkami. Wśród nich rozpoznałam Cassie Kramme (tę, która tak ładnie wypadła w konkursie na monolog Szekspirowski), wraz z kilkoma innymi dziewczętami lepiła aniołki ze śniegu. Stevie Rae świetnie by się bawiła. Już dawno by mnie obudziła, kazała wyjść razem z nią na dwór i bawić się z resztą młodzieży (nieważne: podobałoby mi się to czy nie). Na myśl o tym nie wiedziałam, czy bardziej chce mi się płakać czy też uśmiechać.

— Nie śpisz, Z? — zapytała ostrożnie Shaunee zza uchylonych drzwi.

Dałam jej znak, żeby weszła.

— Gdzieście wszyscy poszli?

— Wstaliśmy już kilka godzin temu. Oglądamy filmy. Chcesz do nas dołączyć? Ma też przyjść Erik i Cole, ten strasznie faaaajny chłopak. Jego kolega. — Ale zaraz zrobiła stropioną minę, jakby sobie przypomniała, że Stevie Rae odeszła, a ona zachowuje jak gdyby nigdy nic, po prostu normalnie.

Poczułam, że muszę coś powiedzieć na ten temat.

— Shaunee, musimy żyć dalej. Umawiać się z chłopakami, radować się i żyć swoim życiem. Nie ma nic pewnego, śmierć Stevie Rae tego dowiodła. Nie wolno nam marnować czasu, jaki nam został dany. Kiedy powiedziałam, że zrobię wszystko, by o niej pamiętano, nie miałam na myśli tego, że powinnyśmy już zawsze chodzić smutne. Raczej chciałam powiedzieć, że będę pamiętała, ile radości nam sprawiała, a jej uśmiech będę nosiła w sercu. Zawsze.

— Zawsze — zgodziła się ze mną Shaunee.

— Daj mi chwilkę czasu, to wrzucę coś na siebie i zaraz do was zejdę.

— Dobra — odpowiedziała z uśmiechem.

Kiedy Shaunee wyszła, mina nieco mi zrzedła. Moje rady dla Shaunee znaczyły, że tak powinnyśmy się zachowywać, co jednak wcale nie będzie takie łatwe. Poza tym nastroju mi nie poprawiał mój sen, z którego chciałam się otrząsnąć. Wiedziałam, że to tylko sen, ale jednak mnie dręczył. Krzyk Heatha brzmiał mi w uszach i odbijał się echem w nieznośnej ciszy pokoju. Poruszając się jak automat, włożyłam najwygodniejsze dżinsy, jakie miałam, i przepastną bluzę, którą kupiłam w szkolnym sklepiku przed kilkoma tygodniami. Z przodu bluzy nad sercem wyhaftowane były znaki Nyks, która stała z wyciągniętymi przed siebie rękoma, obejmując księżyc w pełni. Na ten widok jakoś lepiej się poczułam. Uczesałam się i westchnęłam nad swoim odbiciem w lustrze. Wyglądałam beznadziejnie. Wklepałam więc trochę korektora pod oczy, by zatuszować ciemne podkówki, pociągnęłam mascarą rzęsy i nałożyłam na wargi trochę błyszczyka o zapachu truskawkowym. Teraz od biedy mogłam się pokazać światu.

Zatrzymałam się na dole schodów. Niby wszystko wyglądało jak zwykle, a jednak inaczej. Dzieciaki siedziały grupkami przy telewizorach z płaskim ekranem. Powinien panować gwar, tymczasem owszem, tu i ówdzie prowadzono rozmowy, ale przyciszonym głosem. Grupka moich przyjaciół usadowiła się w swoim ulubionym miejscu: Bliźniaczki na miękkich jednakowych krzesłach, Damien i Jack (który wyglądał milutko) siedzieli na podłodze przy dwuosobowej kanapce oraz, co zauważyłam ze zdziwieniem, Cole przyciągnął swoje krzesło do Bliźniaczek i usiadł między nimi. Był więc albo bardzo odważny, albo ciężko myślący. Wszyscy rozmawiali półgłosem, z pewnością nie patrząc na film *Mumia powraca*, którego sceny właśnie migały na ekranie. Wszystko byłoby jak zawsze, gdyby nie dwie rzeczy. Pierwsza — adepci zachowywali się nazbyt spokojnie. I druga — brakowało Stevie Rae, która siedziałaby na dwuosobowej kanapce z podwiniętymi nogami i napominała zebranych, żeby byli cicho, tak by mogła oglądać film.

Przełknęłam palące łzy, które znów zbierały mi się w gardle. Powinnam iść naprzód i robić swoje. Wszyscy powinniśmy.

— Cześć, wiara — powiedziałam, starając się nadać swojemu głosowi normalne brzmienie.

Tym razem na mój widok nie zapadła niezręczna cisza. Przeciwnie, wszyscy zaczęli — co było równie niezręczne — mówić z ożywieniem jeden przez drugiego.

— Cześć, Z!

— O, Zoey!

— Jak się masz, Z!

Opanowałam się, by nie wznieść oczu do góry z niemym wołaniem o cierpliwość, i zajęłam miejsce obok Erika. Otoczył mnie ramieniem i przytulił, co trochę poprawiło mi nastrój, ale napełniło też poczuciem winy. Poprawiło — bo Erik był naprawdę słodki i kochany (nadal w głębi duszy się dziwiłam, że tak mu się podobam). A powód poczucia winy można by ująć jednym słowem: Heath.

— Świetnie. Skoro Zoey już jest, możemy zaczynać nasz maraton — powiedział Erik.

— Chyba „baraton", dobry dla baranów — skomentowała Shaunee, prychnięciem wyrażając swoje lekceważenie.

— Weekendowe atrakcje — dorzuciła Erin w tym samym duchu.

— Czekaj, niech zgadnę. Przyniosłeś DVD?

— Aha, zgadłaś!

Rozległ się przesadny jęk.

— Co oznacza, że będziemy oglądali *Gwiezdne wojny*, tak? — upewniłam się.

— Och, znowu — jęknął Cole.

Shaunee uniosła swą idealnie wycieniowaną brew i zapytała Cole'a:

— Czy mam przez to rozumieć, że nie jesteś wielkim fanem *Gwiezdnych wojen*?

Cole uśmiechnął się do Shaunee. Nawet ze swojego miejsca dostrzegłam uwodzicielskie błyski w jego spojrzeniu.

— Nie przywiodła mnie tu perspektywa oglądania po raz tysięczny pełnej wersji *Gwiezdnych wojen*, jestem fanem, ale na pewno nie Dartha ani Chewbaki.

— Chcesz powiedzieć, że to dla księżniczki Lei tu przyszedłeś? — zażartowała Shaunee.

— Nie, gustuję w bardziej kolorowych — odpowiedział, pochylając się do niej.

— Ja też przyszedłem tutaj nie po to, by podziwiać *Gwiezdne wojny* — dostroił się do zalotnej tonacji Jack, spoglądając z uwielbieniem na Damiena.

Erin zachichotała.

— W takim razie wiemy, że to nie dzięki księżniczce Lei.

— Na szczęście — wtrącił się Damien.

— Chciałbym, żeby tu była Stevie Rae — powiedział Erik. — Zaraz by wam powiedziała: „Ej, wy, nie jesteście znowu tacy miiiiili".

Na te słowa wszyscy zamilkli. Spojrzałam na niego i zobaczyłam, że się czerwieni, tak jakby nie zdawał sobie sprawy z tego, co mówi, dopóki nie usłyszał własnych słów. Uśmiechnęłam się i oparłam głowę na jego ramieniu.

— Masz rację. Stevie Rae strofowałaby nas jak mamuśka.

— A potem zrobiłaby wszystkim popcorn i powiedziała, żebyśmy się nim g r z e c z n o częstowali — dodał Damien.
— Chociaż powinna powiedzieć: grzecznie.

— Lubiłam, jak ona wyrażała się czasem niepoprawnie — powiedziała Shaunee.

— Aha, na modłę oklahomską — sprecyzowała Erin.

Wszyscy się uśmiechnęli na te wspomnienia, a mnie się zrobiło ciepło na sercu. To na początek, tak właśnie będziemy pamiętali Stevie Rae — z uśmiechem i miłością.

— Ej, mogę się do was przysiąść?

Podniosłam głowę i zobaczyłam, że to Drew Partain stanął niepewnie obok nas. Był blady i smutny, miał zaczerwienione oczy, jakby płakał. Przypomniało mi się, jak spoglądał na Stevie Rae, i poczułam do niego przypływ sympatii.

— No pewnie — odpowiedziałam serdecznie. — Przysuń sobie krzesło. — A potem nowa myśl mi przyszła do głowy i dodałam: — Przy Erin jest miejsce.

Erin na moment otworzyła szeroko oczy ze zdziwienia, ale zaraz się opanowała:

— Jasne, Drew, weź sobie krzesło. Ale ostrzegamy cię, że oglądamy *Gwiezdne wojny*.

— Dla mnie może być — zgodził się Drew, uśmiechając się niepewnie do Erin.

— Mały, ale udały — usłyszałam, jak Shaunee szepnęła do Erin, i miałam wrażenie, że policzki Erin lekko się zaróżowiły.

— Wiecie co, zrobię nam trochę popcornu. Poza tym muszę sobie przynieść...

— Piwka! — wykrzyknęli jednocześnie Erik, Damien i Bliźniaczki.

Wysunęłam się z objęć Erika i poszłam do kuchni. Poczułam się odrobinę lepiej po raz pierwszy od czasu, kiedy Stevie Rae zaczęła kaszleć. Wszystko będzie dobrze. Dom Nocy był moim domem. Przyjaciele stanowili moją rodzinę. Posłucham własnej rady i zacznę się zadowalać małymi kroczkami — najpierw jeden dzień, jedno zadanie. Wybrnę jakoś z zagmatwanej sytuacji ze swoimi chłopakami. Będę starała się unikać Neferet (nie robiąc tego ostentacyjnie), dopóki się nie dowiem, co ona robi z tym nie całkiem martwym dziwolągiem Elliottem (z jego tylko powodu można by śnić koszmary, nic więc dziwnego, że miałam taki straszny sen ze Stevie Rae i Heathem).

Wzięłam najlepsze masło i pierwszy gatunek popcornu, po czym porozkładałam składniki równo do wszystkich czterech kuchenek mikrofalowych, a kiedy zaczęły podskakiwać, przygotowałam duże miseczki. Może powinnam urządzić następny prywatny krąg, zaprosić na obrzęd Neferet i zapytać ją, jak mamy rozumieć przypadek tego okropnego Elliotta. Poczułam ucisk w dołku, kiedy uświadomiłam sobie, że będzie nam brakowało Stevie Rae. Kogo wybrać na jej miejsce? Słabo mi się robiło na samą myśl o konieczności zastąpienia jej kimś innym, ale przecież trzeba to będzie załatwić. Jeśli jeszcze nie teraz, na mój prywatny obrzęd, to na pewno na następne obchody Pełni Księżyca. Przymknęłam oczy, chcąc stłumić w ten sposób dojmującą tęsknotę za nią i żal, że bez niej będziemy musieli żyć dalej. *Proszę, powiedz mi, co mam robić*, pomodliłam się w duchu do Nyks.

— Zoey, musisz przyjść do świetlicy.

Na dźwięk głosu Erika otworzyłam natychmiast oczy. Wyraz jego twarzy sprawił, że poziom adrenaliny skoczył mi jak szalony.

— Co się stało?

— Chodź — powtórzył Erik. Wziął mnie za rękę i wyprowadził pospiesznie z kuchni. — Nadają wiadomości.

Mimo że sala była pełna młodzieży, panowała w niej kompletna cisza. Wszyscy wpatrywali się w ekran naszego telewizora, skąd Chera Kimiko patrzyła wprost do kamery i mówiła niezwykle poważnie:

...policja apeluje, by nie wpadać w panikę, mimo że właśnie zaginął trzeci nastolatek. Czynności wyjaśniające są w toku, policja zapewnia Fox News, że jest na tropie.

Powtórzmy na zakończenie naszego specjalnego komunikatu: zgłoszono zaginięcie nastolatka z Broken Arrow, na-

stępnego zawodnika szkolnej drużyny piłkarskiej, nazywa się *Heath Luck*.

Kolana się pode mną ugięły, byłabym upadła, gdyby mnie Erik nie podtrzymał i podprowadził do kanapki, na którą bezwładnie opadłam. Nie mogąc złapać tchu, słuchałam dalszych słów Chery.

Ciężarówka Heatha została znaleziona niedaleko Domu Nocy, ale Neferet, tamtejsza starsza kapłanka, zapewnia policję, że nie wszedł na teren szkoły i że nikt go tam nie widział. Oczywiście krąży wiele domysłów na temat zarówno jego zniknięcia, jak i poprzednich chłopców, zwłaszcza że opinia lekarza dokonującego obdukcji dwóch poprzednich ofiar podaje jako przyczynę śmierci liczne ukąszenia i rany szarpane. O ile prawdziwe jest stwierdzenie, iż wampiry nie wgryzają się w ciało człowieka w celu pobrania krwi, o tyle rany szarpane świadczyłyby o sposobie, w jaki się odżywiają. Rzeczą niezmiernej wagi jest przypomnienie, iż obowiązujące prawo stanowi, że wampiry nie mogą obrać sobie za żywiciela człowieka bez jego zgody. Wróćmy do tego tematu o godzinie dwudziestej drugiej albo wcześniej, jeżeli otrzymamy nowe informacje w tej sprawie...

— Niech ktoś mi poda miednicę, jest mi niedobrze! — zdążyłam zawołać, przekrzykując straszny szum w głowie. Ktoś wcisnął mi do rąk miskę, do której natychmiast zwymiotowałam.

ROZDZIAŁ DWUDZIESTY SZÓSTY

— Zoey, przepłucz tym usta, to ci dobrze zrobi. — Nie patrząc, co mi podaje Erin, wzięłam od niej kubek wypełniony, co z ulgą stwierdziłam, czystą wodą. Wyplułam wodę do miski z wymiocinami.

— Fuj, zabierzcie to — skrzywiłam się, z trudem opanowując mdłości na widok miski. Najchętniej ukryłabym twarz w dłoniach i serdecznie popłakała, wiedziałam jednak, że wszyscy na mnie patrzą, więc powoli się wyprostowałam i zatknęłam wilgotne kosmyki włosów za uszy. Nie mogłam sobie pozwolić na luksus poddania się rozpaczy. W głowie powstawał już plan, co powinnam zrobić, by ratować Heatha. On teraz był najważniejszy, a nie moja potrzeba ulżenia napiętym nerwom. — Muszę zobaczyć się z Neferet — powiedziałam stanowczo i wstałam zaskoczona, jak mocno już trzymam się na nogach.

— Pójdę z tobą — zaofiarował się Erik.

— Dziękuję, ale najpierw muszę umyć zęby i włożyć jakieś buty (miałam na nogach tylko grube skarpety, w których zeszłam na dół, by pooglądać telewizję. Uśmiechnęłam się do niego, w ten sposób wyrażając swoją wdzięczność. — Skoczę do pokoju i zaraz wrócę. — Zobaczyłam, że Bliźniaczki już się szykują, by za mną podążyć. — Nie martwcie się o mnie. Zaraz wracam. — Odwróciłam się i pobiegłam na górę.

Nie zatrzymałam się przy swoim pokoju, tylko pobiegłam dalej przez hol, skręciłam w prawo i stanęłam przed pokojem numer sto dwadzieścia cztery. Już miałam zapukać, gdy drzwi się otworzyły.

— Pomyślałam, że to ty. — Afrodyta spojrzała na mnie chłodno, ale cofnęła się. — Wejdź.

Weszłam do środka zdziwiona stonowanymi kolorami, w jakich wnętrze zostało urządzone. Chyba spodziewałam się, że będzie dominowała w nim czerń i że prędzej zobaczę zwieszającą się pajęczynę czarnej wdowy.

— Masz może jakiś płyn do ust? — zapytałam. — Właśnie wymiotowałam, strasznie się pochorowałam.

Ruchem głowy wskazała apteczkę umieszczoną nad umywalką.

— Tam go znajdziesz. Szklaneczka na umywalce jest czysta.

Popłukałam usta, starając się przez ten czas zebrać myśli. Potem spojrzałam jej prosto w oczy. Nie tracąc czasu na dyrdymały, przeszłam od razu do sedna.

— Jak odróżnić wizję od snu?

Usiadła na jednym z łóżek i odrzuciła do tyłu swoje jasne, wspaniałe włosy.

— Czujesz to w środku. Wizja nie jest ani łatwa, ani przyjemna, nie ukazuje się w girlandzie kwiatów, jak to nieraz można zobaczyć na kretyńskich filmach. Czujesz się do dupy. Przynajmniej tak jest z prawdziwą wizją. Ogólnie mówiąc, jeśli czujesz się sponiewierana, najprawdopodobniej przeżywasz wizję. — Spojrzała na mnie uważnie. — A więc masz wizje?

— Zeszłej nocy miałam sen, właściwie był to koszmar senny, dziś jednak wydaje mi się, że to była wizja.

Kąciki jej ust lekko się uniosły.

— W takim razie czujesz się do dupy.

Zmieniłam temat.

— Co się właściwie dzieje z Neferet?

Twarz Afrodyty przybrała obojętny wyraz.

— O co konkretnie ci chodzi?

— Myślę, że dobrze wiesz, o co mi chodzi. Coś z nią jest nie tak. I chciałabym wiedzieć co.

— Jesteś jej adeptką. Jej pupilką. Jej złotą dziewczynką. Co ty sobie wyobrażasz, że przy tobie obrzucę ją błotem? Jestem wprawdzie blondynką, ale nie idiotką.

— Jeżeli rzeczywiście tak uważasz, to dlaczego ostrzegłaś mnie, żebym nie brała jej lekarstwa?

Afrodyta odwróciła wzrok.

— Moja pierwsza współmieszkanka umarła sześć miesięcy po tym, jak tu nastała. Wzięłam wtedy lekarstwo. I trwale na mnie podziałało.

— Jak to? W jaki sposób?

— Zaczęłam dziwnie się czuć. Jakby lekko oderwana od rzeczywistości. Przestałam też mieć wizje. Nie na zawsze, ale na kilka tygodni. A potem nawet nie pamiętałam dobrze, jak ona wyglądała. — Przerwała na chwilę. — Venus. Nazywała się Venus Davis. — Nasze spojrzenia znów się spotkały.

— To przez nią nazwałam się Afrodytą. Byłyśmy bliskimi przyjaciółkami i wydawało nam się, że tak będzie fajnie.

— W jej oczach malował się smutek. — Nie chciałam zapominać o Venus, domyślam się, że ty też pragniesz zachować w pamięci Stevie Rae.

— Tak. Chcę o niej pamiętać. Jestem ci wdzięczna.

— Powinnaś już iść. Dla żadnej z nas nie będzie dobrze, jeśli ktoś zobaczy, jak rozmawiamy — powiedziała Afrodyta.

Pomyślałam sobie, że ma rację, toteż zaczęłam zmierzać do wyjścia, ale Afrodyta chciała jeszcze coś powiedzieć, więc się zatrzymałam.

— Ona chce, żebyś myślała, że jest dobra. Ale nie jest dobra. Nie zawsze to co jasne jest dobre i nie wszystko co ciemne jest złe.

Ciemność nie zawsze oznacza zło, tak jak światłość nie zawsze niesie dobro. Słowa wypowiedziane przez Nyks tego dnia, w którym zostałam Naznaczona, odbiły się echem w ostrzeżeniu Afrodyty.

— Innymi słowy, mam uważać na Neferet i nie ufać jej — skonstatowałam.

— Tak, ale ja tego nie powiedziałam.

— Czego? Przecież nawet ze sobą nie rozmawiałyśmy.

Zamknęłam za sobą drzwi i pobiegłam do swojego pokoju, gdzie umyłam twarz, zęby, wciągnęłam buty, po czym wróciłam do świetlicy.

— Jesteś gotowa? — zapytał Erik.

— My też z tobą pójdziemy — zaofiarował się Damien, wskazując na Bliźniaczki, Jacka i Drew.

Już chciałam im odmówić, ale nie mogłam wydobyć z siebie głosu. Prawdę mówiąc, ucieszyłam się, że stoją przy mnie i odczuwają potrzebę połączenia sił i czuwania nad moim bezpieczeństwem. Przez długi czas obawiałam się, że nadzwyczajne zdolności, jakimi obdarzyła mnie Nyks wraz z odmiennym Znakiem, będą mnie wyróżniały na tle reszty, sprawią, że będę traktowana jako odmieniec, co mi nie przysporzy przyjaciół. Tymczasem wyglądało na to, że jest akurat odwrotnie.

— Dobra. Idziemy.

Skierowaliśmy się w stronę wyjścia. Nie wiedziałam dokładnie, co powiem Neferet, wiedziałam jednak na pewno, że nie chcę dalej milczeć i że mój koszmar senny najprawdopodobniej był wizją oraz że bardziej objawił mi się duch niż duchy. A najbardziej bałam się, że zabiorą ze sobą Heatha. Obecność wśród nich i rola Stevie Rae przeraziły mnie, nie zmieniało to jednak faktu, że Heath zniknął, przy czym wydawało mi się, że wiem, kto (lub co) go porwał.

Nie zdążyliśmy dojść do drzwi, kiedy raptownie się otworzyły i ukazała się w nich Neferet, którą jakby wmiótł powiew wiatru ze śniegiem. Za nią pojawili się się detektywi Marx i Martin. Ubrani byli w niebieskie kurtki puchowe zapięte szczelnie pod szyją. Na czapkach mieli śnieg, nosy czerwone. Neferet jak zawsze wyglądała bez zarzutu, zadbana, opanowana.

— A, Zoey, dobrze, że tu jesteś, zaoszczędziłaś mi czasu na szukanie ciebie. Panowie przynoszą niedobre wiadomości, poza tym chcieliby zamienić z tobą kilka słów.

Nie zaszczyciwszy Neferet spojrzeniem, zwróciłam się bezpośrednio do policjantów, co w widoczny sposób jej się nie podobało.

— Już słyszałam o tym, co się stało, wiem, że Heath zaginął. Jeżeli tylko mogę się na coś przydać, bardzo proszę.

— Czy możemy i tym razem przejść do biblioteki? — zapytał detektyw Marx.

— Oczywiście — zgodziła się Neferet bez mrugnięcia okiem.

Zaczęłam iść za nią i policjantami, ale zatrzymałam się, by spojrzeć jeszcze na Erika.

— Będziemy tu czekali — obiecał.

— Wszyscy — dodał Damien.

Skinęłam głową. Z nieco lepszym samopoczuciem weszłam do biblioteki. Ledwo tam się znalazłam, a detektyw Martin zaraz zaczął mnie przesłuchiwać.

— Zoey, czy możesz nam powiedzieć, gdzie przebywałaś między szóstą trzydzieści a ósmą trzydzieści dziś rano?

Potaknęłam.

— Byłam na górze w swoim pokoju. Mniej więcej w tym czasie rozmawiałam przez telefon ze swoją babcią, a potem Heath i ja wymieniliśmy kilka SMS-ów. — Sięgnęłam do kieszeni i wyciągnęłam komórkę. — Nie usunęłam tych wiadomości. Jak pan chce, to może pan je zobaczyć.

— Nie musisz im dawać swojego telefonu — zauważyła Neferet.

Zmusiłam się do uśmiechu.

— Nie ma sprawy. Mnie to nie przeszkadza.

Detektyw Martin wziął moją komórkę i zaczął przeglądać SMS-y, zapisując je w notesiku.

— Widziałaś się dzisiaj rano z Heathem? — zapytał detektyw Marx.

— Nie. Pytał, czy może przyjść i zobaczyć się ze mną, ale odpowiedziałam mu, że nie.

— A ja tu widzę, że zamierzałaś spotkać się z nim w piątek — zwrócił uwagę detektyw Marx.

Poczułam na sobie ostre spojrzenie Neferet. Nabrałam powietrza głęboko do płuc. Najlepszym sposobem, aby przejść przez to, było trzymać się jak najbliżej prawdy.

— Tak, zamierzałam się z nim spotkać w piątek po meczu.

— Zoey, wiesz przecież, że zgodnie ze szkolnym regulaminem spotykanie się z ludźmi z poprzedniego etapu życia jest surowo wzbronione — powiedziała Neferet z niesmakiem w głosie, zwłaszcza kiedy wypowiadała słowo „ludzie".

— Wiem. Przepraszam. — Mówiłam prawdę, tyle że nie wspomniałam o smakowaniu jego krwi i okolicznościach naszego Skojarzenia ani o utracie zaufania do Neferet. — Chodzi o to, że od dawna wiele nas łączyło i trudno mi było całkowicie z nim zerwać, tak byśmy nawet nie rozmawiali ze sobą, chociaż wiedziałam, że tak właśnie powinnam zrobić. Pomyślałam, że łatwiej będzie spotkać się z nim i otwarcie mu powiedzieć, że nie możemy się dłużej widywać. Nie mówiłam ci o tym, bo chciałam sama załatwić tę sprawę.

— Więc nie spotkałaś się z nim dziś rano? — powtórzył pytanie detektyw Marx.

— Nie. Po tym jak wymieniliśmy SMS-y, położyłam się spać.

— Czy ktoś może poświadczyć, że w tym czasie przebywałaś w swoim pokoju i spałaś? — zapytał detektyw Martin, oddając mi komórkę.

W głosie Neferet pobrzmiewały igiełki lodu, gdy się odezwała do policjantów:

— Panowie, już wam tłumaczyłam, jaką ciężką stratę poniosła zaledwie wczoraj. Umarła jej współmieszkanka. A zatem jak ktokolwiek mógłby zaświadczyć, że w tym czasie przebywała...

— Przepraszam, Neferet, ale w rzeczywistości nie spałam sama. Moje przyjaciółki, Erin i Shaunee, uznały, że nie powinnam zostać sama w pokoju, więc przyszły do mnie i spały razem ze mną. — Nie wspomniałam o Damienie. Po co biedaka w to mieszać?

— Och, jak to miło z ich strony. — Neferet błyskawicznie przestroiła się z groźnej wampirzycy w stroskaną mamuśkę. Wolałam nie myśleć o tym, jak się ustrzec przed nią i nie dać się zwieść jej nieszczerości.

— Czy pan się nie domyśla, gdzie może się podziewać Heath? — zapytałam detektywa Marxa (z nich dwóch ten mi się bardziej podobał).

— Nie. Jego ciężarówka została znaleziona w pobliżu szkolnego muru, ale pada tak gęsty śnieg, że na pewno zasypał ewentualne ślady.

— No cóż, zamiast tracić czas na przepytywanie mojej adeptki, policja powinna raczej zająć się przeszukiwaniem rynsztoków, by znaleźć tego młodzieńca — powiedziała Neferet tonem tak lekceważącym, że chciało mi się krzyczeć z oburzenia.

— Tak, proszę pani...? — zapytał wyczekująco detektyw Marx.

— Dla mnie jest jasne, co się wydarzyło. Chłopak próbował raz jeszcze zobaczyć się z Zoey. Zaledwie miesiąc temu on i jego dziewczyna wspięli się na szkolny mur, bo chcieli wyciągnąć ją ze szkoły. — Machnęła pogardliwie ręką. — Wtedy był pijany i pod wpływem narkotyków, przypuszczalnie dziś był też pijany i pod wpływem narkotyków. Do tego jeszcze tyle śniegu napadało, więc pewnie wpadł gdzieś do rynsztoka. Tam właśnie lądują pijacy, prawda?

— Proszę pani, przecież to młody chłopak, a nie pijak. Poza tym jego rodzice i koledzy twierdzą, że nie pije od miesiąca.

Cichy śmiech Neferet dowodził, że nie uwierzyła policjantowi. Marx jednak ku mojemu zdziwieniu zignorował ją, mnie zaś przyglądał się uważnie.

— A ty co o tym powiesz, Zoey? Chodziliście ze sobą od kilku lat, zgadza się? Jak myślisz, gdzie on mógł pójść?

— Nie tutaj. Gdyby jego ciężarówka zginęła spod domu przy Oak Grove Road, szukałabym tam, gdzie się odbywa piwne party. — Nie zamierzałam żartować, zwłaszcza po kąśliwych uwagach Neferet, ale śledczy usiłował powstrzymać się od uśmiechu, co sprawiło, że natychmiast wydał mi się miły, a nawet przystępny. I zanim mogłabym się rozmyślić, wypaliłam: — Ale miałam nad ranem dziwny sen, który może nie był jedynie snem, tylko swego rodzaju wizją związaną z Heathem.

Wszyscy umilkli zdumieni, ale zaraz w tę ciszę wdarł się ostry głos Neferet:

— Zoey, przecież ty nigdy nie objawiałaś żadnej skłonności ku wizjom czy przepowiedniom.

— Wiem. — Świadomie nadałam swojemu głosowi ton niepewności, sprawiłam wrażenie lekko przestraszonej (co nawet nie było taką mistyfikacją). — Ale czy to nie dziwne, że śniło mi się, jak Heath znajduje się w pobliżu szkolnego muru i tam zostaje porwany?

— Zoey, kto go porwał? — zapytał niecierpliwie detektyw Marx. Przynajmniej on traktował mnie całkiem serio.

— Nie wiem. — I to na pewno nie było kłamstwem. — Wiem tylko, że to nie byli adepci ani wampiry. W moim śnie cztery zakapturzone postaci odciągnęły go na bok.

— Czy widziałaś, dokąd poszli?

— Nie, obudziłam się, wołając Heatha. — Nie musiałam udawać, że łzy stanęły mi w oczach. — Może powinniście przeszukać dokładnie cały teren wokół szkoły. Gdzieś w pobliżu, ale nie tutaj. Nikt z nas tego nie zrobił.

— Oczywiście, że nikt z nas. — Neferet podeszła do mnie i matczynym gestem zaczęła mnie poklepywać po plecach. — Panowie, wydaje mi się, że Zoey ma dość smutnych przeżyć jak na jeden dzień. Może poznam panów teraz z Shaunee i Erin, które potwierdzą alibi Zoey.

A l i b i!... Na dźwięk tego słowa przeszły mnie dreszcze.

— Jeśli coś ci się przypomni albo będziesz miała jeszcze jakiś dziwny sen, zaraz się ze mną skontaktuj, o każdej porze dnia i nocy — powiedział detektyw Marx.

Wręczył mi swoją wizytówkę, już po raz drugi. Łatwo się nie poddawał, to pewne. Wzięłam wizytówkę i podziękowałam mu. A kiedy Neferet wyprowadzała policjantów z biblioteki, zawahał się i wrócił jeszcze do mnie.

— Piętnaście lat temu moja siostra bliźniaczka została Naznaczona i przeszła Przemianę — powiedział łagodnie. — Przez cały ten czas mamy ze sobą bliski kontakt, mimo że miała zapomnieć o swoich ludzkich korzeniach. Kiedy więc mówię, że możesz do mnie zadzwonić o każdej porze, to rzeczywiście tak jest. I możesz mieć do mnie zaufanie.

— Panie oficerze? — zwróciła się do niego nagląco Neferet, stojąc już w drzwiach.

— Chciałem jeszcze raz podziękować Zoey i powiedzieć, jak mi przykro z powodu śmierci jej współmieszkanki — rzekł bez zająknienia i wymaszerował.

Nie ruszyłam się z miejsca, starając się zebrać myśli. Więc jego siostra stała się wampirem? No cóż, w końcu co w tym dziwnego? Dziwne było to, że on nadal ją kochał. Może rzeczywiście powinnam mu zaufać.

Z zamyślenia wyrwało mnie lekkie szczęknięcie drzwi. W wejściu stała Neferet i bacznie mi się przyglądała.

— Czy Skojarzyłaś się z Heathem? — zapytała.

Oblał mnie zimny pot. Przecież ona potrafi czytać w myślach. Nijak nie mogłam się równać ze starszą kapłanką. Ale zaraz poczułam delikatny powiew wiaterku... ciepło niewidocznego ognia... świeżość wiosennego deszczu... zieloność traw na żyznej łące... i wlewającą się w moją duszę moc pochodzącą od żywiołów. Uzbrojona w nową siłę spojrzałam w oczy Neferet.

— Mówiłaś, że się nie Skojarzyliśmy. Powiedziałaś, że to co zaszło między nami wtedy, na murze, nie wystarczyłoby na Skojarzenie. — Starałam się robić wrażenie niepewnej i zmieszanej.

Widać było, że odetchnęła z ulgą.

— Uważałam, że wtedy się z nim nie Skojarzyłaś. Zatem powiadasz, że od tamtej pory się z nim nie widziałaś? Nie karmiłaś się znów jego krwią?

— Znów?! — zawołałam, udając oburzenie, choć myśl o tym była równie pociągająca jak niepokojąca. — Przecież ja nie karmiłam się jego krwią, prawda?

— No nie, na pewno nie — zapewniła mnie Neferet. — To co zrobiłaś, było mało znaczące, to właściwie drobiazg. Jedynie twój sen naprowadził mnie na myśl, że może się powtórnie widziałaś ze swoim chłopakiem.

— Byłym chłopakiem — poprawiłam ją niemal automatycznie. — Nie, ale on tyle razy do mnie ostatnio dzwonił i esemesował, że pomyślałam sobie, iż najlepiej będzie, jak się z nim spotkam i osobiście spróbuję mu wytłumaczyć, że nie możemy się dłużej widywać. Przepraszam, że ci o tym nie powiedziałam, ale naprawdę chciałam to sama załatwić. Chodzi o to, że sama narobiłam sobie bigosu, więc sama chciałam z tego wyjść.

— No cóż, szanuję twoje poczucie odpowiedzialności, ale dać policjantom do zrozumienia, że twój sen był proroczą wizją, to nie było mądre.

— Wydawał się tak realny — powiedziałam.

— Wierzę, że tak było. Powiedz mi, czy wzięłaś to lekarstwo, które wczoraj miałaś zażyć?

— Ten mleczny płyn? Tak, Shaunee mi go przyniosła.

— Owszem, przyniosła, ale wylałam to świństwo do umywalki.

Neferet wydawała się jeszcze bardziej odprężona.

— Jeśli nadal będziesz miała takie męczące sny, przyjdź do mnie, to dam ci mocniejszą miksturę. Po niej nie powinnaś już mieć koszmarów, bo teraz chyba przeliczyłam się z dawką, która rzeczywiście by ci pomogła.

W swoich szacunkach przeliczyła się nie tylko co do dawki lekarstwa.

— Dziękuję, Neferet, jestem ci wdzięczna — powiedziałam z uśmiechem.

— Chyba powinnaś już wrócić do przyjaciół. Są bardzo opiekuńczy, więc pewnie martwią się teraz o ciebie.

Pokiwałam głową i skierowałam się do wyjścia, ale odprowadziła mnie aż do świetlicy, gdzie ostentacyjnie mnie uściskała jak troskliwa mamusia. W gruncie rzeczy Neferet postępowała tak samo jak mamusia, moja mamusia, Linda Heffer. Kobieta, która zdradziła mnie dla mężczyzny, która dbała bardziej o siebie niż o mnie. Podobieństwo między nią a Neferet stawało się coraz większe.

ROZDZIAŁ DWUDZIESTY SIÓDMY

Kiedy policjanci wyszli, znów rozbiliśmy się na małe grupki i na pozór wszystko wróciło do normy. Zauważyłam, że nikt nie wyłączył lokalnej stacji. *Gwiezdne wojny* trzeba było odłożyć co najmniej na następny wieczór.

— W porządku? — zapytał troskliwie Erik. Objął mnie ramieniem, a ja przytuliłam się do niego.

— Chyba tak. Przynajmniej tak mi się wydaje.

— Czy gliniarze mają jakieś wieści na temat Heatha? — chciał wiedzieć Damien.

— Nic poza tym, co my już wiemy — odparłam. — W każdym razie mnie nie powiedzieli nic nowego.

— Czy możemy coś zrobić? — zapytała Shaunee.

Pokręciłam głową.

— Posłuchajmy wiadomości o dziesiątej, może powiedzą coś więcej.

Zgodzili się ze mną i w oczekiwaniu na wiadomości zaczęli oglądać powtórkę *Pary nie do pary*. Patrzyłam w ekran, ale głowę miałam zaprzątniętą Heathem. Czy w związku z nim miałam złe przeczucia? Z pewnością tak. Ale czy takie same jak w przypadku Chrisa Forda i Brada Higeonsa? Nie, chyba nie. Nie wiedziałam, jak to wyjaśnić. Coś mi w środku mówiło, że Heath znajduje się w niebezpieczeństwie, ale nie grozi mu śmierć. Jeszcze nie.

Im dłużej o nim myślałam, tym większy ogarniał mnie niepokój. Zanim zaczęły się ostatnie wiadomości, niemal nie mogłam usiedzieć w miejscu, słuchając doniesień na temat śnieżycy w Tulsie i okolicy, oglądając widoki śródmieścia i autostrady, które wyglądały niczym po wybuchu bomby atomowej albo po uderzeniu meteorytu.

Żadnych nowych informacji na temat Heatha, z wyjątkiem ubolewania, jak to śnieżyca utrudniła penetrację terenu.

— Wychodzę — oświadczyłam, wstając, mimo że nie miałam pojęcia, dokąd to chcę wyjść i jak mam się tam dostać.

— Gdzie chcesz pójść, Zoey? — zapytał Erik.

Moja myśl zatoczyła krąg, zanim znalazła miejsce, które było może nie wyspą szczęśliwości, ale azylem z dala od zamętu, stresu i niepewności tego świata.

— Idę do stajni — oświadczyłam. Erik tak jak pozostali popatrzył na mnie nierozumiejącym wzrokiem. — Lenobia powiedziała mi, że mogę czyścić Persefonę, kiedy tylko zechcę. — Wzruszyłam ramionami. — To działa uspokajająco, a właśnie teraz to by mi się przydało.

— Dobrze. Czemu nie. Lubię konie. Chodźmy oporządzić Persefonę — powiedział Erik.

— Chcę być sama. — Słowa te zabrzmiały znacznie bardziej szorstko, niżbym chciała, więc usiadłam z powrotem obok niego i wzięłam go za rękę. — Przepraszam. Chodzi tylko o to, że potrzebuję chwili skupienia, bym mogła spokojnie zebrać myśli. A do tego niezbędna jest samotność.

Popatrzył na mnie smutno, ale uśmiechnął się.

— Więc może odprowadzę cię do stajni, a potem tu wrócę i będę słuchał wiadomości, żeby ci je przekazać, kiedy już skończysz rozmyślania?

— Dobry pomysł.

Bardzo nie lubię, kiedy moi przyjaciele są czymś zmartwieni, ale niewiele mogłam zrobić, by go pocieszyć. Wychodząc, nie wzięliśmy nawet wierzchnich okryć, stajnie nie były daleko. Zimno nie zdąży nam dokuczyć.

— Niesamowity jest ten śnieg — zauważył Erik, kiedy już przeszliśmy kawałek drogi. Ktoś musiał go już odgarnąć, bo na chodniku było znacznie mniej śniegu niż na drodze, ale padało tak obficie, że odgarnianie go nie nadążało za nowymi opadami. Brnęliśmy w zaspach, które sięgały nam już do pół łydki.

— Nie przypominam sobie takiej śnieżycy od czasu, kiedy miałam może sześć czy siedem lat. Było to podczas ferii bożonarodzeniowych i pamiętam, jak żałowaliśmy, że nie możemy mieć odwołanych zajęć szkolnych z tego powodu.

Erik, jak to chłopak, burknął coś zdawkowego w odpowiedzi, dalej szliśmy już w milczeniu. Zazwyczaj milczenie między nami nie wydawało się niezręczne czy krępujące, tym razem jednak było inaczej. Nie wiedziałam, co powiedzieć, by poprawić nastrój.

Erik odchrząknął.

— Nadal ci na nim zależy, prawda? — zapytał. — To znaczy, on jest dla ciebie czymś więcej niż tylko byłą sympatią.

— Tak — odpowiedziałam. Erik zasługiwał na moją szczerość. Poza tym dość już miałam kłamstw.

Doszliśmy do stajni i zatrzymaliśmy się w żółtym świetle latarni gazowej. Wejście osłaniało nas od zadymki, staliśmy więc tam jak w kloszu znajdującym się wewnątrz śnieżnego globu.

— A ja? — zapytał Erik.

Spojrzałam na niego.

— Ty mnie też obchodzisz. Chciałabym jakoś to uładzić, sprawić, by to co złe minęło, ale nie mogę. I nie chcę cię okłamywać co do Heatha. Wydaje mi się, że jestem z nim Skojarzona.

Dostrzegłam zdziwienie w oczach Erika.

— Od tego jednego razu na murze? Z, byłem tam, przecież ledwie spróbowałaś jego krwi. On po prostu nie chce z ciebie zrezygnować, stąd ta jego obsesja. Nawet mu się specjalnie nie dziwię — dodał, uśmiechając się kwaśno.

— Spotkaliśmy się jeszcze raz.

— Co?

— Kilka dni temu. Nie mogłam spać, więc poszłam sama do Starbucksa na Utica Square. Tam go zobaczyłam, jak rozlepiał ogłoszenia o zaginięciu Brada. Nie zamierzałam się z nim spotykać i gdybym wiedziała, że tam będzie, w ogóle bym stąd nie wychodziła. Naprawdę.

— Ale się z nim spotkałaś.

Skinęłam głową.

— I piłaś jego krew?

— Tak. Jakoś tak wyszło. Nie chciałam, ale sam się skaleczył. Celowo. A ja nie mogłam się powstrzymać. — Patrzyłam mu w oczy, w myślach błagając go, by mnie zrozumiał. Teraz, kiedy istniała obawa, że zerwiemy ze sobą, uświadomiłam sobie, jak bardzo bym tego nie chciała, co tylko jeszcze bardziej pogłębiło mój stres i zamęt, jaki miałam w głowie, bo Heath nadal mnie obchodził. — Erik, bardzo mi przykro z tego powodu, nie chciałam, by tak się stało, ale się stało, coś zaszło między mną i Heathem i nawet nie wiem, co mam z tym zrobić.

Westchnął ciężko i strzepnął trochę śniegu z moich włosów.

— Okay, w porządku, ale między tobą a mną też coś się wydarzyło. I kiedyś, jeżeli uda nam się przejść Przemianę, będziemy podobni do siebie. Nie stanę się pomarszczonym staruszkiem, który umrze na wiele lat przed tobą. Jeżeli zostaniesz ze mną, inne wampiry nie będą o tym szeptać po kątach, a ludzie nie zaczną cię za to nienawidzić. Nasz związek będzie czymś naturalnym. Całkiem w normie.

Otoczył mnie ramieniem, przyciągnął i mocno pocałował. Jego pocałunek miał zimny, ale i słodki smak. Objęłam go i też pocałowałam. Początkowo chciałam wynagrodzić mu przykrość, jaką mu wyrządziłam, ale wkrótce zaczęliśmy się całować coraz mocniej, przywarliśmy do siebie. Nie ogarnęło mnie gwałtowne pożądanie jego krwi, tak jak to było z Heathem, ale zrobiło mi się przyjemnie ciepło i trochę beztrosko. Do diabła, nie da się zaprzeczyć, że on mi się podoba. Do tego miał rację, mówiąc, że stanowilibyśmy normalną parę, nie budzącą żadnych kontrowersji, podczas gdy z Heathem tak by nie było.

Gdy przestaliśmy się całować, obydwojgu nam brakło tchu. Ujęłam w dłonie jego policzki i powiedziałam:

— Jest mi naprawdę bardzo przykro.

Erik odwrócił moją dłoń i pocałował jej wnętrze.

— Coś wymyślimy — obiecał.

— Mam nadzieję — szepnęłam bardziej do siebie niż do niego. I już z ręką na antycznej żelaznej klamce dodałam: — Dziękuję, żeś mnie odprowadził. Nie wiem, kiedy stąd wyjdę, więc nie czekaj na mnie. — Zaczęłam otwierać drzwi.

— Z, jeśli rzeczywiście się Skojarzyłaś z Heathem, powinnaś móc go znaleźć — powiedział Erik. Odwróciłam się do niego. Rysy miał napięte, minę nieszczęśliwą, ale nie wahał się, by mi wszystko wytłumaczyć. — Kiedy będziesz czyścić klacz, myśl o nim przez cały czas. Wołaj go. Jeśli będzie mógł, to przyjdzie. Jeśli nie, a twoje Skojarzenie z nim jest wystarczająco mocne, domyślisz się, gdzie on może być.

— Dziękuję ci bardzo.

Uśmiechnął się, ale nie miał zadowolonej miny.

— Tymczasem, Z.

Odszedł i wkrótce straciłam go z oczu.

Wnętrze ciepłej stajni, pachnącej przyjemnie sianem, stanowiło duży kontrast wobec zimna i zamieci panującej na zewnątrz. W stajni oświetlonej mdłym światłem kilku lamp gazowych słychać było monotonny odgłos końskiego przeżuwania. Niektóre konie posapywały przez nos, lekko chrapiąc. Poszukałam wzrokiem Lenobii, otrzepując ze śniegu bluzkę i włosy, a gdy jej nie zobaczyłam, poszłam w stronę siodlarni, choć wydawało się mało prawdopodobne, by oprócz koni jeszcze ktoś tu się znajdował.

Dobrze. Potrzebna mi była chwila samotności, bym w niezakłóconej niczym ciszy mogła spokojnie zebrać myśli, a nie tłumaczyć się, skąd się tu wzięłam w środku nocnej zamieci.

No więc tak: powiedziałam Erikowi prawdę na temat Heatha, a on nie zerwał ze mną. Oczywiście może jeszcze to zrobić, zależy, co się stanie z Heathem. Jak niektóre dziewczyny mogą się umawiać naraz z wieloma chłopakami? Umawianie się z dwoma jest już niesłychanie męczące. Przez głowę przemknęło mi wspomnienie seksownego uśmiechu Lorena i jego niesamowitego głosu. Odezwało się we mnie poczucie winy. Złapałam zgrzebło i zagryzając wargi, wzięłam się do oporządzania klaczy. W pewnym sensie flirtowałam z trzema facetami, co było absolutnym wariactwem. Wtedy powzięłam postanowienie, że nie będę mnożyła kłopotów i przestanę sobie zawracać głowę problematycznymi flirtami z Lorenem. Ciarki mnie przechodziły na samą myśl o tym, że Erik mógłby się dowiedzieć, jak się obnażyłam przed Lorenem, pokazując mu swój tatuaż. Gotowa byłam się biczować z tego powodu. Postanowiłam, że od tej pory zacznę traktować Lorena jak swojego profesora, czyli: koniec z flirtami. Teraz muszę tylko wymyślić, co z robić z Erikiem i Heathem.

Otworzyłam boks Persefony i powiedziałam jej, że śliczna z niej dziewczynka, na co klacz prychnęła trochę zdziwiona, po czym polizała mnie po twarzy, a ja odwzajemniłam się, całując ją w nozdrza. Westchnęła i oparta na trzech kopytach pozwoliła, bym ją wyczesała.

No cóż, jeśli chodzi o umawianie się z Erikiem i Heathem, to nie mogłam powziąć żadnej decyzji, dopóki Heath się nie odnajdzie. (Nie chciałam nawet myśleć o tym, że mógłby nigdy się nie odnaleźć żywy). Zaczęłam więc przerabiać ten temat na wszystkie strony. Prawdę mówiąc, Erik nie musiał mi mówić, że mogę odnaleźć Heatha. Przecież to właśnie zaprzątało moje myśli przez całą noc. Niemiła prawda natomiast była taka, że bałam się — tego, co mogę znaleźć, jak i tego, czego nie będę mogła znaleźć, oraz że nie będę w stanie znieść jednego czy drugiego. Śmierć Stevie Rae podłamała mnie, nie byłam pewna, czy po tym doświadczeniu potrafię ocalić kogokolwiek.

A jednak nie miałam wyboru.

Bezwiednie zaczęłam wspominać Heatha... Pamiętam, jaki fajny był z niego chłopaczek w szkole podstawowej. W trzeciej klasie miał jaśniejsze włosy niż teraz, niesforne kosmyki sterczały mu we wszystkie strony jak kacze piórka. Właśnie w trzeciej klasie po raz pierwszy powiedział, że mnie kocha i że kiedyś się ze mną ożeni.

Ja wtedy chodziłam do drugiej klasy, więc nie traktowałam go poważnie. Mimo że byłam od niego dwa lata młodsza, przewyższałam go chyba o trzydzieści centymetrów. Wprawdzie fajny, był jednak chłopakiem, czyli mógł być dokuczliwy.

Owszem, może nawet i był dokuczliwy, ale przecież wyrósł z tego. Między trzecią a jedenastą klasą zaczęłam go traktować poważnie. Pamiętam, jak po raz pierwszy pocałował mnie i jak się wtedy czułam, trochę mi to pochlebiało, ale i trochę podniecało. Pamiętam, jaki był kochany — nawet gdy byłam okropnie przeziębiona i miałam czerwony obrzmiały nos, przy nim czułam się jak skończona piękność. Zawsze dobrze wychowany, prawdziwy dżentelmen — od kiedy skończył dziewięć lat, nosił za mnie książki i przepuszczał mnie przodem.

Potem przypomniałam sobie nasze ostatnie spotkanie. Nie podawał w wątpliwość faktu, że nadal jesteśmy ze sobą, i do tego stopnia się mnie nie bał, że sam się skaleczył i zaofiarował mi swoją krew. Zamknęłam oczy i przytuliwszy się do miękkiego boku Persefony, oddałam się wspomnieniom, które jak sceny z filmu przepływały pod powiekami. W pewnym momencie obrazki z przeszłych chwil ustąpiły wrażeniu ciemności, wilgoci i zimna; strach przejął mnie do szpiku kości.

Westchnęłam, nadal nie otwierając oczu. Chciałam na nim skoncentrować myśli, tak jak wtedy, gdy zobaczyłam go w wyobraźni, jak leży w swoim łóżku, tyle że teraz moje myślenie o nim było inne. Mniej wyraźne, przesycone raczej mrocznymi uczuciami niż radosnym pożądaniem. Postarałam się skupić jeszcze bardziej i jak radził mi Erik, zawołałam Heatha.

Głośno zawołałam:

— Heath, przyjdź do mnie! Wołam cię. Chcę, żebyś teraz przyszedł. Gdziekolwiek jesteś, wyjdź stamtąd i przyjdź do mnie! — Wszystko we mnie, całe moje jestestwo przywoływało go, nie tylko mój glos.

Cisza. Żadnej odpowiedzi. Żadnego znaku. I żadnego innego wrażenia poza tym zimnym strachem. Zawołałam raz jeszcze:

— Heath, przyjdź do mnie! — Tym razem poczułam przypływ rozpaczy i żadnego obrazu. Wiedziałam, że nie może przyjść, ale nie wiedziałam, gdzie się znajduje.

Dlaczego przedtem mogłam bez trudu zobaczyć go w wyobraźni? Jak to robiłam? Myślałam o nim tak samo jak teraz. Myślałam o...

Właśnie, o czym myślałam? Gdy sobie uświadomiłam, co mnie w nim pociągało, poczułam, jak oblewa mnie fala gorąca. Bo nie myślałam, jaki z niego fajny chłopak ani jak dobrze się czułam w jego obecności. Myślałam tylko o tym, by napić się jego krwi, pożywić się nią... To pożądanie przywoływało jego obraz.

Cóż, w takim razie...

Wzięłam głęboki oddech i pomyślałam o jego krwi. Miała niesamowity smak, to była esencja pożądania, gorąca, gęsta, wciągająca. Sprawiała, że moje ciało wyrywało się do życia, tam gdzie przedtem wykazywało zaledwie lekkie podniecenie. Chciałam pić jego krew, podczas gdy on zaspokajałby moją tęsknotę za jego ciałem, dotykiem, smakiem...

Rozproszony obraz, jaki przedtem niewyraźnie rysował mi się przed oczami, nagle stał się bardzo ostry. Nadal było ciemno, ale to nie stanowiło dla mnie żadnej przeszkody. Początkowo nie bardzo rozumiałam, co to jest. Pomieszczenie było takie dziwne. Przypominało bardziej fragment tunelu albo ciasną altankę niż zwykły pokój. Na zaokrąglonych ścianach wykwitały ślady wilgoci. Zawieszona na zardzewiałym haku latarnia dawała skąpe światło. Reszta pogrążona była w całkowitej ciemności. Najpierw zauważyłam kupkę szmat, które poruszyły się i jęknęły. Tym razem widziałam wszystko wyraźnie, a nie jak przez zasłonę dymną. Unosiłam się w powietrzu, jakbym płynęła. Kiedy posłyszałam jęk, zbliżyłam się do miejsca, skąd dochodził.

Leżał na poplamionym materacu. Ręce i nogi miał spętane taśmą, z jego ramion i szyi, na których widoczne były skaleczenia, sączyła się krew.

— Heath! — zawołałam bezgłośnie, on jednak poderwał gwałtownie głowę, jakbym na niego wrzasnęła.

— Zoey, to ty? — Szeroko otwartymi oczami rozglądał się wokół. — Zoey, idź stąd! Oni są nienormalni. Zabiją cię, tak jak zabili Brada i Chrisa. — Zaczął się wyrywać, czyniąc rozpaczliwe wysiłki, by zerwać krępujące go więzy, ale osiągnął tylko tyle, że poranione przeguby zaczęły jeszcze bardziej krwawić.

— Heath, daj spokój. Mnie nic nie jest. Fizycznie nie ma mnie tutaj.

Przestał się szamotać i wytężył wzrok, starając się wypatrzeć mnie spod zmrużonych powiek.

— Ale ja ciebie słyszę.

— Słyszysz mnie w swojej głowie. Właśnie tam. To dlatego, że zostaliśmy Skojarzeni i przez to związani ze sobą.

Uśmiechnął się.

— To fajnie, Zo.

W wyobraźni wzniosłam oczy do nieba.

— Dobrze, Heath, skup się teraz. Gdzie jesteś?

— Nie uwierzysz, Zo, ale jestem pod Tulsą.

— To znaczy?

— Pamiętasz lekcje historii z Shadoxem? Opowiadał nam o tunelach, które zostały wydrążone pod Tulsą w latach dwudziestych z powodu tych zakazów alkoholu.

— Prohibicji — podpowiedziałam.

— No tak. Więc jestem w jednym z tych tuneli.

Przez chwilę nie wiedziałam, co powiedzieć. Z trudnością sobie przypomniałam, że uczyliśmy się na lekcjach historii o tunelach, zdumiało mnie, że Heath — wcale nie taki znowu pilny uczeń — tak dobrze to zapamiętał.

Jakby domyślając się powodów mojego wahania, wyjaśnił z uśmiechem:

— Podobało mi się to, bo chodziło o szmuglowanie gorzały.

Znów wzniosłam oczy ku górze.

— Powiedz mi tylko, Heath, jak tam dojść.

Potrząsnął głową i na jego twarzy pojawił się dobrze mi znany wyraz uporu.

— W żadnym razie. Oni by cię zabili. Idź na policję i powiedz, żeby przysłali tu grupę antyterrorystyczną albo coś w tym rodzaju.

Właśnie to chciałabym zrobić. Sięgnąć do kieszeni po wizytówkę detektywa Marxa, zadzwonić do niego i niechby zadziałał.

Niestety, obawiałam się, że nie będę mogła tak postąpić.

— Kto to są ci „oni"? — zapytałam.

— Co?

— Ludzie, którzy cię tu zabrali. Kim są?

— To nie ludzie. Wampiry też nie, chociaż piją krew, ale nie są podobni do ciebie. Oni są... — przerwał i wzdrygnął się. — Są kimś innym. Złymi istotami.

— Czy pili twoją krew? — zapytałam. Już sama myśl o tym przyprawiała mnie o wściekłość, którą z trudem okiełznałam. Miałam ochotę krzyczeć: „On jest mój!". Wzięłam kilka głębokich oddechów, podczas gdy Heath odpowiadał.

— Owszem, pili — powiedział niechętnie. — Ale narzekali, że im nie smakuje. Pewno głównie dlatego jeszcze żyję. — Przełknął z trudem, a jego twarz pobladła. — Z tobą, Zo, jest zupełnie inaczej. Sprawia mi przyjemność, kiedy ty ją pijesz, ale kiedy oni to robią, jest to obrzydliwe. Oni są obrzydliwi.

— Ilu ich jest? — zapytałam przez zęby.

— Nie jestem pewny. Zawsze panuje tutaj mrok, a oni za każdym razem przychodzą w grupie, jakby się bali chodzić osobno. Z wyjątkiem może trzech. Jeden nazywa się Elliott, druga Venus (czy to nie dziwne?), a trzecia Stevie Rae.

Poczułam ucisk w żołądku.

— Czy ta Stevie Rae ma krótkie, kręcone jasne włosy? — zapytałam.

— Tak. I jest jakby najważniejsza z nich.

Heath potwierdził moje obawy. Nie mogłam zawiadomić policji.

— Słuchaj, Heath. Zamierzam cię stąd wyciągnąć. Powiedz mi, jak trafić do tego tunelu.

— Czy zawołasz policję?

— Tak — skłamałam.

— Nieprawda. Kłamiesz.

— Nie kłamię!

— Zo, ja widzę, że kłamiesz. Czuję to. To kwestia naszego Skojarzenia. — Wyszczerzył zęby w uśmiechu.

— Heath, nie mogę zawiadomić policji.

— W takim razie nie powiem ci, gdzie jestem.

Odgłos na końcu tunelu skojarzył mi się z odgłosem wydawanym przez doświadczalne szczury szukające dróg wyjścia z labiryntu, który wykonywaliśmy na dodatkowych zajęciach z biologii. Uśmiech zniknął z twarzy Heatha, a policzki znów stały się blade jak na początku.

— Heath, nie ma czasu do stracenia. — Zaczął potrząsać odmownie głową. — Słuchaj, co mówię! Mam szczególne zdolności. A te... — tu zawahałam się, nie wiedząc, jak nazwać tę grupę, w której, o ironio, znajdowała się moja najlepsza zmarła przyjaciółka. — Te „rzeczy" nie mogą mi zrobić krzywdy.

Heath nic na to nie odpowiedział, a tymczasem odgłos szczurów zdawał się dochodzić z coraz mniejszej odległości.

— Mówisz, że z powodu więzów, które nas łączą, potrafisz powiedzieć, kiedy kłamię. Powinno to działać w obie strony. Możesz w takim razie poznać, kiedy mówię prawdę. — Zobaczyłam, że się waha, więc dodałam: — Pomyśl uważnie. Powiadasz, że niewiele pamiętasz z tej nocy, kiedy znalazłeś mnie u Philbrooka. Tamtej nocy ja cię ocaliłam. Nie policjanci, nie dorosłe wampiry, tylko ja. I mogę to zrobić raz jeszcze. — Zadowolona byłam, że mówię tonem bardziej przekonującym, niż wskazywałoby na to moje samopoczucie. — Powiedz mi, gdzie jesteś.

Chwilę się namyślał i już byłam gotowa na niego nakrzyczeć (znowu), kiedy wreszcie się odezwał:

— Wiesz, gdzie w śródmieściu są stare magazyny?

— Tak, widać je z Centrum Teatralnego, dokąd poszliśmy w zeszłym roku na moje urodziny obejrzeć Upiora.

— Aha. Zabrali mnie do piwnicy znajdującej się pod tym centrum. Weszli tam przez zakratowane drzwi. Są pordzewiałe i stare, ale dają się całkiem łatwo odemknąć. Tunel zaczyna się w miejscu, gdzie są kraty odpływowe.

— Dobrze...

— Czekaj, to nie wszystko. Tam jest bardzo dużo tuneli. Są jak jaskinie. Wcale nie są fajne, jak myślałem na lekcjach historii. Są ciemne, wilgotne i obrzydliwe. Pójdź pierwszym na prawo, a potem dalej trzymaj się prawej strony. Ja jestem na końcu jednego z nich.

— Dobrze. Przyjdę tam najszybciej, jak będę mogła.

— Uważaj na siebie, Zo.

— Dobrze. Ty też uważaj.

— Spróbuję. — Do dotychczasowych szczurzych odgłosów doszło jeszcze syczenie. — Ale lepiej się pospiesz.

ROZDZIAŁ DWUDZIESTY ÓSMY

Kiedy otworzyłam oczy, znajdowałam się ponownie w stajni u boku Persefony. Spocona oddychałam ciężko, podczas gdy klacz delikatnie trącała mnie pyskiem i wydawała ciche, pełne zatroskania rżenie. Ręce mi się trzęsły, kiedy gładziłam ją po głowie i pysku, powtarzając, że wszystko będzie dobrze, choć wiedziałam, że nie będzie. Stare magazyny usytuowane były w odległości około sześciu, może nawet siedmiu mil w niezamieszkanej części miasta, pod starym mostem łączącym jego dwie części. Kiedyś było to ruchliwe miejsce, gdzie pociągi towarowe i pasażerskie kursowały niemal bez przerwy. Ale w ciągu ostatnich kilku dziesięcioleci ruch pasażerski prawie zupełnie zamarł (pamiętam, że jak na moje trzynaste urodziny Babcia chciała mnie zabrać na przejażdżkę pociągiem, to musiałyśmy się wyprawić aż do Oklahomy), a ruch towarowy znacznie się zmniejszył. W normalnych warunkach wystarczyłoby kilka minut, by śmignąć z Domu Nocy do magazynów.

Ale tej nocy warunki nie były normalne.

W wiadomościach o dziesiątej mówili, że drogi stały się nieprzejezdne, a od tej pory upłynęło — sprawdziłam na zegarku — już kilka godzin. Nie mogłam więc pojechać samochodem. Może mogłabym tam dojść, ale sprawa stała się na tyle pilna, że to rozwiązanie nie wchodziło w rachubę.

— Weź konia.

Persefona i ja wzdrygnęłyśmy się na dźwięk głosu Afrodyty. Stała oparta o drzwi wahadłowe prowadzące do boksu, blada i smutna.

— Wyglądasz na zmarnowaną — powiedziałam.

Niemal się uśmiechnęła.

— Wizje wykańczają.

— Widziałaś Heatha? — Znów poczułam bolesny skurcz w żołądku. Wizjonerstwo Afrodyty nie uwzględniało zdarzeń radosnych i szczęśliwych. Zawsze widziała śmierć i zniszczenie. Zawsze.

— Aha.

— I co?

— Jeśli zaraz nie weźmiesz dupy w troki i nie dosiądziesz konia, by pojechać tam, gdzie przebywa Heath, to on umrze. — Przerwała, by spojrzeć mi prosto w oczy. — Oczywiście o ile mi wierzysz.

— Wierzę ci — odpowiedziałam bez wahania.

— No to zabieraj się stąd.

Weszła do boksu i podała mi lejce, które trzymała w ręce, czego przedtem nie zauważyłam. Kiedy je zakładałam Persefonie, Afrodyta zniknęła, by po chwili wrócić z siodłem i derką. W milczeniu założyłyśmy uprząż klaczy, która zdawała się wyczuwać nasze napięcie, bo spokojnie poddawała się naszym zabiegom.

— Najpierw zawołaj swoich przyjaciół — poleciła Afrodyta.

— Co?

— Nie dasz rady pokonać tamtych sama, w pojedynkę.

— Ale jak mam ich zabrać ze sobą? — Bolał mnie brzuch, ręce mi się trzęsły, nie bardzo rozumiałam, co do mnie mówi.

— Nie mogą jechać z tobą, ale mogą ci pomóc w inny sposób.

— Afrodyto, ja nie mam czasu na zagadki. Powiedz wyraźnie, co masz na myśli.

— Cholera, sama nie wiem. — Wyglądała na równie sfrustrowaną jak ja. — Po prostu wiem, że mogą ci pomóc.

Otworzyłam komórkę i idąc za swoim głosem wewnętrznym oraz szepcząc pod nosem modlitwę do Nyks, by mnie wspierała, wybrałam numer Shaunee. Odebrała po pierwszym sygnale.

— Co się dzieje, Zoey?

— Potrzebuję was. Chcę, żebyście się zebrali razem, ty, Damien i Erin, i w ustronnym miejscu zwrócili się do swoich żywiołów, tak jak zrobiliście to dla Stevie Rae.

— Nie ma sprawy. Chcesz się z nami spotkać?

— Nie. Idę do Heatha. — Shaunee zawahała się tylko na sekundę, co o niej dobrze świadczyło, i zaraz odrzekła: — Okay. Co mamy robić?

— Po prostu bądźcie razem, przywołajcie swoje żywioły i myślcie o mnie. — Udało mi się mówić spokojnie, mimo że byłam tak podminowana, iż mogłam za chwilę eksplodować.

— Zoey, uważaj na siebie.

— Będę uważać. Nie martwcie się. — Bo ja już dość się martwię o nas obie, dodałam w myśli.

— Nie wiem, czy Erikowi będzie się to podobało.

— Prawda. Powiedz mu... powiedz mu... powiedz, że jak wrócę, to z nim porozmawiam. — Nie miałam pojęcia, co w tej sytuacji mogłam mu przekazać.

— Okay, powtórzę mu.

— Wielkie dzięki, Shaunee. Na razie. — Zakończyłam szybko rozmowę i zamknęłam telefon. Następnie zwróciłam się do Afrodyty: — Co to za stworzenia?

— Nie wiem.

— Ale widziałaś je podczas swojej poprzedniej wizji?

— To moja druga wizja z ich udziałem. Za pierwszym razem widziałam, jak zabijają tamtych chłopaków. — Afrodyta odgarnęła gruby kosmyk włosów spadających jej na twarz. Natychmiast mnie zmroziło.

— I nie powiedziałaś o tym ani słowa, bo to były ludzkie nastolatki i nie chciałaś sobie nimi zawracać głowy.

W oczach Afrodyty zamigotały iskierki gniewu.

— Owszem, powiedziałam o tym Neferet. Powiedziałam jej wszystko: o chłopakach i o tych stworzeniach, wszystko. Właśnie wtedy uznała, że moje wizje są fałszywe.

— Przepraszam — powiedziałam zwięźle. — Nie wiedziałam.

— Mniejsza o to. Musisz już iść, bo twój chłopak umrze.

— Były chłopak — poprawiłam ją.

— Mniejsza o to. Pomogę ci wsiąść na konia.

Pozwoliłam, by podsadziła mnie na siodło.

— Weź to ze sobą — powiedziała jeszcze, podając mi derkę. I zanim zdążyłam zaprotestować, dodała: — To nie dla ciebie, tylko dla konia. Jemu się przyda.

Owinęłam się kocem, z lubością wdychając jego przesycony ziemią koński zapach. Afrodyta rozsunęła tylne wrota, przez które wdarł się do stajni powiew mroźnego powietrza z tumanem śniegu, co sprawiło, że zadrżałam, bardziej jednak z nerwów niż z zimna.

— Jedną z nich jest Stevie Rae — powiedziała jeszcze.

Spojrzałam na nią, ale wpatrywała się w ciemność.

— Wiem — odrzekłam.

— Nie jest taka, jaka była.

— Wiem — powtórzyłam, mimo że te słowa, głośno wypowiedziane, raniły mnie. — Dziękuję, Afrodyto.

Spojrzała na mnie, a jej twarz pozbawiona była jakiegokolwiek wyrazu.

— Nie zaczynaj się zachowywać, jakbyśmy były przyjaciółkami — powiedziała.

— Nawet mi to nie przyszło do głowy.

— Chodzi mi o to, że nie jesteśmy przyjaciółkami.

— Z całą pewnością. — Miałam wrażenie, że walczy ze sobą, by się nie uśmiechnąć.

— No tośmy sobie wyjaśniły — skwitowała Afrodyta.

— Aha. I jeszcze jedno — dodała. — Pamiętaj, masz być cicho i nie wychodzić z cienia, żeby ludzie cię nie zobaczyli. Nie masz czasu na postoje.

— Będę pamiętać. Dziękuję, żeś mi o tym przypomniała.

— Okay, w takim razie powodzenia — pożegnała mnie.

Chwyciłam lejce, głęboko odetchnęłam i przycisnęłam uda do końskich boków, cmokając na Persefonę, by ruszyła.

Otoczył mnie świat będący niezwykłą kombinacją ciemności nocy i bieli śniegu. Miękkie płatki zmieniły się w ostre drobinki lodu. Wiatr ustabilizował się, tak że zacinało teraz tylko z jednej strony. Naciągnęłam koc na głowę, co częściowo osłaniało mnie od śniegu, i pochyliłam się, dopingując Persefonę do szybszego kłusa. Pospiesz się! huczało mi w głowie. Heath cię potrzebuje!

Przecięłam parking i dalszą część szkolnego terenu. Kilka samochodów zostawionych na parkingu pokrytych było śnieżnymi czapami, a oświetlone z tyłu przez migające lampy gazowe wyglądały jak chrabąszcze na tle drzwi z siatki chroniących przed owadami. Nacisnęłam guzik otwierający bramę wjazdową, ale jej skrzydła utknęły w zaspach. Ledwo zdołałyśmy z Persefoną przecisnąć się przez wąską szczelinę. Skierowałam ją na prawo, byśmy schroniły się pod wielkimi dębami, skąd obserwowałam przez chwilę, czy nikt nas nie zauważył.

— Jesteśmy cicho... duchy... nikt nas nie zobaczył... — mruczałam pod nosem, a mój szept tłumił wyjący wiatr. Nagle zrobiło się absolutnie cicho. Natychmiast zrozumiałam, co to znaczy, więc szeptem zaczęłam prosić: — Wietrze, omijaj mnie. Ogniu, ogrzej mnie po drodze. Wodo, rozpuść śnieg na mojej ścieżce. Ziemio, daj mi schronienie. Duchu, nie pozwól, by strach mnie ogarnął.

Ledwo wypowiedziałam te słowa, zauważyłam otaczające mnie światełko mocy. Persefona zarżała i skoczyła lekko na bok. Spostrzegłam wtedy, że otacza nas jakby bańka spokoju. Nadal trwała zamieć, była ciemna i zimna noc, ale przepełniał mnie spokój, czułam się otoczona żywiołami, które nade mną czuwały. Pochyliłam głowę i szepnęłam: „Dziękuję ci, Nyks, za te hojne dary, jakimi mnie obdarzyłaś". A w duchu dodałam: *Mam nadzieję, że na nie zasługuję.*

— Ratujmy Heatha — przypomniałam Persefonie. Ruszyła galopem, widziałam tylko kawałki śniegu i lodu wyrzucane spod jej pędzących kopyt, gdy gnałyśmy w ciemności nocy pod okiem bogini będącej przecież uosobieniem Nocy.

Persefona jak burza cwałowała przez Utica Street, tak że w mig znalazłyśmy się u wylotu na Broken Arrow Expressway. Wjazd był zamknięty, o czym świadczyły ustawione w poprzek szlabany z migającymi czerwonymi światłami. Z uśmiechem przeprowadziłam Persefonę wokół szlabanów na wyludnioną autostradę i pognałam ją w stronę miasta. Wczepiłam się w nią, przytuliwszy głowę do jej szyi. Koc tylko furczał za nami, co musiało przypominać scenę z jakiegoś romansu historycznego, w którym bohaterka wymyka się na bal z kimś, kogo jej królewski rodzic uznał za osobę niewłaściwą. Wolałabym występować w takiej roli, niż zstępować do piekieł, co mnie właśnie czekało.

Skierowałam Persefonę na zjazd prowadzący do Centrum Teatralnego i dalej, do starych magazynów. Od śródmieścia aż do autostrady nie spotkałam żywego ducha, ale teraz zauważyłam nielicznych przechodniów, zwłaszcza w okolicach dworca autobusowego, oraz tu i ówdzie przejeżdżające z wolna samochody policyjne. Zachowujemy ciszę... duchy... nikt nas nie widzi. Nikt nas nie słyszy. W myśli powtarzałam te słowa jak modlitwę. Najwyżej muskały nas niewidzące spojrzenia, jakbym rzeczywiście przeistoczyła się w ducha, co nie było żadnym pocieszeniem.

Persefona zwolniła i teraz lekko truchtała przez szeroki most, który przerzucał na drugi brzeg plątaninę torów. Kiedy dotarłyśmy na środek mostu, zatrzymałam konia, by spojrzeć w dół na nieużywane stare budynki magazynów rysujące się w ciemności. Dzięki pani Brown, mojej byłej nauczycielce ze szkoły średniej, wiedziałam, że dawniej był to piękny budynek w stylu art déco, później nieużywany i splądrowany, kiedy pociągi przestały tędy kursować. Teraz przypominał scenerię z Gotham City, miasta Batmana (och, wiem, że jestem wariatka). Miał wielkie łukowate okna i wieże połączone blankami, co przypominało nawiedzone zamki, w których straszy.

— Musimy się tam dostać — powiedziałam Persefonie. Dyszała od szybkiego biegu, ale nie robiła wrażenia specjalnie zmartwionej, co uznałam za dobry znak. Zwierzęta wyczuwają przecież grożące bliskie niebezpieczeństwo.

Kiedy minęłyśmy most, zobaczyłam zniszczoną boczną drogę prowadzącą na dół do magazynów. Było tam naprawdę ciemno. Nie powinno mnie to martwić, ponieważ jako adeptka miałam wyostrzony wzrok, zdolny do widzenia w ciemności, a jednak mnie martwiło. Mówiąc szczerze, czułam wzbierający we mnie strach, kiedy zbliżyłyśmy się do magazynu i okrążałyśmy go w poszukiwaniu opisanego przez Heatha wejścia do piwnic.

Wkrótce znalazłam zardzewiałą kratę, która wydawała się przeszkodą nie do przebycia. Nie tracąc jednak czasu i nie bacząc na przejmujący strach, zeskoczyłam z grzbietu Persefony, by ją podprowadzić do zadaszonego wejścia, które mogło przynajmniej częściowo chronić ją od wiatru i śniegu. Okręciłam lejce wokół jakiegoś żelaznego ustrojstwa, narzuciłam jej na grzbiet derkę i przez chwilę poklepywałam ją, zapewniając, że dzielna z niej dziewczynka, i obiecując, że wkrótce będę z powrotem. Miało to być po trosze samospełniające się proroctwo, wierzyłam, że powtarzając je, przyczynię się do spełnienia życzeń. Kiedy w końcu odeszłam od Persefony, uświadomiłam sobie, jak bardzo podtrzymywała mnie na duchu jej obecność. Jeszcze to działało, gdy stanęłam przed żelazną kratą, mrużąc oczy i wpatrując się w ciemność.

Nie widziałam niczego poza niewyraźnym konturem wielkiego pomieszczenia. To musiała być piwnica nie całkiem, jak się okazało, opuszczonego magazynu. Ładna historia. *Tam jest Heath*, przypomniałam sobie, złapałam za brzeg kraty i pociągnęłam. Ustąpiła bez trudu, co świadczyło o tym, że ostatnio musiała być nieraz używana. Ładna historia, nie ma co.

Ale piwnice nie były takie znowu okropne, jak sobie wyobrażałam. Wątłe światło sączyło się zza okratowanych piwnicznych okienek, uwidaczniając liczne dowody częstej tu obecności bezdomnych. Wnętrze było zarzucone rupieciami, takimi jak pudła, kartony, brudne koce, a nawet wózki ze sklepów samoobsługowych (w jaki sposób udało im się je tu wtaszczyć?). Zastanawiające, że nie zobaczyłam ani jednego bezdomnego. Piwnica przypominała mi umarłe miasto bezdomnych, co było jeszcze dziwniejsze, jeśli wziąć pod uwagę pogodę. Bo czyż aura nie zachęcała do tego, by schronić się przed zimnem i śniegiem we wnętrzu w miarę ciepłym i suchym? Padało przecież od kilku dni, w piwnicach więc powinni tłoczyć się ci, którzy wnieśli tu kartony i pozostałe rupiecie.

Jasne, że jeśli duchy czy zjawy zmarłych nawiedziły to miejsce, żywi opuścili je w popłochu. To by było jakieś sensowne wytłumaczenie.

Nie myśl o tym. Znajdź kratkę ściekową, a potem Heatha.

Kratkę znalazłam bez trudu. Skierowałam się w stronę najciemniejszego i najbrudniejszego kąta pomieszczenia i tam na podłodze zobaczyłam żelazną kratkę. Tak, dokładnie w samym rogu. Na podłodze. Nigdy bym nie przypuszczała, że przyjdzie mi kiedyś dotknąć obrzydliwej, brudnej kraty, a co dopiero podnieść ją i zejść na dół.

Właśnie to musiałam zrobić.

Krata dała się bez trudu unieść, podobnie jak zewnętrzna bariera, co znów nasunęło mi myśl, że nie byłam jedyną osobą/adeptką/istotą, która ostatnio tędy wchodziła. Poniżej znajdowała się żelazna drabina, około dziesięciu stóp wysokości, po której schodziło się w dół. Poczułam pod stopami dno tunelu kanalizacyjnego, który był wilgotny i nieprzyjemny, a przy tym ciemny. Zatrzymałam się na chwilę, by zaczekać, aż wzrok oswoi się z ciemnością, ale nie trwało to długo, gdyż najpilniejsze dla mnie było znalezienie Heatha.

— Trzymaj się prawej strony — powiedziałam do siebie, ale zaraz się zmitygowałam, gdy echo zwielokrotniło mój szept. Skręciłam w prawo i zaczęłam iść na tyle szybko, na ile pozwalały mi warunki.

Heath mówił prawdę. Było tu bardzo dużo korytarzy. Ciągle się rozwidlały, kojarząc mi się z tunelami rytymi przez robaki. Na początku widziałam ślady obecności bezdomnych, ale po kilku następnych skrętach w prawo nie znajdowałam już kartonów ani koców. Tunele, które najpierw były porządnie wykonane, dalej raziły bylejakością, jakby drążyły je karły Tolkiena (następny dowód, że jestem wariatką). Nadal było tam zimno, ale właściwie tego nie odczuwałam.

Trzymałam się prawej strony, mając nadzieję, że Heath wiedział, co mówił. Przyszło mi na myśl, żeby się zatrzymać, bym mogła lepiej się skoncentrować na pożądaniu jego krwi, czyli na działaniu naszego Skojarzenia, ale ostatecznie uznałam, że nie mam na to czasu. Muszę znaleźć Heatha, to jest priorytet.

Poczułam zapach, jeszcze zanim usłyszałam syczenie i szuranie oraz zanim ich zobaczyłam. To był ten sam obrzydliwy, zatęchły zapach, który dawał się wyczuć za każdym razem, kiedy spotykałam któreś z nich przy szkolnym murze. Uświadomiłam sobie, że to zapach śmierci. Jak mogłam przedtem go nie poznać...

Ciemność, do której zdążyłam się już przyzwyczaić, ustąpiła wątłemu, migoczącemu światłu Stanęłam, by się skupić. *Z, możesz tego dokonać. Zostałaś wybrana przez swoją boginię. Już raz wykopałaś wampirze duchy. Teraz też na pewno dasz sobie radę.*

Byłam w trakcie „koncentrowania się" (czyli wmawiania sobie, że jestem dzielna), kiedy usłyszałam krzyk Heatha. Nie miałam już czasu na żadne skupianie się czy monologi wewnętrzne. Pobiegłam w kierunku, skąd dochodził krzyk. Tu powinnam wyjaśnić, że wampiry są mocniejsze i szybsze niż ludzie, ja też, choć byłam zaledwie adeptką. Jednak bardzo nietypową adeptką. Kiedy więc mówię, że „pobiegłam", to znaczy, że przemieszczałam się naprawdę błyskawicznie, a przy tym cicho. Znalazłam się przy nich zapewne w ciągu kilku sekund, mnie jednak wydawało się, że upłynęły godziny. Siedziały w ciasnej grocie na końcu byle jak wydrążonego tunelu. Światło, które przedtem zauważyłam, pochodziło z lampy zawieszonej na zardzewiałym gwoździu, rzucając ich cienie na prymitywnie sklepione ściany. Otoczyły Heatha półkolem. On zaś stał na brudnym materacu plecami oparty o ścianę. Jakoś udało mu się pozbyć taśmy krępującej kostki, ale przeguby rąk nadal miał spętane. Na jego prawym ramieniu widniało świeże skaleczenie, zapach jego krwi jak zawsze był bogaty i nęcący.

To dało mi ostateczny bodziec do działania. Heath należał do mnie — mimo mieszanych uczuć, jakie budziła we mnie krew, i mimo uczuć, jakie żywiłam do Erika. Heath był mój i wara wszystkim od niego i jego krwi.

Wpadłam w środek tego syczącego zgromadzenia, rozrywając ich krąg niczym kula rozbijająca bezmózgie kręgle, i przywarłam do jego boku.

— Zo! — Przez ułamek sekundy wyglądał jak ktoś pijany szczęściem, ale zaraz, jak to chłopak, usiłował zasłonić mnie swoim ciałem. — Uważaj! Ich kły i pazury są naprawdę ostre! — Po czym dodał szeptem: — Naprawdę nie sprowadziłaś brygady antyterrorystycznej?

Łatwo mi było nie dać mu się odepchnąć. Wprawdzie to miły chłopak i tak dalej, ale tylko człowiek. Odtrąciłam jego złączone ręce, którymi usiłował mnie zatrzymać, i uśmiechając się do niego, jednym pociągnięciem kciuka rozcięłam szarą taśmę ściskającą mu nadgarstki. Patrzył szeroko otwartymi oczyma na uwolnione niespodziewanie ręce.

Uśmiechałam się do niego. Cały mój strach gdzieś się ulotnił. Czułam się za to niesamowicie wkurzona.

— Sprowadziłam coś znacznie lepszego niż brygady antyterrorystyczne. Tylko stój i patrz.

Teraz to ja odepchnęłam Heatha pod ścianę i stanęłam tuż przed nim, zwracając się do otaczających nas półkolem kreatur.

Fuj! Jacy byli obrzydliwi! Zebrało się ich chyba z tuzin. Mieli chude i blade twarze. Oczy im się świeciły brudną czerwienią. Prychali na mnie i syczeli. Zauważyłam wtedy, że mają spiczaste zęby, a pazury... Ohydztwo. Ich pazury były długie, żółte i groźne.

— To tylko adeptka — syknął jeden z nich. — Nawet z takim Znakiem nie jest jeszcze wampirzycą. To wariatka.

Spojrzałam na mówiącego.

— Elliott!

— Byłem Elliottem — syknął w odpowiedzi. — Ale już nie jestem tym Elliottem, którego znałaś. — Kiedy mówił, jego głowa kołysała się w przód i w tył jak u ślimaka. Gorejące oczy zmatowiały, kiedy zasyczał: — Zaraz zobaczysz, co to znaczy...

Zaczął się zbliżać do mnie, skradając się na ugiętych nogach jak dzikie zwierzę. Pozostałe kreatury, czerpiąc odwagę z jego postawy, zafalowały w swej masie.

— Uważaj, Zo, idą po nas — ostrzegł mnie Heath, starając się wyjść przede mnie.

— Nic z tego — uspokoiłam go. Zamknęłam oczy, by skupić się choćby na sekundę, myśląc o sile ognia, o jego zdolności oczyszczania, jak i niszczenia, pomyślałam też o Shaunee. — Przybądźcie do mnie, płomienie! — Poczułam gorąco we wnętrzu dłoni. Otworzyłam oczy i uniosłam w górę ręce, od których emanował blask żółtych płomieni. — Nie podchodź tu, Elliott. Za życia byłeś jak wrzód na dupie, a śmierć niczego nie zmienia.

Elliott skrzywił się i cofnął od bijącego ode mnie światła. Postąpiłam krok naprzód, chcąc już powiedzieć Heathowi, by szedł za mną, byśmy wreszcie opuścili to zakazane miejsce, gdy usłyszałam głos, który mnie zmroził.

— Mylisz się, Zoey. Śmierć jednak coś zmienia.

Tłum potworów rozstąpił się, by przepuścić Stevie Rae.

ROZDZIAŁ DWUDZIESTY DZIEWIĄTY

Dłonie przestały mnie palić, gdy moja koncentracja została przerwana.

— Stevie Rae! — wykrzyknęłam, robiąc krok w jej stronę, ale jej wygląd sprawił, że zamarłam, niezdolna dalej się poruszać.

Wyglądała okropnie, gorzej niż w najbardziej pesymistycznych moich wizjach. Nawet nie jej chudość i bladość robiły takie upiorne wrażenie, ale postawa i wyraz twarzy. Kiedy żyła, Stevie Rae była najmilszą osobą, jaką kiedykolwiek spotkałam. Teraz jednak, martwa, półmartwa czy też osobliwie zmartwychwstała, była całkiem inna. Oczy, z których wyzierało okrucieństwo, poza tym nie wyrażały żadnych uczuć. Podobnie twarz nosiła ślad jednego uczucia, którym była nienawiść.

— Stevie Rae, co się z tobą stało?

— Umarłam. — Jej głos ledwo przypominał głos, który znałam. Zniekształcony, nadal zachował ślady oklahomskiego akcentu, ale nie było już w nim dawnej miękkości i słodyczy. Przypominał głos bezdomnego włóczęgi.

— Jesteś duchem?

— Duchem? — Roześmiała się szyderczo. — Nie, nie jestem żadnym przeklętym duchem.

Poczułam nikły cień nadziei.

— Więc jesteś żywa?

Wykrzywiła usta w pogardliwym grymasie, tak niepasującym do dawnej Stevie Rae, którą pamiętałam, że niemal słabo mi się zrobiło.

— Mówisz, że jestem żywa, a ja ci powiem, że to nie jest takie proste. Poza tym sama też nie jestem taka prosta jak dawniej.

Przynajmniej nie syczała na mnie jak Elliott. *Stevie Rae jest żywa*. Uchwyciłam się tej myśli, cudu właściwie, i pokonując strach i odrazę, błyskawicznie, by nie zdążyła się odsunąć, porwałam ją w objęcia i uściskałam mocno.

— Tak się cieszę, że nie umarłaś — szepnęłam.

Przypominało to ściskanie cuchnącego kamienia. Nie odskoczyła. Nie ugryzła mnie. W ogóle nie zareagowała, tylko potwory, które nas otaczały, zaczęły syczeć i groźnie pomrukiwać. Wypuściłam ją z objęć i cofnęłam się o krok.

— Nie dotykaj mnie więcej — powiedziała.

— Stevie Rae, czy możemy gdzieś odejść na stronę, gdzie mogłybyśmy swobodnie porozmawiać? Powinnam zaprowadzić Heatha do domu, ale mogę wrócić, by spotkać się z tobą. A może ty byś poszła ze mną do szkoły?

— Chyba niczego nie zrozumiałaś.

— Tyle rozumiem, że coś ci się stało, ale nadal pozostajesz moją najlepszą przyjaciółką, więc możemy to jakoś wytłumaczyć.

— Zoey, nigdzie nie pójdziesz.

— Dobrze — udałam, że nie rozumiem zawartej w jej słowach groźby. — Domyślam się, że możemy tutaj porozmawiać, ale... — wymownie powiodłam wzrokiem po syczących potworach — trudno byłoby o swobodną atmosferę.

— Po prostu zabij ich! — warknął Elliott zza pleców Stevie Rae.

— Zamknij się, Elliott — naskoczyłyśmy na niego jednocześnie. Nasze spojrzenia się spotkały i dałabym sobie głowę uciąć, że w jej oczach zobaczyłam coś więcej niż tylko nienawiść i okrucieństwo.

— Wiesz przecież, że nie mogą pozostać żywi, skoro nas widzieli — powiedział Elliott. Pozostałe potwory poruszyły się groźnie, wydając odgłosy oznaczające zgodę.

Wtedy ze sfory potworów wystąpiła naprzód dziewczyna. Bez wątpienia musiała być przedtem piękna. Nawet teraz otaczał ją jakiś nimb. Wysoka, jasnowłosa, poruszała się z większym wdziękiem niż pozostali. Ale kiedy zajrzałam jej w oczy, spostrzegłam w nich jedynie złość.

— Jeśli ty nie chcesz, ja to zrobię. Najpierw wezmę faceta. Mnie nie przeszkadza, że jego krew została skażona przez Skojarzenie. Nadal jest ciepła i świeża — oświadczyła i tanecznym krokiem zaczęła się zbliżać do Heatha.

Stanęłam przed nim, zastawiając jej drogę.

— Jeśli tylko go tkniesz, umrzesz. I to po raz drugi — ostrzegłam ją.

Stevie Rae przerwała jej syczący śmiech.

— Wracaj do pozostałych, Venus. Zaatakujesz, kiedy ci powiem.

Venus. To imię coś mi przypomniało.

— Venus Davis? — zapytałam.

Ładna blondynka popatrzyła na mnie spod zmrużonych powiek.

— A ty, adeptko, skąd mnie znasz?

— Ona zna wiele osób i wie niejedno — odezwał się Heath, wychodząc zza moich pleców. Powiedział to tonem, który określałam zawsze jako ton piłkarza. Arogancki, zadziorny, nieustraszony, gotów do walki. — Mam już was dość, pieprzone potwory.

— A ten tam dlaczego się odzywa? — rzuciła Stevie Rae.

Westchnęłam i przewróciłam oczami. W jednym byliśmy z Heathem zgodni: ja też miałam serdecznie dość tego upiornego towarzystwa. Pora, żebyśmy się stąd ewakuowali, jak też najwyższy czas, żeby moja przyjaciółka zaczęła postępować jak normalna istota, której ukrytą obecność dostrzegłam w przebłysku jej spojrzenia.

— To nie jest żaden „ten tam". To Heath. Nie pamiętasz, Stevie Rae? Nie pamiętasz mojego byłego chłopaka?

— Zo, ja nie jestem twoim byłym chłopakiem, ja jestem twoim chłopakiem — sprostował Heath.

— Heath, mówiłam ci przecież, że między nami to nie wypali.

— Daj spokój, Zo. Jesteśmy Skojarzeni. Ja i ty, mała. — Uśmiechnął się do mnie szeroko, jakbyśmy byli na potańcówce, a nie otoczeni przez nie całkiem zmarłe potwory, które zamierzały nas pożreć.

— To był przypadek, porozmawiamy jeszcze na ten temat, ale na pewno nie teraz.

— Och, Zo, nie udawaj, że mnie nie kochasz. — Uśmiech nie schodził z jego twarzy.

— Heath, jesteś uparty jak kozioł. — Puścił do mnie oko, a ja nie mogłam się powstrzymać, żeby się do niego nie uśmiechnąć. — No dobrze. Kocham cię.

— Cssso się dzieje... — zasyczał ten potwór Elliott.

Pozostałe monstra zebrane wokół zaczęły się zbliżać do nas na niebezpieczną odległość. Z trudem opanowałam się, by nie trząść się ze strachu ani nie krzyczeć, a po chwili spłynął na mnie niezwykły spokój. Spojrzałam na Stevie Rae i nagle wiedziałam już, co zrobić. Podparłam się pod boki i spojrzałam jej prosto w twarz.

— Powiedz mu — zasugerowałam jej. — Wszystkim to powiedz.

— Co mam powiedzieć? — Jej rubinowe oczy zwęziły się, co nie wróżyło niczego dobrego.

— Powiedz im, co tu się naprawdę dzieje. Przecież ty wiesz. Wiem, że tak jest.

Stevie Rae wykrzywiła się, a słowa, które wyrzucała z siebie, brzmiały jak wydzierane z gardła.

— Ludzkie cechy! Oni pokazują swoje ludzkie cechy. — Potwory zaczęły warczeć i prychać, jakby je opryskano święconą wodą (to jeszcze jeden stereotyp na temat wampirów).

— Okazują słabość! To dlatego jesteśmy od nich silniejsi. — Venus wydęła pogardliwie wargi. — Bo my już nie mamy w sobie słabości.

Zignorowałam ją. Zignorowałam Elliotta. Cholera, na nikogo nie zwracałam uwagi, tylko wlepiłam wzrok w Stevie Rae, zmuszając ją w ten sposób, by spojrzała na mnie.

— Gówno prawda! — wypaliłam.

— Ona ma rację — powiedziała Stevie Rae, a w jej głosie pobrzmiewała wrogość i złośliwość. — Kiedy umieramy, wraz z nami umierają nasze ludzkie cechy.

— Może to i prawda w odniesieniu do nich, ale nie wydaje mi się, żeby to ciebie też dotyczyło — powiedziałam.

— Nie wiesz wszystkiego na ten temat, Zoey — stwierdziła Stevie Rae.

— Nie muszę. Znam ciebie i znam naszą boginię, i więcej nie muszę wiedzieć.

— Ona nie jest już moją boginią.

— Naprawdę? To może twoja mama też już nie jest twoją mamą? — Wiedziałam, że trafiłam w czuły punkt, bo rzuciła się, jakby porażona fizycznym bólem.

— Ja nie mam mamy. Nie jestem już człowiekiem.

— Nie zawracaj dupy. Praktycznie ja też już nie jestem człowiekiem. Akurat przechodzę Przemianę, więc jestem trochę tym, trochę więcej tamtym. Do diabła, jedynym prawdziwym człowiekiem wśród nas jest tylko Heath.

— Ale nie myślcie sobie, że z powodu braku człowieczności mam coś przeciwko wam.

Westchnęłam.

— Heath, tak się nie mówi. Mówi się: człowieczeństwa.

— Zo, wiem o tym, nie jestem idiotą. Ja ukułem ten termin.

— Ukułeś? — Nie do wiary, Heath tak powiedział? Skinął głową.

— Uczyliśmy się o tym na lekcjach angielskiego z Dickinson. To ma związek z... — Tu przerwał, a mnie się wydało, że potwory słuchają z uwagą — ...z poezją.

Roześmiałam się mimo naszego groźnego położenia.

— Heath, ty rzeczywiście wziąłeś się do nauki!

— A nie mówiłem? — Uśmiechnął się do mnie, co dodało mu mnóstwo uroku.

— Dość tego! — Głos Stevie Rae odbijał się echem od nierównych ścian podziemnego korytarza. Odwróciła się plecami, kompletnie nas ignorując. — Widzieli nas. Za dużo wiedzą. Muszą umrzeć. Zabijcie ich. — To mówiąc, odeszła.

Tym razem Heath, próbując zasłonić mnie ciałem, nie bawił się w konwenanse. Obrócił się błyskawicznie i kompletnie zaskoczoną przerzucił mnie za siebie, tak że wylądowałam na tyłku na tym obrzydliwym materacu. On zaś zaraz gotów im stawić czoła szeroko rozstawił nogi, zacisnął pięści i wydał z siebie pomruk, gestem i postawą odstraszając przeciwnika, jak to robił, będąc graczem drużyny Broken Arrow Tiger.

— No, dawajcie, pokraki!

Nie powiem, żebym nie doceniała tej cechy Heatha, kiedy odgrywał macho, ale tym razem mógł przeszarżować. Wstałam, żeby się skoncentrować.

— Ogniu, znów jesteś mi potrzebny! — Tym razem słowa te wypowiedziałam tonem rozkazującym, godnym starszej kapłanki. Płomienie ogarnęły najpierw moje dłonie, a stamtąd popłynęły wzdłuż ramion. Chciałabym mieć więcej czasu, by zgłębić tajemnicę ognia, dociec, jak to się dzieje, że płonie na mnie, ale nie parzy. Nie było jednak czasu do stracenia. — Posuń się, Heath — powiedziałam tylko.

Spojrzał do tyłu i oczy zrobiły mu się okrągłe ze zdumienia.

— Zo? — zapytał niepewnie.

— Nic mi nie jest, po prostu odsuń się.

Odskoczył, gdy cała w płomieniach zrobiłam krok do przodu. Potwory cofnęły się, nadal usiłując dosięgnąć Heatha.

— Przestańcie! — wrzasnęłam. — Wycofajcie się i zostawcie go! I to już! Jeśli spróbujecie nas zatrzymać, zabiję was, a coś mi się zdaje, że tym razem wasza śmierć będzie ostateczna.

Szczerze mówiąc, nie chciałam nikogo zabijać. Jedyne na czym mi zależało, to wyciągnąć stąd Heatha całego i zdrowego, po czym znaleźć Stevie Rae i skłonić ją do wytłumaczenia mi, jak to możliwe, że adeptka, która rzekomo umiera, chodzi sobie z pałającymi na czerwono oczami, śmierdzi stęchlizną i przejawia złe skłonności.

Kątem oka zauważyłam jakiś ruch. Odwróciłam się w samą porę, by zobaczyć, jak jedna ze zjaw rzuca się na Heatha. Podniosłam ręce i skierowałam na nią ogień tak, jak rzuca się piłką. Krzycząc, stanęła w płomieniach, a wtedy rozpoznałam w niej Elizabeth Bez Nazwiska, miłą dziewczynę, która przed miesiącem umarła. Teraz jej płonące ciało wiło się na podłodze, wydzielając odór zepsutego mięsa i zgnilizny. I tyle zostało z jej pośmiertnej powłoki.

— Wietrze i wodo! Wzywam was! — zawołałam i zaraz wiatr zawirował wokół mnie i zapachniało wiosennym deszczem.

Mignął mi widok Damiena i Erin siedzących po turecku obok Shaunee. Mieli zamknięte oczy dla lepszej koncentracji, w rękach trzymali akcesoria w kolorze symbolizującym żywioły. Skierowałam palec w stronę dymiących szczątków

Elizabeth i zaraz obmył je deszcz, następnie wiatr rozwiał zielonkawy dym i przeniósł go wysoko ponad nasze głowy, a smród wywiał do dalszych odcinków kanału i stamtąd dalej na zewnątrz.

Znów zwróciłam się wprost do potworów.

— Każdy, kto spróbuje nas zatrzymać, skończy jak ona — zapowiedziałam, dając znak Heathowi, by szedł przodem, podczas gdy ja będę ubezpieczać nas z tyłu.

Szły za nami. Nie zawsze mogłam je widzieć, szczególnie kiedy skręcaliśmy w pogrążone w ciemności tunele, ale przez cały czas słyszałam ich szuranie i stłumione pomruki. Wtedy zaczęłam odczuwać wyczerpanie, niczym telefon komórkowy, który zbyt długo nie był ładowany, a rozmowa niebezpiecznie się przeciąga. Ogień na mym ciele zagasł prawie całkowicie, jedynie mały płomyk jarzył się jeszcze w prawej ręce. Bez tego Heath nie mógłby dostrzec drogi, a ja nadal szłam z tyłu, gotowa w każdej chwili powstrzymać atak potworów. Kiedy minęliśmy dwa odgałęzienia korytarzy, dałam znak Heathowi, by się zatrzymał.

— Musimy się spieszyć, Zo. Wiem, że masz tę swoją moc, ale ich jest mnóstwo, nie tylko te, które widzieliśmy. Nie wiem, jak wielu możesz dać radę. — Dotknął moich policzków. — Nie chcę cię urazić, ale wyglądasz jak gówno.

Bo też samopoczucie mam gówniane, pomyślałam, ale nie chciałam się do tego głośno przyznawać.

— Mam pewien pomysł.

Właśnie doszliśmy do miejsca, gdzie korytarz zwężał się tak, że wyciągnąwszy w bok ręce, mogłam dosięgnąć obu jego ścian. Cofnęłam się do najwęższej jego części. Heath zaczął iść za mną, ale kazałam mu przejść naprzód. Nachmurzył się, ale zrobił to, o co prosiłam.

Odwróciłam się plecami do Heatha i spróbowałam się skupić. Podniosłam ręce do góry i wyobraziłam sobie świeżo zorane pola, malownicze łąki, jakie spotyka się w Oklahomie, pokryte niezżętą na zimę trawą. Pomyślałam o ziemi, na której stoję... otoczona przez...

— Ziemio! Przywołuję ciebie!

Gdy uniosłam ręce, obraz Stevie Rae mignął mi pod powiekami. Nie wyglądała tak jak kiedyś, z miłą twarzyczką, poważna i skoncentrowana nad zieloną świecą. Teraz skulona leżała w kącie ciemnego tunelu. Wychudzona, blada, z czerwonymi oczami. Jej twarz jednak już nie była bezduszną karykaturą dawnej twarzy ani okrutną maską. Stevie Rae płakała, jej mina wyrażała bezbrzeżną rozpacz. To dopiero początek, pomyślałam. Potem zdecydowanym ruchem opuściłam ramiona i zawołałam głośno:

— Zamknąć!

Tuż nade mną i z boków zaczęły spadać najpierw drobne kamienie wymieszane z ziemią, a następnie większe, w końcu cała kamienna lawina zasypała korytarz, tłumiąc piski i syki uwięzionych potworów.

Przeniknęła mnie fala słabości, zachwiałam się. Heath objął mnie w pasie mocnym uściskiem, bym nie upadła.

— Trzymam cię, Zo — uspokoił mnie. Oparta o niego pozwoliłam sobie na chwilę odpoczynku. Kilka jego ran otworzyło się podczas naszej ucieczki i zaczęło krwawić, zapach krwi wabił moje zmysły.

— W rzeczywistości nie są tak całkiem uwięzieni — przemówiłam do niego łagodnie, starając się nie myśleć, z jak wielką ochotą zlizałabym krew, która sączyła się po jego policzkach. — Minęliśmy kilka innych odgałęzień korytarzy. Jestem pewna, że w końcu trafią do wyjścia.

— W porządku, Zo. — Nadal obejmował mnie w pasie, ale odsunął się lekko, by móc patrzeć mi w oczy. — Wiem, czego ci potrzeba. Czuję to. Gdybyś się posiliła moją krwią, nie byłabyś taka osłabiona. — Uśmiechnął się, jego niebieskie oczy pociemniały. — W porządku — powtórzył. — Zrób to, ja też tego chcę.

— Heath, sam tyle przeszedłeś. Kto wie, ile straciłeś krwi. To nie jest najlepszy pomysł, żebym jeszcze ja ci jej ujmowała. — Mówiłam „nie", ale głos mi drżał od skrywanego pożądania.

— Nie żartuj. Ja, taki wielki facet, piłkarz i mocarz? Mam wiele krwi do stracenia — żartował. Zaraz jednak spoważniał. — Dla ciebie mogę wszystką stracić. — Patrząc mi w oczy, przeciągnął palcem po jednym ze skaleczeń na policzku, a potem po dolnej wardze. Wtedy pochylił się i pocałował mnie.

Poczułam słodki smak jego krwi, który rozszedł się w moich ustach, przyprawiając mnie o spazm rozkoszy i wlewając w moje ciało zastrzyk nowej energii. Heath przesunął moją głowę tak, bym ustami dotknęła jego skaleczenia na policzku. Kiedy mój język dotknął ranki, Heath jęknął i przytulił mnie mocniej. Zamknęłam oczy i przyssałam się do niego...

— Zabij mnie! — Głos Stevie Rae wdarł się w ciszę i czar prysł.

ROZDZIAŁ TRZYDZIESTY

Twarz paliła mnie ze wstydu, kiedy wyrwałam się z objęć Heatha, zdyszana wycierając usta. Zaledwie kilka metrów od nas w podziemnym korytarzu stała Stevie Rae. Łzy nadal spływały jej po policzkach, a rozpacz malowała się na twarzy.

— Zabij mnie — powtórzyła, szlochając

— Nie. — Pokręciłam głową i postąpiłam naprzód, by stanąć bliżej, ale ona cofnęła się, wyciągając przed siebie rękę, jakby chciała mnie powstrzymać. Zatrzymałam się, parę razy głęboko odetchnęłam, starając się znów zapanować nad sobą. — Wróćmy razem do Domu Nocy. Wyjaśnimy wszystko, co zaszło. Będzie dobrze, Stevie Rae, nie bój się. Ważne, że żyjesz, i tylko to się liczy.

Stevie Rae zaczęła potrząsać głową, gdy tylko się odezwałam.

— Nie jestem tak naprawdę żywa i nie mogę tam wrócić.

— Oczywiście, że jesteś żywa. Chodzisz, mówisz.

— Nie jestem dawną sobą. Umarłam i jakaś moja część, ta najlepsza, też umarła, tak samo jest z tamtymi. — Gestem wskazała na resztę uwięzioną w zamkniętym tunelu.

— Ale ty nie jesteś taka jak oni — powiedziałam zdecydowanym tonem.

— Bardziej ich przypominam niż ciebie. — Swój wzrok przeniosła ze mnie na Heatha, który stał spokojnie obok. — Nie uwierzyłabyś, jakie okropne rzeczy powstają w mojej głowie. Mogłabym zabić go bez chwili wahania. I zrobiłabym to, gdyby jego krew nie została zmieniona przez Skojarzenie z tobą.

— Może to nie jest tak, jak mówisz. Może nie zabiłabyś go, ponieważ po prostu nie chcesz tego zrobić — powiedziałam.

Spojrzała mi prosto w oczy.

— Nie. Chciałam go zabić. Nadal chcę.

— Tamci zabili Brada i Chrisa — wtrącił się Heath. — I to moja wina.

— Heath, nie pora teraz, by... — zaczęłam, ale mi przerwał.

— Nie, powinnaś to usłyszeć, Zoey. Te potwory złapały Brada i Chrisa, ponieważ kręcili się wokół Domu Nocy, i to moja wina, bo im powiedziałem, jaka jesteś seksowna. — Popatrzył na mnie przepraszającym wzrokiem. — Wybacz mi, Zo. — I zaraz jego rysy stężały, gdy mówił dalej: — Powinnaś ją zabić. Powinnaś zabić ich wszystkich. Dopóki oni będą żyli, ludziom będzie grozić niebezpieczeństwo.

— On ma rację — przyznała Stevie Rae.

— W jaki sposób zabicie ciebie i pozostałych rozwiąże ten problem? Czy nie powstanie was więcej? — Postanowiłam mimo wszystko zbliżyć się do niej. Wyglądało na to, że zamierza się odsunąć, ale moje słowa ją powstrzymały. — Jak to się stało? Co sprawiło, że taka teraz jesteś?

Miała udręczona minę.

— Nie wiem jak. Ale wiem, kto to zrobił.

— Kto?

Już otwierała usta, by mi odpowiedzieć, ale nagle odskoczyła błyskawicznie, skuliła się w kącie korytarza i szepnęła:

— Uważaj, idzie!

— Co? Kto? — Kucnęłam obok niej.

— Uciekaj stąd! Szybko! Może jeszcze zdążysz. — Stevie Rae chwyciła mnie za rękę. Jej dłoń była zimna, ale uścisk mocny. — Jeśli cię tu zobaczy, zabije ciebie. Zbyt dużo wiesz. I tak cię może zabić, ale trudniej jej będzie to zrobić, kiedy wrócisz do Domu Nocy.

— Stevie Rae, o kim ty mówisz?

— O Neferet.

To imię raziło mnie jak grom, ale nawet kręcąc głową z powątpiewaniem, w głębi duszy wiedziałam, że to prawda.

— Neferet ci to zrobiła? I innym też?

— Tak. A teraz uciekaj, Zoey!

Wyczułam jej przerażenie, wiedziałam, że ma rację. Jeśli ja i Heath nie uciekniemy stąd natychmiast, czeka nas śmierć.

— Co do ciebie, Stevie Rae, to nie odpuszczę. Odwołaj się do swojego żywiołu. Nadal masz związek z ziemią, czuję to. Wykorzystaj więc swój żywioł, żeby cię wzmocnił. Wrócę po ciebie, coś wymyślimy, będzie dobrze, obiecuję.

Uścisnęłam ją, a ona po krótkiej chwili wahania też mnie uścisnęła.

— Idziemy, Heath. — Złapałam go za rękę, bym mogła łatwiej go prowadzić po ciemnych korytarzach. Światło, które jeszcze na ostatku zachowałam w dłoni, zgasło, gdy przywołałam żywioł ziemi. Nie ma mowy, bym je rozpaliła na nowo, bo to by mogło naprowadzić ją na nasz ślad. Jeszcze gdy biegliśmy tunelem, gonił nas szept Stevie Rae: „Nie zapomnij o mnie".

Zastrzyk energii, jakiej dostarczyła mi jego krew, nie starczył na długo. Kiedy w końcu dopadliśmy metalowej drabinki, miałam ochotę paść przy niej i zasnąć na wiele dni. Heathowi spieszyło się, chciał jak najprędzej wspiąć się po drabinie, by dostać się do piwnic, ale go powstrzymałam.

Ciężko dysząc, oparłam się o ścianę korytarza i wyłuskałam z kieszeni swoją komórkę wraz z wizytówką detektywa Marksa. Uspokoiłam się dopiero, gdy zobaczyłam migającą zieloną diodkę sygnalizującą dostępność zasięgu.

— Słyszysz mnie? — zapytał Heath, szczerząc się w uśmiechu.

— Ćś — uciszyłam go, ale odpowiedziałam również uśmiechem. Następnie wystukałam numer detektywa.

— Tu Marx — odezwał się głęboki głos już po drugim dzwonku.

— Panie detektywie, tu Zoey Redbird. Mogę rozmawiać tylko chwilkę, potem muszę już iść. Znalazłam Heatha Lucka. Jesteśmy w podziemiach magazynów Tulsy i potrzebujemy pomocy.

— Czekaj na nas. Zaraz tam będę!

Hałas, jaki dochodził z góry, sprawił, że przerwałam połączenie i wyłączyłam telefon. Kiedy Heath się odezwał, przyłożyłam palec do ust, nakazując mu milczenie. Otoczył mnie ramieniem, wstrzymaliśmy oddech. Wtedy usłyszałam gruchanie gołębia i zaraz potem trzepot ptasich skrzydeł.

— To tylko ptak — uspokoił mnie Heath. — Pójdę jeszcze sprawdzić.

Byłam zbyt zmęczona, by protestować, w dodatku Marx już do nas jechał, a ponadto miałam serdecznie dość dusznej, wilgotnej atmosfery podziemnych korytarzy.

— Uważaj — napomniałam go.

Heath kiwnął głową, ścisnął mnie za ramię, a potem wspiął się po drabinie. Powoli i ostrożnie uniósł metalową kratę, wysunął głowę i rozejrzał się wokół. Wkrótce dał mi znak ręką, bym weszła też na drabinę.

— To tylko gołąb. Chodź.

Ostrożnie weszłam za nim i dałam się wciągnąć do piwnicy. Przez kilka minut siedzieliśmy cichutko w kącie i nasłuchiwaliśmy. Wreszcie szepnęłam:

— Wyjdźmy na zewnątrz i tam zaczekajmy na detektywa Marksa.

Kiedy Heath zaczął się trząść z zimna, przypomniałam sobie o kocu, który Afrodyta dała mi na drogę. Zresztą wolałam cierpieć niepogodę na dworze, niż tkwić w tej upiornej piwnicy.

— Okropne miejsce. Czuję się tu jak w grobie — wyznał Heath, dzwoniąc zębami.

Trzymając się za ręce, szliśmy przez piwnicę, zmierzając do wątłego światełka, które dochodziło z góry. Byliśmy już przy żelaznych wrotach, kiedy posłyszałam odległy dźwięk policyjnej syreny. Już mijało mi napięcie, gdy z ciemności doszedł mnie głos Neferet.

— Powinnam się domyślić, że cię tu znajdę.

Poczułam, jak Heath szarpnął się zaskoczony, wtedy ścisnęłam go za rękę uspokajającym gestem. Kiedy zwróciłam się do niej, czułam już, jak żywioły lekkim szumem wokół mnie zaświadczają swoją obecność. Wzięłam głęboki oddech i przestawiłam się na inną nutę.

— Och, Neferet, jak się cieszę, że cię widzę! — Raz jeszcze ścisnęłam rękę Heatha, próbując wystukać mu na dłoni informację: *Udawaj razem ze mną*, po czym podbiegłam do Neferet i rzuciłam się jej w ramiona ze słowami: — Jak mnie tu znalazłaś? Czy detektyw Marx zadzwonił do ciebie?

Dostrzegłam niepewność w jej oczach, kiedy ostrożnie wyswobadzała się z moich objęć.

— Detektyw Marx?

— Aha. — Wytarłam nos w rękaw, pamiętając, by udawać ulgę i całkowite zaufanie. — Właśnie nadjeżdża. — Wycie syren rozległo się już bardzo blisko, pochodziło pewnie z dwóch jeszcze samochodów. — Dziękuję, żeś mnie odnalazła — sapnęłam. — To było takie okropne. Już myślałam, że ten nienormalny włóczęga zabije nas oboje.

Wróciłam do Heatha i ponownie ujęłam go za rękę. Patrzył na Neferet wybałuszonymi oczami, wyglądając, jakby był w szoku. Domyśliłam się, że przypuszczalnie odtwarzał w pamięci ułamki zdarzeń, kiedy raz jeden widział Neferet — wtedy, gdy duchy wampirów omal go nie zabiły. Zbyt wystraszony wspomnieniami, które złowrogo kojarzyły mu się z Neferet, nie bardzo mógł poskładać w logiczną całość to, co się teraz działo. Ale może to i lepiej.

Posłyszałam trzask zamykanych drzwi samochodowych i ciężkie kroki skrzypiące po śniegu.

— Zoey, Heath... — Neferet zręcznie zwróciła się do nas. Uniosła w górę ręce, które jaśniały dziwnym czerwonym światłem, co natychmiast skojarzyło mi się z oczami nie całkiem umarłych stworów. Zanim zdążyłam uciec, krzyknąć czy jakkolwiek zareagować, chwyciła nas za ramiona. Zobaczyłam jeszcze, jak Heath zesztywniał, zanim poczułam przeszywający ból w całym ciele. Kolana się pode mną ugięły i byłabym upadła, gdyby nie żelazny uścisk Neferet. *Niczego nie będziesz pamiętała!* Te słowa odbijały się echem w mojej udręczonej głowie, a potem zapadła ciemność.

ROZDZIAŁ TRZYDZIESTY PIERWSZY

Znajdowałam się na pięknej łące otoczonej zewsząd gęstym lasem. Łagodny wietrzyk niósł zapach bzu. Przez łąkę przepływał strumień, a jego krystaliczne wody szemrały melodyjnie na kamieniach.

— Zoey, słyszysz mnie? Zoey? — Natarczywy męski głos wdzierał się w mój sen.

Nachmurzyłam się, próbując zignorować ten głos. Nie chciałam się budzić, ale mój duch się zaniepokoił. P o w i n - n a m się obudzić. P o w i n n a m pamiętać. O n a powinna mnie pamiętać.

Ale jaka ona?

— Zoey... — Tym razem głos odezwał się w moim śnie, zobaczyłam swoje imię napisane na błękitnym niebie. To był głos damski... znajomy... magiczny... wspaniały. — Zoey...

Rozejrzałam się wokół i zobaczyłam boginię siedzącą na drugim brzegu strumienia, wdzięcznie opartą o głaz piaskowca, jakie się widuje w Oklahomie, przebierającą stopami w przejrzystej wodzie.

— Nyks! — zawołałam. — Czy ja umarłam? — Moje słowa szeleściły wokół mnie.

Bogini uśmiechnęła się.

— Czy za każdym razem kiedy cię odwiedzę, będziesz zadawała mi to pytanie?

— Nie, ojej, przepraszam. — Moje słowa nabrały różowego koloru, zapewne od zarumienionych z zażenowania policzków.

— Nie przepraszaj, córeczko. Spisałaś się bardzo dobrze. Jestem z ciebie zadowolona. A teraz powinnaś się obudzić. Chcę ci też przypomnieć, że żywioły mogą równie dobrze odnawiać, jak i niszczyć.

Zaczęłam jej dziękować, choć nie miałam pojęcia, o czym ona mówi, ale ktoś gwałtownie potrząsał mnie za ramię, a nagły podmuch zimnego powietrza ostatecznie mnie obudził. Otworzyłam oczy.

Wokół wirował śnieg. Nade mną pochylał się detektyw Marx i potrząsał mnie za ramię. Umysł miałam jeszcze zamglony, ale potrafiłam wydobyć z tego zaciemnienia jedno słowo:

— Heath? — zaskrzeczałam.

Marx ruchem głowy wskazał na prawo, gdzie ładowano go do karetki.

— Czy on... — nie mogłam dokończyć.

— Nic mu nie będzie. Jest tylko trochę poturbowany. Stracił wiele krwi, więc dostał coś na uśmierzenie bólu.

— Poturbowany? — Z trudem próbowałam złożyć wszystko w sensowną całość. — Co mu się stało?

— Liczne rany szarpane, tak jak w przypadku tamtych chłopaków. Dobrze, że go znalazłaś i wezwałaś mnie, zanim wykrwawił się na śmierć. — Ścisnął mnie za rękę. Sanitariusz próbował odsunąć go ode mnie, ale Marx powiedział:

— Ja się nią zajmę. Trzeba ją tylko odstawić do Domu Nocy, tam wydobrzeje.

Zauważyłam, że sanitariusz spojrzał na mnie dziwnym wzrokiem, jakby chciał powiedzieć: wariatka, ale z pomocą silnych ramion Marksa właśnie zdołałam usiąść, a zza jego zwalistej sylwetki nie widziałam już sanitariusza, który burczał coś pod nosem.

— Możesz przejść o własnych siłach do mojego samochodu?

Skinęłam głową. Fizycznie czułam się trochę lepiej, ale w głowie miałam nadal mętlik. Samochód Marksa okazał się wielką terenówką z ogromnymi kołami i klatką bezpieczeństwa. Detektyw pomógł mi wsiąść na przedni fotel, a gdy sadowiłam się na ciepłym i wygodnym siedzisku, nagle coś mi się przypomniało, choć od tego intelektualnego wysiłku pękała mi głowa.

— A co z Persefoną?

Przez chwilę Marx miał zdezorientowaną minę, ale zaraz się uśmiechnął.

— Mówisz o klaczy?

Kiwnęłam głową.

— W porządku. Jeden oficer zaprowadził ją do policyjnej stajni, gdzie zostanie, dopóki drogi nie będą przejezdne, i wtedy przewiezie się ją samochodem do Domu Nocy. — Uśmiechnął się jeszcze szerzej. — Domyślam się, że jesteś bardziej odważna niż policja w Tulsie. Żaden funkcjonariusz nie zdecydował się jechać na niej z powrotem.

Oparłam głowę o zagłówek, podczas gdy Marx włączył napęd na cztery koła w swojej terenówce i ruszył powoli przez zaspy, odjeżdżając coraz dalej od magazynów. Zebrało się tu chyba z dziesięć samochodów — policyjnych plus straż pożarna i karetka pogotowia — wszystkie stały zaparkowane wzdłuż drogi, migając kogutami na czerwono i niebiesko.

— Powiedz, Zoey, co to się dziś wydarzyło?

Wytężyłam pamięć, zmrużyłam oczy, ale jedyną reakcją był nagły i silny ból głowy.

— Nie pamiętam — wykrztusiłam, zmagając się z łupaniem w skroniach. Czułam na sobie jego badawczy wzrok. Spojrzałam mu w oczy i przypomniałam sobie, jak mi mówił o swojej siostrze bliźniaczce, która stała się wampirzycą, ale nadal go kochała. Powiedział, że mogę mieć do niego zaufanie, i rzeczywiście mu wierzyłam. — Coś złego się stało — przyznałam. — W każdym razie z moją pamięcią.

— Okay — odpowiedział z wolna. — Zacznij więc od ostatniej rzeczy, jaką sobie bez trudu przypominasz.

— Czyściłam Persefonę i nagle nabrałam pewności, że wiem, gdzie się znajduje Heath, i że jeśli go nie odnajdę, on umrze.

— Czy jesteście Skojarzeni ze sobą? — zapytał. Moje zaskoczenie musiało być bardzo widoczne, ponieważ uśmiechnął się i ciągnął: — Nieraz rozmawiam z siostrą, a że byłem ciekaw wielu rzeczy dotyczących wampirów, szczególnie w okresie następującym bezpośrednio po Przemianie, często o tym mówiliśmy. — Wzruszył ramionami, jakby to było normalne, że ludzie sporo wiedzą na temat wampirów. — Jesteśmy bliźniakami, więc na ogół nie mamy przed sobą tajemnic. To, że ona stała się wampirzycą, niewiele pod tym względem zmieniło. — Spojrzał na mnie z ukosa i raz jeszcze zapytał: — Zatem jesteście ze sobą Skojarzeni, prawda?

— Tak, ja i Heath jesteśmy Skojarzeni. Dlatego wiedziałam, gdzie on jest. — Nie wspomniałam o Afrodycie. Nie potrafiłabym mu wyjaśnić całej historii z wizjami Afrodyty, które okazały się prawdziwe, mimo że przeczyła temu Neferet...

Jęknęłam głośno, tak wielki poczułam ból głowy.

— Oddychaj głęboko, to ci przyniesie ulgę — poradził detektyw Marx, rzucając w moim kierunku pełne niepokoju spojrzenia, gdy tylko mógł odwrócić wzrok od drogi kryjącej wiele pułapek. — Powiedziałem, przypomnij sobie to, co pamiętasz bez większego wysiłku.

— Nie, dobrze. Chcę sobie przypomnieć pewne rzeczy.

Nadal miał zmartwioną minę, ale dalej zadawał mi pytania.

— Wiedziałaś więc, że Heath jest w opałach, i wiedziałaś też, gdzie się znajduje. Dlaczego w takim razie nie zadzwoniłaś do mnie i nie powiedziałaś, żebym przyjechał do magazynów?

Spróbowałam to sobie uświadomić, ale wraz z próbą przypomnienia sobie szczegółów wzmógł się ból głowy, co wywołało we mnie złość. Bo coś się stało z moją głową. K t o ś mi w niej namieszał. I to mnie strasznie wkurzyło. Potarłam skronie, zacisnęłam z bólu zęby.

— Może przerwiemy na chwilkę? — zaproponował Marx.

— Nie, nie. Muszę tylko pomyśleć — westchnęłam ciężko. Pamiętałam stajnię i Afrodytę. Pamiętałam, że Heath mnie potrzebował, a potem jazdę konną na Persefonie przez zaśnieżoną okolicę do podziemi nieużywanych magazynów. Ale kiedy próbowałam sobie przypomnieć, co się działo później w podziemiach, ostry, nie do zniesienia ból przeszywał mi czaszkę.

— Zoey! — zatroskany głos detektywa Marxa docierał do mnie przez pokłady bólu.

— Coś mi się stało z głową — poskarżyłam się, ocierając z policzków łzy, które dopiero teraz zauważyłam.

— Straciłaś część pamięci.

Nie było to pytanie, ale skinęłam potakująco głową.

Nie odzywał się przez chwilę. Sprawiał wrażenie, że jest skupiony wyłącznie na drodze, opustoszałej i całkowicie zaśnieżonej, ale widać było, że pochłania go jeszcze coś innego.

— Moja siostra Anne — zaczął, patrząc na mnie z uśmiechem — kiedyś mnie ostrzegła, że jeśli narażę się starszej kapłance, to mogę mieć duże kłopoty, bo ona potrafi wymazywać pewne rzeczy. Te pewne rzeczy to ludzka pamięć. — Znów przeniósł wzrok z drogi na mnie, tym razem już bez uśmiechu, i powiedział: — Powstaje zatem pytanie, czym naraziłaś się starszej kapłance.

— Nie wiem... Ja... — urwałam, zastanawiając się nad tym, co powiedział. Już nie próbowałam sobie przypomnieć, co się stało tej nocy. Zamiast tego pozwoliłam, by moja pamięć swobodnie dryfowała: Afrodyta i jej wizje, którymi Nyks nadal ją wyróżniała wbrew temu, co utrzymywała Neferet: że nie są już prawdziwe... Pierwsze, prawie niezauważalne oznaki tego, że Neferet nie jest całkiem w porządku, wrażenie to rozrastające się jak grzyb, by przerodzić się niemal w pewność owej pamiętnej niedzielnej nocy, kiedy przywłaszczyła sobie wszystkie moje pomysły dotyczące funkcjonowania odrodzonej organizacji Cór Ciemności, aż do obrzydliwej sceny, której byłam świadkiem, kiedy to Neferet i ten... Poczułam już nie tylko ból, ale i gorąco rozchodzące się w mojej głowie, gdy przywołałam obraz Elliotta karmiącego się krwią starszej kapłanki.

— Zatrzymaj samochód! — krzyknęłam.

— Zoey, jesteśmy prawie na miejscu.

— Stańmy teraz, niedobrze mi.

Zjechaliśmy na pobocze. Otworzyłam drzwi, wyskoczyłam w stertę śniegu, pokuśtykałam w stronę rowu i tam zwymiotowałam.

Detektyw Marx niczym troskliwy tata odgarniał mi włosy do tyłu i radził głęboko oddychać, a wtedy wszystko będzie dobrze. Zaczerpnęłam haust zimnego powietrza i w końcu torsje ustały. Podał mi chustkę do nosa, taką, jakich używało się dawniej, białą, bawełnianą, schludnie złożoną w kosteczkę.

Chciałam mu oddać tę chustkę, ale powiedział, żebym ją zatrzymała.

Stałam przez chwilę, ciężko oddychając, czekając, aż minie mi to straszne łupanie w skroniach. Patrzyłam na pola pokryte świeżym śniegiem, na wielkie dęby rysujące się na tle kamiennego muru i dopiero po chwili rozpoznałam to miejsce.

— To wschodni mur naszej szkoły — powiedziałam zaskoczona.

— Tak. Pomyślałem sobie, że jak cię podwiozę z tej strony, od tyłu, będziesz miała więcej czasu na zebranie myśli i może twoja pamięć się odnowi.

Odnowi... Do czego to słowo się odnosiło? Wytężyłam pamięć, jednocześnie przygotowując się na następny atak bólu, który o dziwo, nie nastąpił. Przed oczami zamajaczył mi sielski obraz malowniczej łąki i mądre słowa mojej bogini: *...żywioły mogą równie dobrze odnawiać, jak i niszczyć.*

W tym monecie zrozumiałam, co powinnam zrobić.

— Panie oficerze, możemy zatrzymać się tu na chwilkę?

— Chcesz być przez chwilę sama?

Skinęłam głową.

— Zostanę w samochodzie, ale będę na ciebie uważał. Jakbym ci był potrzebny, po prostu mnie zawołaj.

Podziękowałam mu uśmiechem. Zanim się odwrócił, by pójść do auta, ja już szłam w stronę dębów. Właściwie nawet nie musiałam się znaleźć dokładnie pod dębami, wystarczyło, że znajdowałam się na terenie szkoły, ale ich bliskość pozwalała mi na lepszą koncentrację. Kiedy widziałam już ich gałęzie splecione jakby w przyjaznych uściskach, stanęłam z zamkniętymi oczami.

— Przybądź, wietrze, tym razem chcę cię poprosić o dokładne zdmuchnięcie tego, co przesłania mój umysł. — Poczułam zimny mocny powiew, jakby uderzenie huraganu, który jednak nie parł na moje ciało, tylko wypełniał mi głowę. Nie otwierałam oczu, starając się stłumić ból w skroniach, który powrócił. — Ogniu, przybądź do mnie i spal wszelkie zasłony, jakie zaciemniają mój umysł. — Żar ogarnął moją głowę, ale nie była to gorąca szpila, jaką wcześniej czułam. Raczej była to fala ciepła, niczym ciepłe okłady, które przykłada się na bolące mięśnie. — Wodo, przywołuję cię do siebie i proszę, byś zmyła z mego umysłu ciemność, która go ogarnęła. — Chłód przejął falę ciepła, łagodząc to, co zostało przegrzane, i przynosząc niewiarygodną ulgę. — Ziemio, przybądź do mnie. Proszę, by twoja pokrzepiająca siła zabrała z mego umysłu ciemność, która go ogarnęła. — Poczułam, jak pod stopami wspartymi mocno o ziemię otwiera się wyimaginowany spust, do którego spływa z mego ciała gnijąca ciemność, pochłaniana następnie przez moc i dobroć tego żywiołu. — Duchu, proszę cię, byś uleczył to, co ciemność zniszczyła w mym umyśle, odnów moją pamięć! — Coś we mnie pękło i znane mi uczucie gorąca przeniknęło mnie gwałtownie i powaliło na kolana.

— Zoey! Zoey! O Boże! Nic ci się nie stało?

Detektyw Marx jak przedtem zaczął mną potrząsać, by zaraz pomóc mi wstać. Tym razem bez trudu otworzyłam oczy i napotkawszy jego sympatyczną twarz, uśmiechnęłam się do niego i powiedziałam:

— Nie tylko nic mi się nie stało, ale nawet odzyskałam pamięć.

ROZDZIAŁ TRZYDZIESTY DRUGI

— Jesteś pewna, że właśnie tak ma być? — zapytał detektyw Marx po raz chyba setny.

— Aha. — Znużona kiwnęłam głową. — Właśnie tak ma być. — Byłam piekielnie zmęczona i najchętniej walnęłabym się spać natychmiast, choćby w tej jego monstrualnej terenówie. Wiedziałam jednak, że nie mogę. Noc jeszcze się nie skończyła. Ani moja misja.

Śledczy westchnął ciężko, co skwitowałam uśmiechem.

— Musi mi pan zaufać — powiedziałam to samo, co on mi mówił przedtem.

— To mi się nie podoba.

— Wiem, przepraszam. Ale powiedziałam wszystko, co mogłam.

— Że ci dwaj chłopcy i Heath to sprawka jakiegoś bezdomnego włóczęgi? Jakoś mi się nie wydaje. — Kręcił sceptycznie głową.

— Może ma pan jakieś obsesje? — podsunęłam żartobliwie.

— Gdybym miał, tobym się domyślił, co mi tu nie pasuje. — Znów potrząsnął głową. — Wyjaśnij przynajmniej, co się stało z twoją pamięcią.

Odpowiedź na to pytanie już miałam obmyśloną.

— To wynik traumatycznych przeżyć tej nocy. Blokada pamięci. Ale zdolność komunikowania się z pięcioma żywiołami pomogła mi pokonać tę blokadę i pamięć wróciła.

— I dlatego miałaś te bóle głowy?

Wzruszyłam ramionami.

— Chyba tak. W każdym razie głowa już mnie nie boli.

— Posłuchaj, Zoey. Jestem pewien, że działo się tu coś więcej, niż przyznałaś. Chcę, żebyś wiedziała, że mnie naprawdę możesz zaufać — powtórzył.

— Wiem o tym — zapewniłam go. Ale też wiedziałam, że istniały pewne tajemnice, których mu nie mogłam zdradzić. Ani temu miłemu policjantowi, ani w ogóle nikomu.

— Nie musisz sama borykać się z kłopotami. Ja mogę ci pomóc. Jesteś tylko dzieckiem, nastolatką. — Z jego tonu przebijało rozgoryczenie.

Spojrzałam mu twardo w oczy.

— Nie, jestem adeptką, która przygotowuje się do objęcia funkcji starszej kapłanki. Może mi pan wierzyć, że to znacznie więcej niż tylko zwykła nastolatka. Dałam panu słowo, a może pan wiedzieć od siostry, że dane słowo jest dla mnie wiążące. Obiecałam, że powiem wszystko, co będę mogła powiedzieć, i tak zrobiłam. Obiecuję też, że jeżeli jeszcze któryś młodziak zniknie, znajdę go dla pana.

Nie powiedziałam, że nie mam stuprocentowej pewności, jak tego dokonam, ale czułam, że w razie czego Nyks pomoże mi w poszukiwaniach. Nie twierdzę, że to będzie łatwe. Nie mogłam wyjawić, że Stevie Rae była tam obecna, wobec tego nikt nie mógł się dowiedzieć o potworach, w każdym razie nie wcześniej, niż Stevie Rae będzie całkowicie bezpieczna.

Marx znowu westchnął, zauważyłam, że coś mruczy do siebie, kiedy pomagał mi wysiąść z terenówki. Zanim otworzył przede mną drzwi prowadzące do głównego budynku szkolnego, zmierzwił mi włosy (och, jakże tego nie lubię!) i powiedział:

— Dobrze, zrobimy, jak chcesz. Zresztą chyba nie mam wyboru.

Rzeczywiście nie miał wyboru.

Weszłam pierwsza do budynku, gdzie natychmiast ogarnęło mnie znajome ciepło i zapach kadzidełek i olejów, kojące migotanie lamp gazowych, które mrugały na powitanie jak starzy przyjaciele.

A skoro mowa o przyjaciołach...

— Zoey!... — doszedł mnie jednoczesny pisk Bliźniaczek, które zaraz porwały mnie w objęcia, ściskając, popłakując i krzycząc jedna przez drugą, jak to się o mnie martwiły i jak wyraźnie czuły, kiedy odbierałam przywołane przez nie żywioły.

Damien nie pozostawał w tyle. A potem Erik wziął mnie w objęcia swych mocnych ramion i szepnął mi do ucha, jak bardzo się cieszy, że nic mi się nie stało. Z przyjemnością poddałam się jego uściskom, które z równą przyjemnością odwzajemniłam. Później się będę zastanawiać, co zrobić z nim i Heathem. Teraz byłam zbyt zmęczona, a poza tym musiałam zachować siły na...

— Zoey, napędziłaś nam stracha.

Wyswobodziłam się z ramion Erika i stanęłam przed Neferet.

— Przepraszam, nie chciałam nikogo martwić — powiedziałam, co było zresztą prawdą. Rzeczywiście nie chciałam ani nikomu napędzać stracha, ani przyczyniać zmartwień.

— Och, kochanie, domyślam się, że nie stało się nic złego. Po prostu bardzo się cieszymy, że wróciłaś bezpiecznie do domu. — Uśmiechnęła się do mnie promiennie tym swoim matczynym uśmiechem, niby pełnym miłości i dobroci, a ja, mimo że wiedziałam, co się kryje pod tym uśmiechem, poczułam ucisk w sercu i gorące pragnienie, by okazało się, że jestem w błędzie i że Neferet jest tak wspaniała, jak mi się dawniej wydawało.

Ciemność nie zawsze oznacza zło, tak jak światło nie zawsze niesie dobro. Słowa bogini zadźwięczały mi w głowie, dodając mi sił.

— Zoey bez wątpienia jest dziś bohaterką — oświadczył detektyw Marx. — Gdyby nie to, że nadawała na jednej fali z tym chłopcem, nie mogłaby sprowadzić nas w porę do magazynów, byśmy go ocalili.

— Tak, tu się rysuje mały problem, o którym będę musiała z nią porozmawiać. — Neferet spojrzała na mnie surowo, ale jej ton zapowiadał, w każdym razie pozostałym zgromadzonym, że to żadna poważna sprawa.

Cóż, gdyby wiedzieli...

— Panie oficerze, czy udało wam się złapać osobę, która porwała chłopców? — ciągnęła Neferet.

— Nie, uciekł, zanim nadjechaliśmy, ale pozostaje mnóstwo śladów czyjejś obecności w podziemiach. Wygląda na to, że ten ktoś urządził sobie w magazynach coś w rodzaju głównej kwatery. Przypuszczalnie bez trudu znajdziemy dowody na to, że dwaj pozostali chłopcy zostali właśnie tam zabici przez kogoś, kto usiłował sprawić wrażenie, że to wampiry ich porwały. Mimo że Heath z powodu szoku niewiele pamięta, Zoey dała nam dość szczegółowy opis mężczyzny, na którego się natknęła. Złapiemy go, to wyłącznie kwestia czasu.

Czy tylko ja dostrzegłam błysk zdziwienia w oczach Neferet?

— Wspaniale! — zawołała.

— Aha. — Spojrzałam prosto w oczy Neferet. — Miałam dużo do powiedzenia panu śledczemu. Pamięć mi dopisuje.

— Zoey, ptaszyno, jestem z ciebie dumna. — Neferet podeszła do mnie i zamknęła mnie w ciasnym uścisku swoich ramion. Tak ciasnym, że mogła mi szepnąć do ucha: — Jeśli powiesz coś przeciwko mnie, przypilnuję, by żaden człowiek, żaden adept ani wampir ci nie wierzył.

Nie wyrwałam się z jej objęć. W ogóle nie zareagowałam w żaden sposób. Ale kiedy mnie wypuściła ze swego uścisku, do mnie należał następny ruch, który zamierzałam wykonać, gdy tylko poczułam znajome mrowienie na plecach.

— Neferet, czy możesz obejrzeć moje plecy?

Moi przyjaciele beztrosko gawędzili, wyraźnie odprężeni, odkąd zadzwoniłam do nich z prośbą, by przyszli do głównego budynku i upewnili się, że Neferet też tam będzie. Teraz moja dziwna prośba skierowana do Neferet sprawiła, że zaintrygowani natychmiast zamilkli. Prawdę mówiąc, wszyscy, nie wyłączając detektywa Marksa, ucichli, patrząc na mnie badawczo i zastanawiając się, czy czasem nie upadłam na głowę.

— To ważne — dodałam, uśmiechając się szeroko do Neferet, jakbym pod koszulą chowała dla niej prezent.

— Zoey, nie jestem pewna, co... — zaczęła Neferet, starannie dobierając ton, który sytuował się gdzieś pomiędzy zatroskaniem a zakłopotaniem.

Westchnęłam teatralnie.

— O rany, po prostu zobacz. — I zanim ktokolwiek zdążył mnie powstrzymać, odwróciłam się do nich tyłem i zadarłam bluzę, odkrywając plecy (pilnując, by przód pozostał zakryty).

Nie musiałam się martwić, że może się mylę, niemniej gdy usłyszałam okrzyki zachwytu i zadziwienia, odebrałam je z ulgą.

— Z! Twój Znak zajmuje teraz większą powierzchnię! — zawołał Erik, śmiejąc się radośnie i dotykając z nabożeństwem mojej skóry pokrytej świeżym tatuażem.

— Coś takiego, niesamowite! — nie posiadała się ze zdumienia Shaunee.

— Totalny odjazd! — zawtórowała jej Erin.

— Widowiskowe! — ocenił Damien. — To taki sam wzór labiryntu, jaki masz w swoim Znaku.

— Tak, z runicznymi symbolami rozmieszczonymi wśród spirali — dodał Erik.

Chyba tylko ja zauważyłam, że Neferet była jedyną osobą, która nic nie powiedziała.

Opuściłam bluzę. Niecierpliwie czekałam, kiedy będę mogła obejrzeć w lustrze to, co tylko czułam przez skórę.

— Moje gratulacje, Zoey. Domyślam się, że nadal będziesz się cieszyła szczególnymi względami swojej bogini — powiedział detektyw Marx.

Uśmiechnęłam się do niego.

— Dziękuję. Dziękuję za wszystko.

Kiedy nasze spojrzenia się spotkały, Marx mrugnął do mnie porozumiewawczo. Następnie zwrócił się do Neferet:

— Chyba już sobie pójdę. Mam jeszcze mnóstwo do zrobienia dzisiaj. Poza tym domyślam się, że Zoey powinna jak najszybciej położyć się do łóżka. Dobranoc. — Dotknął brzegu kapelusza, raz jeszcze uśmiechnął się do mnie i wyszedł.

— Rzeczywiście jestem bardzo zmęczona. — Popatrzyłam na Neferet. — Jeśli mogę, chętnie bym się już położyła.

— Oczywiście, kochanie — odpowiedziała z nieszczerą serdecznością. — Tak będzie najlepiej.

— Ale chciałabym też zatrzymać się po drodze w świątyni Nyks, jeśli nie masz nic przeciwko temu — dodałam jeszcze.

— Masz za co dziękować Nyks. To dobry pomysł pójść do jej świątyni.

— Pójdziemy z tobą — zaofiarowała się Shaunee.

— Tak, Nyks była też z nami przez całą noc — powiedziała Erin.

Damien i Erik zgodnie potaknęli, ale ja nie patrzyłam na nich. Nie spuszczałam oka z Neferet.

— Owszem, podziękuję bogini, ale jest inny powód, dla którego chcę tam pójść. — Nie czekałam, aż zapyta mnie, jaki to powód, i dalej mówiłam: — Chcę dla Stevie Rae zapalić świeczkę przynależną żywiołowi ziemi. Obiecałam jej, że będę o niej pamiętała.

Moi przyjaciele mruknęli coś na znak zgody, ale ja nadal całą uwagę skupiłam na Neferet, gdy wolno do niej podchodziłam.

— Dobranoc, Neferet — powiedziałam i tym razem to ja podeszłam, aby ją uścisnąć, a kiedy przyciągnęłam ją blisko do siebie, szepnęłam jej do ucha: — Ludzie, adepci czy wampiry nie muszą mi wierzyć, ponieważ Nyks mi wierzy. A nasze rachunki nie są jeszcze skończone.

Wysunęłam się z objęć Neferet i odwróciłam się do niej plecami. Razem z przyjaciółmi wyszliśmy z budynku i przecinając dziedziniec, stanęliśmy wkrótce przed świątynią Nyks. Wreszcie śnieg przestał padać, księżyc wyzierał nieśmiało spod strzępków chmurek, które wyglądały jak srebrne szarfy. Zatrzymałam się przed pięknym marmurowym posągiem Nyks stojącym przed świątynią.

— Tutaj — powiedziałam zdecydowanie.

— Z? — zagadnął Erik trochę zdezorientowany.

— Chcę postawić świecę Stevie Rae u stóp bogini Nyks — wyjaśniłam.

— Przyniosę ci ją — zaofiarował się Erik i ścisnąwszy mi dłoń, wszedł do świątyni.

— Słusznie — pochwaliła mnie Shaunee.

— Tak, Stevie Rae byłaby zadowolona, widząc, że jej świeca tu się pali — dodała Erin.

— Bliżej ziemi — powiedział Damien.

— A zatem bliżej Stevie Rae — rzekłam cicho.

Wrócił Erik i podał mi zieloną świecę obrzędową oraz długą rytualną zapalniczkę. Zgodnie ze swoją intuicją zapaliłam świecę i postawiłam ją u stóp Nyks.

— Pamiętam o tobie, Stevie Rae, zgodnie z obietnicą — powiedziałam.

— Ja też — wyznał Damien.

— I ja — zapewniła Shaunee.

— Ditto — poświadczyła Erin.

— Ja też ją pamiętam — rzekł Erik.

Nagle wokół posągu Nyks zawirował wonny zapach łąki porośniętej soczystą trawą, co u moich przyjaciół wywołało uśmiech, a jednocześnie łzy w oczach. Zanim odeszliśmy stamtąd, przymknęłam powieki i zmówiłam szeptem krótką modlitwę, którą nosiłam głęboko w sercu, modlitwę będącą zarazem obietnicą:

— Wrócę po ciebie, Stevie Rae.

Nakładem Wydawnictwa „Książnica"
ukazał się I tom cyklu

NAZNACZONA

Wejdź do mrocznego
Domu Nocy
i poznaj tajemnice
świata wampirów

DOM NOCY

Naznaczona

P.C. CAST + KRISTIN CAST

«Książnica»

W przygotowaniu kolejne tomy

WYBRANA

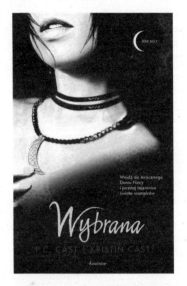

NIEPOSKROMIONA

GRUPA WYDAWNICZA
PUBLICAT S.A.

Firma rozpoczęła swoją działalność w 1990 roku pod nazwą Podsiedlik-Raniowski i Spółka. W 2004 roku przyjęto nazwę PUBLICAT S.A., w tym samym roku w skład grupy PUBLICAT weszło wrocławskie Wydawnictwo Dolnośląskie. W 2005 roku dołączyło do niej katowickie Wydawnictwo Książnica. Rok 2006 to objęcie nazwą Papilon programu książek dla dzieci. W roku 2007 częścią grupy stała się warszawska Elipsa.

Papilon – baśnie i bajki, klasyka polskiej poezji dla dzieci, wiersze i opowiadania, książki edukacyjne, nauka języków obcych dla dzieci

Publicat – książki kulinarne, poradniki, książki popularnonaukowe, literatura krajoznawcza, hobby, edukacja

Elipsa – albumy tematyczne: malarstwo, historia, krajobrazy i przyroda, albumy popularnonaukowe

Wydawnictwo Dolnośląskie – literatura faktu i poradnikowa, historia, biografie, literatura współczesna, kryminał i sensacja, fantastyka, literatura dziecięca i młodzieżowa

Książnica – literatura kobieca, powieść historyczna, powieść obyczajowa, fantastyka, sensacja, thriller i horror, beletrystyka w wydaniu kieszonkowym, książki popularnonaukowe

Publicat S.A., 61-003 Poznań, ul. Chlebowa 24, tel. 061 652 92 52, fax 061 652 92 00, e-mail: office@publicat.pl, www.publicat.pl
Oddział w Katowicach: Wydawnictwo Książnica, 40-160 Katowice, Al. W. Korfantego 51/8, tel. 032 203 99 05, fax 032 203 99 06, e-mail: ksiaznica@publicat.pl
Oddział we Wrocławiu: Wydawnictwo Dolnośląskie, 50-010 Wrocław, ul. Podwale 62, tel. 071 785 90 40, fax 071 785 90 66, e-mail: wydawnictwodolnoslaskie@publicat.pl
Oddział w Warszawie: 00-466 Warszawa, ul. Polna 46/7